ARKADIA

Iwona Michałowska

ARKADIA

VIDEOGRAF

Redakcja:
Anna Seweryn-Sakiewicz

Ilustracja na okładce:
© *The Power of Forever Photography/iStockphoto*

Redakcja techniczna, skład i łamanie:
Grzegorz Bociek

Korekta:
Joanna Szewczyk

Wydanie I, Chorzów 2013

Wydawca: Wydawnictwa Videograf SA
41-500 Chorzów, Aleja Harcerska 3c
tel. 32-348-31-33, 32-348-31-35
fax 32-348-31-25
office@videograf.pl
www.videograf.pl

Dystrybucja: DICTUM Sp. z o.o.
01-942 Warszawa, ul. Kabaretowa 21
tel. 22-663-98-13, fax 22-663-98-12
dystrybucja@dictum.pl
www.dictum.pl

Tekst © Iwona Michałowska
© Wydawnictwa Videograf SA, Chorzów 2013

ISBN 978-83-7835-205-1

Wszystkie postacie, narody, wydarzenia i miejsca w tej książce są zmyślone i nijak się mają do rzeczywistych.
Prawdziwe są tylko uczucia.

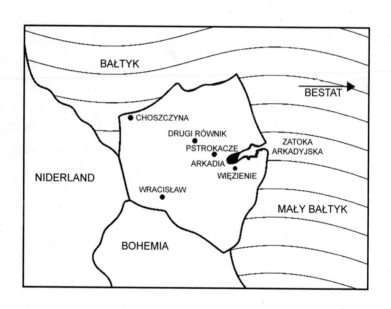

Z CIEMNOŚCI

Pamiętam, że byłam kimś, ale nie wiem kim. Pamiętam świat, ale siebie w nim nie widzę, tak jak nie widzi się swojej twarzy, póki nie spojrzy się w lustro. Pod powiekami majaczą mi jakieś strzępy, mgliste obrazy: uciekamy, bo kogoś zabiliśmy, chociaż nie pamiętam kogo; ludzie są nam nadspodziewanie życzliwi, rodzina ze wsi wyciąga pomocną dłoń, ale mieszkający w pobliżu Wapończycy zawiadamiają policję. Przyjmujemy to z pewną ulgą, bo wiadomo było, że prędzej czy później nas dorwą. Zabierają Adama gdzie indziej, mnie gdzie indziej. Te wspomnienia, a może tylko zmyślenia, wyłaniają się z mgły powoli, przeplatane widokami korytarza wypełnionego po jednej stronie metalowymi drzwiami otwieranymi za pomocą kodów.

Wcześniej nic... Może jedynie to, że znamy tę wieś i domowników. Pracowaliśmy u nich, żywili nas i dawali nam schronienie. Ale co było jeszcze wcześniej, skąd się wzięliśmy na tym świecie, i co nastąpiło później, nim ruszył pościg — to jest dla mnie jedną wielką plamą, czarną jak ciemnia, przez którą przed chwilą mnie przepuszczono.

Drzwi mają na wysokości oczu podłużne wizjery. Później się dowiem, że są wyposażone w kamery noktowizyjne, aby strażniczki mogły podglądać, co robimy w ciemno-ściach. Przez położony niżej hol przechodzi grupa dziew-cząt w asyście dwóch umundurowanych kobiet. Niektóre zadzierają głowy i gapią się na mnie. Wszystkie mają na so-bie takie same flanelowe tuniki za kolana, jedne barwy ciem-noniebieskiej, inne bordowej. Moja jest bordowa. Tyle że ja nie mam na głowie ochronnego czepka. Krótkie niesforne włosy sterczą mi na wszystkie strony, choć są świeżo umyte.

Prosto z ciemni zabrali mnie do kąpieli i wyszorowali, a dopiero potem postawili przed obliczem surowej Wapon-ki w mundurze. Jej twarz jest groźna i fascynująca zarazem, bo z samych bruzd można by ułożyć makietę, opowieść lub elegię. Włosy i oczy ciemne jak u wszystkich Wapoń-czyków, ramiona wyprostowane, wzrok nieprzenikniony.

— Wiesz, dlaczego tu jesteś?

— Chyba... chyba kogoś zabiłam. Zabiliśmy.

— Co jeszcze pamiętasz?

Wydaje mi się, że kiedy minie zamroczenie, przypomnę sobie całe dotychczasowe życie. Na razie historia dzie-li się na przed i po. Sprzed ciemnego pokoju zostały tyl-ko te chaotyczne przebłyski, wszystko po nim jest wyraź-ne i namacalne.

Wzruszam ramionami.

— Ukrywaliśmy się. Ludzie nam pomagali. Prawie wszy-scy. Dopiero te wapońskie świnie doniosły. — Muszę być bardzo zamroczona, skoro wypowiadam takie słowa prosto w twarz groźnej Waponki. — Przepraszam — mówię, nie czekając, aż się odezwie. Wcale nie dlatego, że się przestra-szyłam. Po prostu czuję, że to nie było w porządku. — I tak byście nas w końcu znaleźli.

Twarz kobiety jest jak marmurowy odlew. Nawet oczy nie mrugają.

Pyta mnie, co było przedtem, ale nic nie pamiętam. Jak po przebudzeniu, gdy usiłujesz pochwycić strzępy snu, a one i tak ci się wymykają. Po chwili nie jestem już nawet pewna tego zabójstwa, Adama, wapońskich świń.

— Dobrze — mówi kobieta i przywołuje kogoś przez interkom. Po chwili do pomieszczenia wchodzą dwie strażniczki, Waponka i biała. Chwytają mnie i prowadzą korytarzem.

Ta Waponka wygląda inaczej, ma mimikę. Może nie tak ekspresyjną jak my, ale jednak. Do tego jest znacznie młodsza i ładniejsza od tamtej, więc postanawiam ją traktować jako potencjalnego sprzymierzeńca, a w każdym razie nie wroga. Wiem jednak, że ta, z którą rozmawiałam przed chwilą, jest większą szychą i że trzeba się jej bać.

Biała strażniczka jest stosunkowo młoda, ale jej twarz nie zachęca do rozmowy. Wygląda na kogoś, kto żywi urazę do wszystkich wokół. Brzydula, chyba koło trzydziestki, choć pod względem atrakcyjności niewiele się różni od pięćdziesięciolatki. Spod czapki wystają matowe włosy nieokreślonej barwy. Twarz kanciasta, jakby lekko napuchnięta, cera niezdrowa. Krępa, z głową wtuloną w ramiona. Oczy małe i wredne. Głos piskliwy, niepasujący do wyglądu.

Później się dowiem, że stara Waponka to Durum, dyrektorka zakładu. I że faktycznie trzeba się jej bać. Młodsza ma na imię Mich'ko i jak na przedstawicielkę swojej rasy jest bardzo miła, choć wciąż należy na nią uważać, bo w razie najmniejszych problemów leci na skargę do Durum. Oni to mają we krwi. Nawet ta dziewczyna, choć prawdopodobnie przyjechała do Arkadii jako nastolatka, nie potrafi myśleć inaczej.

Biała strażniczka to Katrin. Pracuje tu od niedawna i nudzi ją wszystko oprócz wieczornych obchodów, kiedy zagląda przez prostokątne wizjery, sprawdzając, czy wychowanki przyzwoicie się zachowują.

Wychowanki, broń Boże, więźniarki. Durum wpada w szał, gdy ktoś nazywa naszą placówkę więzieniem.

To zakład poprawczy dla młodych kobiet, które zbłądziły w życiu.

Nie potrafię sobie wyobrazić Durum wpadającej w szał, ale wierzę dziewczynom na słowo.

PUSTKA

W tajniki więziennego, przepraszam, zakładowego życia wprowadzają mnie trzy towarzyszki z celi, to znaczy z pokoju. Na dolnych pryczach, zwanych łóżkami, śpią Sonia i Paula. Sonia jest krótkowłosą, krępą brunetką. Paula ma włosy dłuższe, jaśniejsze, a do tego jest wyższa, szczuplejsza, z niewinną buźką słodkiego dziecięcia. Sonia i Paula są parą, więc zaznaczyły, że wara od nich i że jeśli zacznę się przystawiać do którejś, to będę mieć przesrane. Parskam śmiechem. Mówią, że były razem już za murami.

Wiola mruga do mnie z górnego łóżka. Jest jeszcze szczuplejsza od Pauli, wręcz chuda, i do tego długaśna, z burzą czarnych loków. Wdrapuję się na górną pryczę nad Paulą, jedyną wolną. W celi śmierdzi stęchlizną, ale to nawet dobrze, bo dzięki temu nie czuć nic z kibla, który zresztą jest całkiem porządny, spłukiwany. Obok mała umywalka z kawałkiem mydła i ręcznik, nawet dość czysty. Może i faktycznie to zakład, a nie więzienie.

— Pod prysznice chodzimy co wieczór — wyjaśnia Wiola. — Obowiązkowo. Jak się kto miga, dostaje szlaban na wszystko, prócz pracy oczywiście.

Bo tu się pracuje. Codziennie przed ósmą rano, po zbiórce w holu i śniadaniu w stołówce, każdy oddział wymaszerowuje do hali produkcyjnej, by robić pudła.

— Czasem zamiast tego pracujemy w ogrodzie — mówi Wiola. — Ale teraz, zimą, nie ma tam nic do roboty. Szkoda, bo praca na świeżym powietrzu to coś całkiem innego niż ten syf tutaj.

— Macie tu ogród? — pytam. — Z czym?

Parska śmiechem.

— Nie macie, tylko mamy. Ze wszystkim: owoce, warzywa, nawet trochę kwiatków dla estetyki. Latem i jesienią to wszystko ląduje na naszych stołach. No, może nie wszystko, bo część zabiera ukochane państwo. Ale na szczęście daje coś w zamian.

Wiola ma bordową tunikę, taką jak moja. Sonia i Paula noszą niebieskie. Pytam, co to znaczy.

— W bordowych chodzą te, które popełniły ciężkie przestępstwa — wyjaśnia Wiola. — Ja na przykład, co z dumą podkreślam, jestem morderczynią.

Zerkam na nią, sprawdzając, czy nie żartuje. Mruga do mnie.

— Ja też, ale jakoś mnie to nie cieszy.

— Wiola się popisuje — informuje z dolnej pryczy Paula. — Uwielbia robić wrażenie na nowych. Nie miej jej tego za złe. Jest najlepsza z nas.

Pytam, dlaczego nie rozmieszczają nas w konkretnych celach zależnie od kalibru popełnionego przestępstwa. Odpowiada mi cisza.

— Durum wierzy w resocjalizację — mówi w końcu Wiola. — Myśli, że skoro wymazała nam pamięć, możemy zacząć wszystko od nowa.

— Po co w takim razie dwa kolory tunik?

— Bo wierzy też w instynkt — podpowiada Sonia. — Według jej pokrętnej logiki w niektórych nas tkwi coś tak wrednego, że nawet ciemnia tego nie wymaże. Dlatego Bordowe Tuniki nie mogą używać w pracy ostrych narzędzi. Ale poza pracą — pełna integracja.

Kiedy zapada noc i gaśnie światło, usiłuję poskładać siebie z miliona strzępów. Zniosłabym jakoś więzienie i utratę wspomnień, ale nie mogę sobie poradzić z utratą tożsamości. Musieli mi nawet powiedzieć, jak mam na imię, bo nie pamiętałam. To, co mi się kołacze w głowie, nie jest bardziej namacalne niż sen. Może był jakiś Adam, a może nie. Może popełniliśmy zbrodnię, a ci Wapończycy nas wydali. A może to wszystko po prostu przyśniło mi się w ciemni.

Nie mam starego życia, a nowe muszę dopiero zbudować. Wyciągam przed siebie ręce w ciemnościach i patrzę na ich ledwo widoczne zarysy. Jak mam się za to zabrać? Te dziewczyny, które tu są, zbudowały już sobie jakiś świat. Ulepiły tożsamość, choć pewnie przyszły tu równie odmóżdżone jak ja. Ile w nich zostało sprzed ciemni, trzeba by spytać kogoś, kto je wcześniej znał. Tyle że nikt zza murów nie ma tu wstępu, a personelowi nie wolno z nami rozmawiać o takich rzeczach.

Po chwili widzę już ręce trochę wyraźniej. Może po dniu, tygodniu, miesiącu będzie lepiej. W celi przyjęto mnie nadspodziewanie dobrze, jeśli wziąć pod uwagę specyfikę miejsca, w którym się znajdujemy. Wciąż jednak nie wiem, co czeka mnie jutro i czy ta dzisiejsza sielanka nie jest tylko ciszą przed burzą.

— Śpij — słyszę nagle głos Wioli. Musiałam się wiercić, choć wydawało mi się, że leżę bez ruchu.

— Łatwo ci mówić. Pamiętasz swoją pierwszą noc?

Wzdycha.

— Pamiętam, jak mnie przyprowadzili do celi. Soni i Pauli jeszcze tu wtedy nie było. Mieszkałam z innymi dziewczynami. Martę poznasz, a pozostałych już nie ma. Były w porządku. Tu jest tak nudno, że gdy przychodzi nowa, robi się święto. Nie mówię, raz po raz trafia się jakaś czarna owca, ale ogólnie da się żyć. Poza tym miejscem praktycznie nic nie znamy, więc za czym miałybyśmy tęsknić?

— Nic sobie nie przypomniałaś?

Milczy chwilę.

— Niewiele. Zresztą nie chcę pamiętać. Olać przeszłość.

Zastanawiam się, czy ja też będę tak myśleć po paru latach. Na razie czuję się, jakbym siedziała okrakiem na płocie. Z jednej strony wszystko spowija mgła, którą z rzadka rozdmuchuje wietrzyk, z drugiej — rysuje się długi klaustrofobiczny tunel. Czuję wdzięczność wobec Wioli, Soni i Pauli. Za to, że są. Czuję nawet wdzięczność wobec starej Waponki, bo jest człowiekiem. Zastanawiam się, jaką historię opowiadają bruzdy na jej twarzy. I czy chce ją pamiętać.

— Wiola? — rzucam w ciemność. Odpowiada pytającym pomrukiem. — Dzięki. Dzięki za wsparcie.

— Odrobisz w polu — mamrocze.

*

Faktycznie robimy pudła. Dziewczyny w bordowych tunikach produkują kartony, te w niebieskich — drewniane skrzynie. Bordowa tunika oznacza, że masz przerąbane i najprawdopodobniej w najbliższej pięciolatce nie zasmakujesz przepustki, a wyjdziesz stąd „na święty nigdy", jak mówi Wiola. Zresztą na przepustki mało kto wychodzi, bo po powrocie znów trzeba przejść przez ciemnię, a wtedy zdobywanie sobie pozycji w zakładzie zaczyna się niejako od nowa. Jeśli już się wychodzi, trzeba uważać, by na takiej przepustce nie narozrabiać i wrócić z niej na czas, bo inaczej przywożą cię ze sklerozą. Tak mówią: „przywożą cię ze sklerozą".

— A z ciemni to niby bez sklerozy się wychodzi? — szydzę, bo wciąż pamiętam nie więcej niż wczorajszy dzień, a może nawet mniej.

— To nie to samo, dziewczyno. — Wiola kręci głową, jakbym nie miała zielonego pojęcia, o czym mówię.

— To, co z nimi robią, to ciemnia do kwadratu. Wychodzisz z niej totalnie ogłupiona, nie znasz świata, nazwanie najprostszej rzeczy sprawia ci trudność. Jesteś jak dziecko z dżungli i mogą z tobą zrobić wszystko. Jesteś megacwelem.

Mówiąc szczerze, nie poczułam jeszcze przemożnej chęci wyjścia stąd. Muszę sobie poukładać wszystko w głowie, wyskrobać z podświadomości pamięć tego, co się właściwie stało, albo pobyć tu dość długo, by pogodzić się z myślą, że nic więcej sobie nie przypomnę. Dziewczyny w celi przyjęły mnie dobrze, a do wycinania i klejenia kartonów można się przyzwyczaić. Czasem robi się pieczątki albo przykleja nalepki: „BURAKI", „JABŁKA", „OSTROŻNIE — SZKŁO". Niektórych kartonów się nie oznacza. Dziewczyny mówią, że to są kartony przechodnie. Coś z nich pójdzie na eksport, a coś wróci z importem. Przechodnia jest też większość skrzyń, które robią Niebieskie — już się nauczyłam, że kolory tunik funkcjonują tutaj jak nazwy kast — w sąsiedniej sali. Czasem jednak i one noszą pieczątki: „JAJA", „ZIEMNIAKI".

Eksportujemy za Mały Bałtyk, głównie płody rolne, ale także przetwory i drewno. Oni z kolei produkują meble, sprzęt RTV, lepsze ciuchy i buty. Poza tym przez Mały Bałtyk odbywa się import towaru z Azji, choć jest o niego coraz trudniej, bo Bestat każe sobie słono płacić za transport morski, a jeśli z lądowym jest u nich równie krucho, jak u nas, niedługo w ogóle przestaniemy handlować. Trudny dostęp do wschodnich towarów oznacza zaś, że tkaniny inne niż płótno czy wełna powoli stają się towarem de-

ficytowym, sprzęt sportowy kosmicznie podrożał, a o no-
śnikach dźwięku czy obrazu nie ma co marzyć.

— Od miesięcy nie możemy się doprosić o nowe filmy — narzeka Wiola.

— To macie tu jakieś filmy?

— Niby tak. Kiedyś je wyświetlali dwa razy w tygodniu,
ale ostatnio już tylko raz, bo mało kto był zainteresowany.
Ile razy można oglądać to samo?

I tak się cieszę, że wreszcie zobaczę film. Mgliście pamiętam, że kiedyś bardzo je lubiłam. Ale chyba całą wieczność żadnego nie widziałam. Wydaje mi się, że ludzie, u których ukrywaliśmy się na wsi, nie mieli ani komputera, ani
żadnego sprzętu do odtwarzania płyt.

— Jakby to ode mnie zależało — mówi Wiola — to ka-
załabym wykasować te wszystkie starocie i nagrać nowe.

— Jakie nowe? — pytam.

— Wszystko jedno jakie. Mogą być nawet z Azji.

Osobiście wolałabym amerykańskie. Niestety, mimo
amnezji, która wydaje się obejmować głównie moje oso-
biste wspomnienia, doskonale wiem, że z tamtego konty-
nentu od dawna nic nie sprowadzamy.

— Wcale nie chodzi o nośniki — wtrąca pracująca obok
dziewczyna. — Kto by dzisiaj kręcił filmy? Może i w Azji
coś robią, ale co niby? Durum w życiu tego nie przepuści.

— A Durum to niby skąd jest? — pytam.

— Z innej planety. — Śmieją się. — Posiedzisz tu dłużej, to sama się przekonasz.

Dziewczyna ma na imię Laura. Jest neurotyczna, blada
i wychudzona, ale się stara. Stara się być miła i panować nad
sobą. Kiedy robi się zbyt ruchliwa, wie, że musi się totalnie
skoncentrować na pracy. To ją wycisza. Tak przynajmniej
twierdzi Wiola, a ona zna tutejsze dziewczyny jak mało kto.

Laura musiała być kiedyś piękną kobietą. Z kościstej
twarzy patrzą wielkie czarne oczy, a obcięte na jeża wło-

sy odsłaniają pięknie sklepioną głowę. Chciałabym, żeby w przyszłości znów była piękna.

Pracujemy razem, choć jesteśmy z różnych oddziałów. W zakładzie są trzy i każdy liczy około dwudziestu dziewcząt. Podobnie jak w celach, nie obowiązuje tam podział „tunikowy". Na dziedziniec i do biblioteki każdy oddział wychodzi w inne dni, ale z powodu jakiejś zadymy te ostatnie wyjścia zostały zawieszone. Szkoda. Mimo to miło wiedzieć, że w ogóle istnieje tu biblioteka. Każdy oddział ma swoją opiekunkę, która jednak nie pełni istotnej roli. Możesz się do niej zwrócić, jeśli chcesz na coś ponarzekać, ale równie dobrze możesz z tym pójść do innej wychowawczyni, która akurat ma dyżur. Naszą opiekunką jest Yuno, zastępczyni Durum. Zdania o niej są podzielone. Niektóre dziewczyny twierdzą, że to wapońska pinda, ale wszystkie są zgodne, że w porównaniu ze swoją szefową jest aniołem.

Mam okazję się jej przyjrzeć podczas obiadu. Posiłki jemy w stołówce sąsiadującej z halami poprzez niewielki korytarzyk prowadzący na dziedziniec. Wszystkie pomieszczenia oprócz cel i łazienek znajdują się na parterze, rozmieszczone wokół holu, na którym odbywają się apele, zwane zbiórkami. Na jednym z krótszych końców tego holu są schody, którymi wchodzi się na dwa balkony biegnące wzdłuż dłuższych ścian. Na tych balkonach mieszczą się korytarze z celami, których jest w sumie piętnaście, i łazienki.

W stołówce stoi kilka długich stołów. Teoretycznie siadamy przy nich oddziałami, ale w praktyce często się zdarza, że ktoś kogoś podsiądzie. Awanturować z tego powodu się nie opłaca, bo karę dostają obie strony. Mimo to od czasu do czasu awantury wybuchają. Jak w każdym miejscu, gdzie gromadzi się wiele bab.

Jeszcze nie rozgryzłam, według jakiego klucza siedzą wychowawczynie. Przy każdym stole dyżurują jakieś mundurowe, tyle że z daleka trudno mi odróżnić uniformy. Potem się dowiem, że w zgniłozielonych chodzą strażniczki, a kadra wychowawcza i kierownicza w granatowych. Zwracam uwagę na jedną babkę, o wrażliwej twarzy i włosach ciemnoblond, siedzącą przy sąsiednim stole. Wygląda jak nauczycielka plastyki i trochę nie pasuje do tego miejsca, ale to samo można by powiedzieć o większości z nas. Natomiast Yuno, wychowawczyni naszej grupy, pasuje tu jak ulał. Nie jest tak sterana życiem jak Durum, wygląda na młodszą o jakieś dziesięć lat, oczy ma surowe, ale nie srogie, włosy dłuższe, sięgające do szyi, twarz gładką, z wydatnymi — jak to u Wapończyków — kośćmi policzkowymi. Widać, że jest pewna siebie i asertywna, że z niejednego pieca chleb jadła i, kto jak kto, ale jakieś białe laski z problemami nie będą jej podskakiwać.

Dziesięć lat temu nie byłoby możliwe, żeby Wapończycy sprawowali władzę w więzieniu. Kiedy zaczęli tu przyjeżdżać, traktowano ich jak śmieci. Z czasem się okazało, że nikt nie jest tak zdyscyplinowany jak oni. Arkadyjskie społeczeństwo rozlazło się w szwach, a oni pomogli przywrócić spokój — to znaczy to, co nazywał spokojem nowy rząd, a co inni nazywali wyzyskiem. Wtedy niechęć do nich jeszcze wzrosła. Wprawdzie Waponi, jak ich pogardliwie nazywano, nie mogli sprawować stanowisk w rządzie, a za swoją pracę w służbach mundurowych byli opłacani gorzej niż Arkadyjczycy, ale nie przeszkadzało nam to ich nienawidzić, zwłaszcza że nie integrowali się zbytnio z Europejczykami.

Tu, w zakładzie, to my jesteśmy imigrantkami, a Durum i Yuno są u siebie. Dziewczyny już do tego przywykły, ja ciągle myślę o tych dwojgu, którzy wydali mnie policji. Patrzę na Yuno i widzę tamtą kobietę. Oni wszyscy mają w sobie coś, co mnie przeraża.

— Jak przyszłaś — pytam Wiolę, która jest w zakładzie od kilku lat — to one już tu były? Durum i Yuno?

Kiwa głową.

— Tak. Ale dyrektorką była Arkadyjka. Trudno porównywać tamten okres z tym, co dzieje się dzisiaj. Było lepsze zaopatrzenie, telefony, działał system monitoringu. A jednocześnie panował większy terror. Waponki wydawały się wtedy o wiele straszniejsze niż teraz i nie wolno było zwracać się do nich per ty. Teraz myślę, że Tapir, to znaczy dawna dyra, wykorzystywała je do najczarniejszej roboty. Kiedy Durum przejęła po niej funkcję, spodziewałyśmy się najgorszego, a okazało się, że jest nawet lepiej.

— Dlaczego odeszła?

Wiola wzrusza ramionami.

— Nie wiem. Pewnie obniżyli jej pensję, gdy sytuacja się pogorszyła. Albo miała dość tego, że wszystko się sypie: siadł monitoring, brakuje sprzętu, o mundury trzeba się dobijać. A może ją odwołali. W każdym razie Durum stanęła do konkursu i wygrała. Może nie było innych chętnych.

Kiwam głową. Taka funkcja to spore wyróżnienie dla Waponki. Gdyby zgłosiła się inna kandydatka, biała, pewnie wygrałaby w cuglach.

— Jedz! — ochrzania mnie Wiola. — Zaraz nas stąd wywalą, a ty ledwie dziubnęłaś. Doceń to, że dobrze nas tu karmią, bo to się w każdej chwili może skończyć.

Racja. Jak wszystko.

*

Mam szczęście, bo już dwa dni później zabierają nas na film. Niby wiadomo, że nie pokażą nic nowego, ale i tak w pracy dziewczyny gadają głównie o tym. I nic dziwnego: jestem tu dopiero trzeci dzień, a już zdążyło mi się znudzić. Pobudka, zbiórka, śniadanie, robota, obiad, cela, kolacja. Potem Katrin lub inna strażniczka zaglądają przez wizjery, a dziewczyny robią miny albo pokazują im środkowy palec. Potem światło gaśnie i można się kochać, spać lub marzyć.

Kiedyś wychowanki mogły wybierać, co chcą oglądać, ale po jednej kłótni Yuno, która opiekuje się także klubem filmowym, zdecydowała, że koniec z tym. Teraz co jakiś czas zbiera propozycje i ustala kolejność według własnego uznania. Ponieważ filmów jest mało, wszystkie, nawet kompletnie gnioty, trafiają w końcu na jej listę i są oglądane.

Projekcje odbywają się w świetlicy, która leży naprzeciwko stołówki, po drugiej stronie holu. Z jednej strony sąsiaduje z pomieszczeniami dla personelu — dyżurkami straży, pokojami wychowawców i tak dalej — a z drugiej z biblioteką.

— Słuchaj — pytam Wiolę — co to była za zadyma, po której zamknęli bibliotekę?

— Ciii! — Kładzie palec na ustach i dyskretnie wskazuje dziewczynę o imieniu Roksana.

Roksana ma specyficzną urodę: śniada, dość wysoka, przy kości, z upiętymi wysoko ciemnymi włosami i zagniewaną twarzą, przypomina Cygankę, a sądząc po temperamencie, może nawet nią jest. Odnotowałam w pamięci, że skoro to przez nią nie możemy chodzić do biblioteki, musi być naprawdę zła.

Świetlica jest dość duża, choć nieco mniejsza od stołówki. Stoją w niej takie same drewniane krzesła, na stoliku pod ścianą duży monitor, a pod nim coś, co prawdopodobnie jest odtwarzaczem płyt CD. Moje podejrzenie się potwierdza, gdy z zaplecza wyłania się Yuno z jedną, słownie jedną, płytą w ręku.

Puszcza film stary jak świat — *Thelma i Louise*. Niektóre dziewczyny narzekają, że wolałyby sobie pooglądać facetów, ale większość jest zadowolona. Po pierwsze, są momenty. Właściwie jeden moment, ale za to z Bradem Pittem. Po drugie, film niesie przesłanie, że faceci to palanci i świnie, co doskonale odpowiada i wychowawczyniom, i dziewczynom. Ja chyba jestem tu jeszcze za krótko, bo wciąż martwię się o Adama, ale jak się spędziło w babińcu wiele miesięcy, a może i lat, pewnie łatwiej żyć w przeświadczeniu, że faceci nie są nam do niczego potrzebni. No i miłość wieczorami w celach kwitnie. Oczywiście, broń Boże, żeby kogoś na niej przyłapali. Wiola mówi, że Katrin czasem już po zgaszeniu świateł łazi i patrzy przez wizjery, które mają funkcję noktowizora. Podobno kiedyś obraz z wizjerów był przekazywany do centralnego komputera, a dyżurna strażniczka oglądała go sobie w pokoju. Na szczęście system siadł i skończyło się zdalne podglądanie.

— Gdyby Katrin wtedy tu była — mówi Wiola — to pewnie nie przepuściłaby żadnej scenki.

— Kabluje?

— A coś ty. Napala się. Chociaż i podkablować potrafi, jak którejś nie lubi. Raz jej się naraziła pewna laska, to załatwiła jej dziewczynie przenosiny do drugiego bloku. A ją zostawiła tutaj.

— Jest jakiś drugi blok?

Wiola wzdycha.

— Podobno jest, chociaż nigdy nikt do nas stamtąd nie przyszedł. Może dopiero go zapełniają.

Wcale nie mam ochoty myśleć o Katrin, a jednak jej nieatrakcyjna twarz staje mi przed oczami. Zastanawiam się, czy to, co mówi Wiola, jest prawdą. Czasem ludzie stają się źli, dlatego że są bardzo nieszczęśliwi.

Wieczorem, leżąc w łóżku, mielę w głowie wszystko, co przyniósł miniony dzień. Zastanawiam się, czy faktycznie istnieje jakiś drugi blok, do którego można trafić za karę. I czy jest tam gorzej niż u nas. Myślę, dlaczego Roksana zrobiła zadymę w bibliotece i co to musiała być za zadyma, że skończyła się takim szlabanem. Przede wszystkim jednak myślę o filmie. Biorąc pod uwagę, że był pierwszym, jaki widziałam od miliona lat, a przynajmniej od trzech dni, pewnie spodobałby mi się, nawet gdyby był totalnym gniotem, ale *Thelma i Louise* budzą we mnie wyjątkowo ciepłe uczucia. Wcale nie dlatego, że pokazują facetów jako drani. Dla mnie przesłanie tego filmu jest inne: jest nim siła kobiecej przyjaźni. Przyjaźni, przy której wszelkie uczucia, jakie mogły łączyć te dwie kobiety z mężczyznami, rzeczywiście blakną. Ale co ja tam wiem o mężczyznach.

*

Dziewczyna Roksany, Gabriela, jest mniej antypatyczna. Również żywiołowa, ale o jaśniejszej karnacji, szczuplejsza, z rozpuszczonymi ciemnymi włosami, nie przypomina Cyganki, tylko modelkę albo gwiazdę rocka. Często mają kłopoty, bo ktoś je przyłapuje, jak całują się w hali albo na korytarzu, ale Gabriela reaguje na to perlistym śmiechem, jakby specjalnie prowokowały personel. I pewnie tak jest, bo po co miałyby się obściskiwać po korytarzach, skoro mieszkają razem w celi.

Wiosna dopiero się zaczyna, a właściwie nie widać jej prawie wcale, ale następnego dnia zamiast do pudeł, zabierają nas do ogrodu. Stoi tam kilkanaście drzew — część to chyba jabłonie, pozostałych nie rozpoznaję. Każą nam smarować ich pnie jakąś maścią. Inne dziewczyny sypią nawóz albo przekopują grządki, na których później sadzimy kwiatki lub coś siejemy. Zastanawiam się, czy nie za wcześnie. Mrozy jeszcze na dobre nie odeszły i w każdej chwili mogą wrócić.

— Niektóre warzywa sieje się tak wcześnie — wyjaśnia Barbara, wychowawczyni, która dziś nas pilnuje. Jest trochę przy kości, ruda i piegowata, chyba przed trzydziestką. Spod mundurowej czapki wyglądają zielone oczy. — Pomidory przykryjemy foliowym namiotem, a reszta sobie poradzi.

Roksana, Gabriela i ich koleżanki z celi, Lidia i Tina, zgłaszają się na ochotnika do sadzenia kwiatków, co zostaje przyjęte głośnym śmiechem, który oczywiście roz-wścieca Roksanę. Lidia i Tina sprawiają wrażenie klonów. No, może niezupełnie, bo jedna jest trochę grubsza i wyż-sza, ale w sumie obie ani za wysokie, ani za niskie, ani ład-ne, ani brzydkie, o włosach nieokreślonej długości i bar-wy. Noszą niebieskie tuniki, więc rzadko mam okazję je obserwować. Pod względem zachowania też wydają mi się klonami — ani za głośne, ani za ciche, ani za mądre, ani jakoś tragicznie głupie. Ot, nijakie. Doskonałe tło dla po-zostałej dwójki.

Cudownie być znowu pod gołym niebem. Oczywiście świata nie widać, bo ogród z jednej strony otacza wysoki mur, a z drugiej ściana zakładu, ale niebo nad głową, nawet zachmurzone, i możliwość odetchnięcia pełną piersią bu-dzą we mnie uczucie, które jest mieszaniną oczarowania i tęsknoty. Chyba odbija się to w moich oczach, bo dosta-ję od Wioli kuksańca w bok.

— Nie marz, tylko pracuj! — Śmieje się i potrząsa czar-nymi lokami.

Uśmiecham się wstydliwie i szukam wzrokiem Barbary, by sprawdzić, czy nic nie zauważyła. Nie mam pojęcia, jak długo tkwiłam bez ruchu, rozkoszując się chwilą. Nie za-uważyła, bo była zajęta czymś innym. Stoi koło Roksany i tłumaczy jej coś poważnym, lekko zniecierpliwionym gło-sem. Gabriela próbuje powstrzymywać przyjaciółkę, któ-ra wygląda, jakby miała się zaraz rzucić na wychowawczy-nię. A „klony" się gapią.

Wzrok Wioli podąża w tym samym kierunku.

— A ta co znowu?

Nastawiamy uszu.

— W dupie mam twój regulamin! Jak ci się nie podo-ba, to zatkaj uszy. Dziewczęta, idziemy! — I Roksana ru-sza ku drzwiom budynku, których na jej nieszczęście pil-nuje Katrin.

„Klony" maszerują za nią jak grzeczne kaczuszki. Tylko Gabriela obraca się do Barbary i rozkłada przepraszająco ręce. Potem i ona podąża za tamtymi. Nie widzę dokładnie, co się dzieje, ale po chwili Roksana zwija się z bólu na ziemi, a pozostałe dziewczyny klęczą przy niej. Katrin wygląda, jakby nawet na chwilę się nie ruszyła. Mimo ospałej miny musi być szybka. W budynku dzwoni już alarm i po chwili w korytarzu rozlega się tupot oficerek. Roksana wciąż się nie podnosi, więc strażniczki, które przybiegły na wezwanie, są nieco zdezorientowane. Wokół tej grupy zebrał się już wianuszek dziewcząt.

— Przepuśćcie mnie — słyszę głos Yuno i odsuwam się, by zrobić przejście.

Wychowawczyni przyklęka przy Roksanie. Nie pyta, co się stało.

— Możesz wstać?

Roksana spogląda na nią spode łba i zaczyna się podnosić, choć minę wciąż ma nietęgą. Musiała dostać od Katrin z kolana w brzuch, bo gdy już staje na nogach, wciąż się za niego trzyma.

— Zaprowadźcie ją do lekarza — mówi Yuno do dwóch strażniczek.

— Nie trzeba — burczy Roksana.

— To ja decyduję, czy trzeba — odpowiada chłodno Yuno. — Jeśli nic ci nie jest, wrócisz zaraz do pokoju.

„Cyganka" wzrusza ramionami i pozwala się prowadzić. Wiem, że w zakładzie jest lekarz, bo koło schodów na dole znajdują się drzwi z napisem „Ambulatorium". Zresztą można się było domyślić, że do każdego wypadku czy choroby nie będą wzywać kogoś z miasta. Zanim by tu dojechał, ofiara przeniosłaby się na tamten świat.

Później dowiem się od Wioli, że mamy też oddział szpitalny. Jeśli ktoś poważnie zachoruje, wzywają czasem specjalistów z zewnątrz, ale nie pamięta przypadku, by kogoś zabrano do miejskiego szpitala. Czasem po prostu ktoś trafiał na oddział i słuch po nim ginął.

— Co tak stoicie? — pyta Yuno. — Wracajcie do pracy.

„Klony" patrzą na nią z urazą, ale nie protestują. Zabieram się z powrotem za nawożenie drzewek, raz po raz popatrując na wychowawczynie. Barbara tłumaczy coś Yuno, a ta kiwa głową. Ciekawe, czy Roksana dostanie szlaban? Katrin potraktowała ją brutalnie, ale pewnie takie są procedury. Choć i tak myślę, że Mich'ko załatwiłaby to mniej boleśnie, a równie skutecznie.

*

Roksana nie pojawia się na obiedzie. Na kolacji też nie. Widać zostawili ją w szpitalu, ale nie wiemy, czy za karę, czy rzeczywiście Katrin jej coś zrobiła. Nie wyglądało to groźnie.

Wszystko wyjaśnia się dopiero następnego ranka. Doprowadzają ją na zbiórkę prosto ze szpitala. W szlafroku, co wzbudza powszechny śmiech. Wiem, że gdyby mogła, wydrapałaby Durum oczy, ale Mich'ko i druga strażniczka trzymają ją mocno.

— Znacie filozofię naszego zakładu — rozpoczyna dyrektorka. Bruzdy na jej twarzy poruszają się z każdym ruchem warg, opowiadając własną historię, która zdaje mi się całkiem odmienna od tego, co wypowiada beznamiętny głos z leciutkim obcym akcentem. — Wierzymy, że choć pewne skłonności są wrodzone, zło, które popełniłyście, było przede wszystkim wynikiem złego warunkowania. Dlatego otrzymujecie szansę w postaci oczyszczenia w ciemni. Chrześcijański kapłan, który święcił ten budynek, nazwał to formą rozgrzeszenia. Ale ciemnia nie jest rozgrzeszeniem. Ciemnia to ksiądz pukający w drewno konfesjonału, a nie Bóg w górze, który wie, czy grzesznik odprawił pokutę. Posługuję się terminami waszej religii, bo chcę, żebyście to dobrze zrozumiały.

— Sranie w banie — szepcze Wiola. Wiem, o co jej chodzi: co niedzielę przysyłają nam księdza, który odprawia w świetlicy mszę dla chętnych, ale chodzi na nią zaledwie kilka dziewczyn. Mimo to myślę, że Durum wie, co robi, strasząc nas karą bożą.

— Czasem takie oczyszczenie nie wystarcza — kontynuuje Waponka. — Wtedy zadajemy sobie pytanie, czy zło, które tkwi w wychowance, w ogóle da się wykorzenić. Obecna tu Roksana wielokrotnie naruszała zasady współżycia społecznego. Wczoraj jednak zachowała się w taki sposób, że nie możemy na to przymknąć oka. Najpierw rzuciła wyzwanie wychowawczyni i zaatakowała strażniczkę, a następnie zdewastowała gabinet lekarski i uderzyła pracownika. Za takie czyny regulamin przewiduje przeniesienie do zakładu o zaostrzonym rygorze. — Durum zawiesza głos. — Ja jednak wierzę w nasz system. Wierzę, że wychowanka, która dopuściła się tych czynów, jest, mówiąc językiem waszego księdza, zbłąkaną owieczką. I chcę dać jej szansę.

— Ja pierdolę — mamrocze Laura. — Zabiorą ją do ciemni!

Dreszcz przebiega mi po plecach. Już wiem, że większość dziewczyn nie znosi Roksany. Jeśli wyzerują jej pamięć, tylko Gabriela będzie mogła ją ochronić, o ile zdoła.

— Tak — mówi Durum, jakby usłyszała słowa Laury. — Tą szansą jest ciemnia. Ciemnia, która dokładnie wyczyści obszary pamięci odpowiedzialne za złe odruchy.

Widzę, jak krzyżują się spojrzenia Roksany i Gabrieli. Mimo buńczucznej fasady dostrzegam strach w oczach tej pierwszej i chyba wiem, o co pyta przyjaciółkę. „Czy wciąż będziesz mnie kochać, gdy zrobią ze mnie aniołka?".

— Nie — odzywa się Gabriela, jakby odpowiadała na to nieme pytanie. Jej głos wibruje w grobowej ciszy. — Błagam, nie róbcie tego. Będę jej pilnować dzień i noc. Nie pozwolę jej niczego zniszczyć, nikogo uderzyć. Tylko nie kasujcie jej pamięci. Nie kasujcie… — Milknie, ale wiem, co chciała powiedzieć: „Nie kasujcie mnie".

Usta jej drżą. Patrzę na Roksanę i widzę, że stoi z zaciętą miną, rozdarta między wściekłością, że przyjaciółka upokarza się dla niej, a świadomością, że jeśli okaże tę wściekłość, poświęcenie Gabrieli pójdzie na marne. Zresztą czy ktoś wierzy, że będzie inaczej? Skoro Durum coś postanowiła, nie ma od tego odwrotu.

— Skoro potrafisz ją upilnować, gdzie byłaś do tej pory? — pyta cierpko Waponka, wbijając wzrok bazyliszka w Gabrielę, która tylko zaciska pięści.

Na dłuższą chwilę zapada głucha cisza. W końcu Durum spogląda na zegarek.

— Nie rozmawiałam jeszcze z radą zakładu — mówi — ale jestem pewna, że podzieli moje zdanie. Na razie proszę o odprowadzenie Roksany z powrotem do szpitala. Tam zostanie jej podany posiłek. Pozostałe wychowanki zapraszam do jadalni.

W jadalni wrze. W moim końcu stołu przeważa opinia, że Roksana sama jest sobie winna, ale te pozornie aroganckie słowa wydają mi się podszyte strachem. Kilka dziewcząt pamięta przypadek, kiedy krnąbrną wychowankę odesłano do ciemni i nie skończyło się to dla niej dobrze. Ciężko pobita trafiła do szpitala i więcej o niej nie słyszano. Od tamtej pory personel nie stosował tej kary, czy też, jak powiedziałaby Durum, tej pokuty.

*

Jeszcze tego dnia Roksana wraca do celi. Pamięta wszystko.

Przy kolacji głowimy się, jak to możliwe, że darowano jej ciemnię. Dziewczyny, które przedtem się bały, teraz są cięte, jakby Durum uczyniła im jakiś afront. Ja mam mieszane uczucia. Boję się Roksany, ale rozumiem Gabrielę. I chyba wiem, co spowodowało taki zwrot akcji.

— Kto jest w radzie zakładu? — pytam Wiolę wieczorem w celi.

Wydyma wargi.

— Durum, Yuno, ktoś z ministerstwa i po jednej przedstawicielce wychowawczyń i strażniczek, które zmieniają się co pół roku.

— Musiały przegłosować Durum — stwierdzam.

— A prośba Gabrieli na pewno nie zaszkodziła.

— Może — mruczy Wiola, jakby podejrzewała, że to wszystko jest bardziej skomplikowane. Powinnam zawierzyć jej intuicji. W końcu spędziła tu już parę lat.

*

Kilka dni później Gabriela znika.

Po śniadaniu Yuno prosi ją na stronę. Wychodzimy do pracy, a ona zostaje. Nie ma jej na obiedzie, a po powrocie do celi dziewczyny odkrywają, że zniknęły jej rzeczy. Przypominają mi się słowa Wioli o tym, że kiedy jedna z dziewcząt naraziła się Katrin, strażniczka załatwiła jej przyjaciółce przenosiny do drugiego bloku. Bloku, który rzekomo ma się znajdować we wschodnim skrzydle, za szpitalem. Nie sądzę, żeby Katrin rzeczywiście miała taką władzę, ale nie zdziwiłoby mnie, gdyby Durum w ten sposób karała niesubordynowane wychowanki. Zamiast przenosić te, które się naraziły, odbiera im najbliższą osobę, jednocześnie wywołując w nich poczucie winy. Cwane.

— Myślicie, że chciały ukarać Roksanę? — pytam wieczorem w celi.

Paula parska śmiechem.

— To więcej niż pewne. Udają dobre ciocie, które darowały jej wszystkie grzechy, a potem jebs.

Wiola wzrusza ramionami.

— Szkoda Gaby, była w porządku. Może po prostu chciały ją odseparować, żeby nie zeszła na psy.

Zwracam uwagę, że mówi „była", jakby z chwilą zniknięcia z naszego bloku Gabriela przestała istnieć.

— Taa, odseparować — mruczy Paula. — I jeszcze pewnie uważają, że wyświadczyły jej przysługę, co? Wiem, że Roksana to potrzaskana laska, ale nikt nie staje się lepszy przez to, że odbiorą mu ukochaną osobę.

Nie wie, że wypowiada te słowa w bardzo złą godzinę.

*

Znów jesteśmy w świetlicy i mamy oglądać film. Po występach Roksany dostałyśmy szlaban na wyjścia poza budynek, to znaczy do ogrodu i na dziedziniec, ale na kino Durum łaskawie się zgodziła. Tylko główna aktorka spektaklu siedzi w celi.

— Łatwo nas przekupić — powiedziała Laura, gdy nam to zakomunikowały. — Odrobina rozrywki i zapominamy o wszystkim.

Miała rację. Choć jestem tu tak krótko, poczułam już na własnej skórze, czym jest nuda dla człowieka, który nic o sobie nie wie. Jest pustką, która pożera wnętrzności, rozmiękcza mózg, sprawia, że przestajesz wierzyć w swoje istnienie. Dlatego Roksany nie ma z nami w świetlicy.

Yuno przynosi z kanciapy płytę, wkłada do odtwarzacza i nagle na sali rozlega się zbiorowy jęk. Nie znam tego filmu, ale dziewczyny najwyraźniej tak. Widziały go już milion razy i nie chcą oglądać po raz milion pierwszy. Yuno czeka, aż się uciszymy, ale Marta, przewodnicząca samorządu, podnosi rękę.

— To leciało góra dwa miesiące temu, a niektórych filmów z listy nie widziałyśmy z pół roku.

Marta jest śliczną dziewczyną o długich, jasnych, kręconych włosach i niebieskich oczach. Sympatyczna, pewna siebie i asertywna. Jeśli mogę jej coś zarzucić, to chyba jedynie to, że jeszcze nigdy nie usłyszałam z jej ust ory-

ginalnej myśli. Dzięki temu doskonale nadaje się na przewodniczącą, bo wyraża życzenia ogółu.

— Jakich? — pyta Yuno.

— Na przykład *Masz wiadomość!* — woła ktoś.

Yuno zerka na listę, potem na nas.

— Niestety — przyznaje w końcu — jedna z płyt uległa uszkodzeniu i nie da się jej odtwarzać.

W sali podnosi się rumor. Dziewczyny wrzeszczą jedna przez drugą.

— Co? Jak to uszkodzeniu? To nie macie kopii?

Yuno ucisza nas gestem.

— Dziewczęta, zrozumcie. Od dawna nie mamy zapa-
sowych nośników. Sytuacja jest trudna. Bardzo żałuję, że
tak się stało.

Zalega złowróżbne milczenie. Nim zdążę się zor
iento-
wać, co robię, moja ręka wystrzela w górę.

— Tak? — pyta Yuno.

Ogarnia mnie trema, ale na wycofanie się jest za późno. Wstaję.

— Może spróbujecie zamówić coś z Bestatu?

Znów zalega cisza. Tym razem głucha, jakbym wypowiedziała niewyobrażalną bzdurę.

— Widać, że krótko tu jesteś — szydzi w końcu Laura.

— Myślisz, że je naprawdę obchodzi, co oglądamy? Durum
ma nas w dupie. Myśli, że jak będziemy w kółko oglądać te
same gnioty, to stępiejemy i nie będzie z nami problemów.

— Dziewczęta — mówi znowu Yuno — to nie jest takie
proste. Statki są przeładowane artykułami pierwszej potrzeby.
Miejsca na zbytki nie ma wiele, a ich przewóz jest kosztowny.

— Filmy to zbytki? — pytam cicho. — Kiedyś nazywali to kulturą.

Yuno długo milczy, nie odrywając wzroku od mojej twarzy. Czuję się niezręcznie, przełykam ślinę, ale nie odwracam oczu.

— Zobaczę, co się da zrobić — mówi wreszcie i zostaje nagrodzona oklaskami. Uśmiecha się leciutko. — Nie zaszkodzi, jeśli ułożymy listę życzeń.

Na pierwszym miejscu wpisujemy *Masz wiadomość*. Wytężam umysł w poszukiwaniu filmów, które mogłabym sobie przypomnieć, ale widzę jedną wielką białą plamę. W końcu się poddaję. Większość dziewcząt też nie pamięta ani jednego filmu. Na liście ląduje zaledwie kilka tytułów — głównie takich, które kiedyś tu były, ale znikły. Yuno pyta, czy może dopisać swoje propozycje.

— Jasne — mówi Marta. — Byle nie samurajskie.

Waponka uśmiecha się po raz drugi tego wieczoru. To rzadki widok.

Ostatecznie oglądamy film, z którym Yuno pierwotnie tu przyszła. Jak dla mnie, jest całkiem niezły, choć rozumiem, że komuś może się nie chcieć oglądać go po raz enty. Nosi tytuł *Wichrowe Wzgórza*.

Kiedy film się kończy i strażniczki eskortują nas do cel, zauważam, że niektóre dziewczyny mi się przyglądają.

— O co chodzi? — pytam, gdy już zasunęły się za nami metalowe drzwi. — Co te laski tak się we mnie wgapiały?

Trzy pary oczu przez chwilę identycznie się we mnie wgapiają.

— Yuno ma do ciebie słabość — mówi w końcu Wiola. — Nikt inny nie przekonałby jej do tego, żeby spróbować załatwić nowe filmy i jeszcze wspólnie zrobić ich listę.

— A przestań! — prycham. — Ledwie mnie zna. Jestem tu dopiero dwa tygodnie. Zgodziła się tylko dlatego, żebyśmy dały jej spokój.

— No, może — przyznaje Paula. — Też specjalnie nie wierzę, że coś załatwi. Ale jak na ciebie patrzyła, gdy powiedziałaś o tej kulturze… Normalnie ciary.

Wzruszam ramionami.

— Oj, tam. Ze wsi jestem, brak mi ogłady.

Śmiejemy się. Ale dziewczyny szybko poważnieją, więc ja też.

— Ja też mam do ciebie słabość — mówi Wiola i patrzy na mnie jakoś dziwnie.

— Na wszystkich tak działasz — stwierdza Sonia. — Serio. Rozmiękczasz ludzi.

— Odwalcie się — mamroczę, bo nie mam zamiaru nikogo rozmiękczać. — Myślicie, że powinno mi być przyjemnie? No to się mylicie. Jestem tu dwa tygodnie, nie poznałam jeszcze wszystkich dziewczyn, nie do końca wiem, jak funkcjonuje ten cały przybytek, i naprawdę nie mam sił na to, żeby nagle stać się kimś wyjątkowym. Gdybym siedziała tu parę lat jak Wiola, to co innego. Na razie chcę w spokoju to wszystko rozgryźć, znaleźć swoje miejsce.

Od tego momentu zaczynam jednak baczniej obserwować, jak reagują na mnie poszczególne osoby. Kiedy strażniczki ustawiają nas przed stołówką czy przed wyjściem do hal, pozwalam sobie nawet na malutkie kuszenie losu.

— Gdzie one są? — pyta Katrin, bo Lidia i Tina gdzieś zniknęły.

— Nie wiem — mówię. — Może produkują nowe klony.

Uśmiecham się do niej, a ona spogląda na mnie tym swoim tępym obliczem. Tyle że kąciki ust wyraźnie jej drgają.

— Pojechałaś! — mówi Laura, gdy już siedzimy przy pudłach. — Mało brakowało, a faktycznie by się roześmiała. Jestem przekonana, że byłby to jej pierwszy raz.

A Wiola tylko kładzie mi rękę na ramieniu i patrzy znacząco w oczy, jakby chciała powiedzieć: „No widzisz?".

Chyba widzę.

*

Następnego ranka masakra.

O szóstej trzydzieści w celach zapala się światło i trzeba wstać jak zawsze. Tyle że po chwili gaśnie. Jestem akurat w łazience i słyszę „pstryk", po czym robi się ciemno i głucho. Próbuję dokończyć mycie zębów, po czym po omacku wyłażę z kanciapy.

— Znowu! — mówi Wiola.

Okazuje się, że przed moim przyjściem światło gasło już wiele razy. Zazwyczaj usuwają awarię w ciągu paru minut, ale zdarzyło się, że trzeba było czekać prawie godzinę.

— No to dupa — mamrocze Sonia. — Nie będzie śniadanka.

— Oj, tam — mówi Paula. — Przynajmniej nie musimy iść do roboty. Nie wiem jak wy, ale ja zamierzam się zdrzemnąć.

Trzeszczeniem łóżka oznajmia, że nie były to czcze obietnice. Chwilę później Sonia dołącza do niej i wyro kołysze się jak statek na spokojnym morzu.

Leżymy, a światła jak nie było, tak nie ma. Do otworzenia drzwi cel niezbędny jest prąd, więc nawet gdyby chcieli nam przynieść żarcie, nie mogą. Zaczynam się niepokoić, może dlatego, że przeżywam taką sytuację po raz pierwszy. Ale chyba nie tylko ja się boję, bo jakiś czas później zza ściany dobiegają wrzaski i walenie w drzwi.

— Świa-tło, świa-tło! — skandują dziewczyny w sąsiedniej celi, gdzie mieszkają między innymi Marta i Laura. Po chwili dołączają do nich inne głosy.

Wiola zwleka się z łóżka i zaczyna walić pięścią w metalowe drzwi. Wszystko na nic. Ciemno, głucho, na korytarzu nie słychać nawet kroków strażniczek. Jakby nas tu zostawiono, żebyśmy zdechły.

W końcu gwar cichnie i robi się naprawdę strasznie. Jedyną pociechą jest wstający ślamazarnie za oknem świt, który możemy kontemplować przez kraty. Niewiele stąd widać. Fragment dziedzińca w dole i kawałek nieba. Czasem słońce, czasem kilka gwiazd, rzadko księżyc.

— Założę się, że one mają prąd — burczy Wiola.
— W swoich dyżurkach, w ciemni, w dyrektorskich gabinetach. Tam na pewno mają zapasowe źródła. Ale tu? Po co?
— Słyszę w jej głosie nerwową nutę i dopiero wtedy zaczynam się bać. Wiola jest tu od lat. Kto jak kto, ale ona z pewnością nie panikowałaby bez przyczyny.

— Wiola — mówię cicho.

— Co?

— Jak myślisz, ile to już czasu?

W mdłym świetle dobiegającym przez okno widzę, jak wzrusza ramionami.

— Bo ja wiem? Może z godzina…

Dopiero wtedy załapuje, jak bardzo jestem wystraszona.

— Hej. — Patrzy mi w oczy. — To nic takiego. Przeżyłyśmy to już mnóstwo razy. Przysięgam ci.

I ni stąd, ni zowąd cmoka mnie w policzek. Śmieję się zaskoczona i na moment zapominam o strachu. Z perspektywy światła dziennego widmo śmierci głodowej wydaje się mniej realne, choć z drugiej strony — rzadko mamy okazję siedzieć bezczynnie w pokoju w biały dzień.

A jeśli tak zostanie? Jeśli morze zabiera właśnie kolejne połacie lądu? Nigdy nie wiadomo, kiedy wody znów się podniosą i dokąd dotrą. Jeśli zaleją miasto w dole, nikt po nas nie przyjdzie.

Mija chyba kolejna godzina, nim w celach w końcu rozbłyska światło. Nie wiem po co, skoro i tak jest już jasno. Drzwi jednak wciąż się nie otwierają i walenie w nie rozpoczyna się na nowo. Po paru minutach, gdy jesteśmy już naprawdę zmęczone, przez kołchoźniki puszczają nagle komunikat.

— W imieniu elektrowni przepraszamy za awarię — mówi zniekształconym głosem Durum. — Przygotujcie się do wyjścia na śniadanie. Jednocześnie zawiadamiam, że rada zakładu uchwaliła zawieszenie zakazu wypożyczania książek. Już jutro chętne osoby będą mogły odwiedzić bibliotekę.

— Ciekawe, kiedy to uchwaliły? — burczy Sonia.

— Przy świecach obradowały?

Komunikat Durum, a przede wszystkim włączenie prądu i zapowiedź śniadania ugłaskały nas już jednak wystarczająco, by zażegnać perspektywę buntu. Tym bardziej że śniadanie okazuje się wyjątkowo smakowite.

— Co to właściwie była za zadyma w tej bibliotece? — zagaduję, gdy już spałaszowałam większość swojej porcji.

— Aaa, nawet nie pytaj! — prycha Laura. — Roksi ze swoją bandą podarła ful książek.

— Czemu?

Wzrusza ramionami.

— Bo jest popieprzona. Nie pamiętam nawet, o co poszło. Ktoś sprzątnął jej sprzed nosa jakąś książkę albo Nadia nie chciała jej czegoś wypożyczyć, a ona dostała szału. Wyszła z tego nieziemska awantura. Myślałam, że już nigdy nas tam nie wpuszczą.

Nadia. A więc to ona, wychowawczyni, która w moich oczach wyglądała jak nauczycielka plastyki, prowadzi bibliotekę. Fajnie.

— Naprawdę dużo zniszczyły? — pytam.

— W cholerę dużo — mówi Sonia. — Chyba ze dwadzieścia książek, jak nie więcej. Głupie pindy. Filmy się kończą, innych rozrywek nie widać, a one drą książki.

Chociaż przyszłyśmy do roboty dwie i pół godziny później niż zwykle, pracujemy tylko godzinę dłużej. Mogłybyśmy podnieść bunt, że chcemy fajrantu i obiadu o zwykłej porze, ale nie jesteśmy jeszcze głodne, a po przymusowym porannym siedzeniu w celach wcale nam się do nich nie spieszy. Pracujemy jednak leniwie i zagadujemy pilnującą nas Kenjo o jutrzejsze wyjście do biblioteki.

Kenjo to trzecia, po Durum i Yuno, wapońska wychowawczyni. Jest młodsza od nich, może mieć koło czter-
dziestki albo i nieco mniej, bardziej zeuropeizowana z fry-
zury i gestów, z długimi włosami. Znośna jak na Waponkę. Nie tak groźna jak Durum i mniej oficjalna niż Yuno.

— Grupami będziecie chodzić — mówi. — Oczywiście tylko te, które chcą.

— Ona też? — szepcze Wiola, strzelając oczami w kierunku Roksany.

Kenjo kręci głową.

— Na razie ma zakaz.

Roksana chyba tego nie słyszy, i całe szczęście. Teraz, gdy
straciła Gabrielę, boimy się jej jeszcze bardziej niż dotąd.

Na myśl o jutrzejszej wizycie cieszę się jak dziecko.

— Wyluzuj — tonuje mój entuzjazm Wiola. — To dwie
półki na krzyż. Na lepsze książki trzeba się zapisywać i czekać miesiącami. A teraz jest ich jeszcze mniej.

Ale ja i tak się cieszę.

*

Przy obiedzie zauważamy wśród personelu oznaki ner-
wowości. Wprawdzie podczas śniadania było podobnie, ale
wtedy składałyśmy to na karb zaciemnienia i obaw o naszą
reakcję. Same zresztą byłyśmy nieźle podkręcone. Teraz,
po paru godzinach roboty, emocje opadły. Natomiast poruszenie wśród kadry trwa. Niby starają się zachowywać
jak zwykle, ale ciągle się kręcą, mają zacięte miny. Nawet
pogodna zwykle Barbara, która dyżuruje dziś przy naszym
stole, jest jakaś zasępiona. W końcu podpuszczamy Martę, by ją zapytała, o co chodzi. Wychowawczyni długo się
ociąga z odpowiedzią.

— Zdenerwowała nas ta awaria — mówi w końcu.
— Dzisiaj mamy zebranie w sprawie nabycia zapasowe-
go źródła prądu.

— Rychło w czas — mruczy pod nosem Laura. — Taki problem postawić wiatrak za murem? Przecież na tym wzgórzu piździ jak smok.

Barbara wszystko słyszy i grozi jej palcem.

— Ziemia za murem nie należy do zakładu. Trzeba się postarać o pozwolenia i tak dalej. No i rząd musi dać pieniądze. Mamy nadzieję, że po tej awarii zrozumie konieczność zastosowania takiego rozwiązania.

Czujemy jednak, że nie powiedziała nam wszystkiego. Być może mają jakieś przecieki na temat przyczyny awarii, ale przepisy zakazują rozmowy z wychowankami o tym, co dzieje się poza murami zakładu.

*

Wkrótce mam okazję zobaczyć megacwela.

To młodziutka, przestraszona dziewczyna o szczupłej sylwetce. Długie, ciemne włosy opadają jej na twarz; odgarnia je za uszy nerwowymi, kompulsywnymi gestami. Po raz pierwszy widzimy ją następnego ranka na zbiórce. Nie mówi ani słowa. Początkowo myślimy, że jest po prostu spłoszona i ogłupiona po ciemni, ale wkrótce staje się jasne, że totalnie ją odmóżdżyli.

Ma na imię Ania i nosi niebieską tunikę, taką samą jak „klony". I właśnie do nich, a także do Roksany ją dokooptowano — w miejsce Gabrieli. Nie trzeba być jasnowidzem, by wiedzieć, że będą z tego kłopoty. Ania jest bezradna jak dziecko. Pracuje w drugiej hali, ale dziewczyny opowiadają przy obiedzie, że „klony" pastwiły się nad nią, zabierały narzędzia, zmuszały do wykonywania za nie pracy.

— Masakra — mówię. — Nie mogli jej dać gdzie indziej?

— A jest gdzieś miejsce? — pyta Wiola. — Mamy komplet albo i nadkomplet. Miejsce się zwolniło, to wrzucają tam cwela.

Kręcę głową.

— Roksana ją zadręczy.

— Pogadaj z Yuno. Masz u niej chody, może cię posłucha i spróbuje coś wskórać u Durum. My nie mamy szans.

Nie jestem jednak gotowa, by stanąć w obronie nowej. Łapię się na tym, że myślę o niej jak o przestraszonym psiaku, a nie o człowieku. Przykro mi z tego powodu. Wiem, że zanim weszła do ciemni, była w pełni świadomą istotą ludzką. Może nie w pełni ukształtowaną, bo wygląda bardzo dziecinnie, ale kto właściwie jest w pełni ukształtowany?

— Myślicie, że ma siedemnaście lat? — pytam. Teoretycznie tyle trzeba mieć, by trafić do więzienia.

— Trudno kogoś oceniać, jak jest w takim stanie — mówi Wiola. — Wygląda jak małe zwierzątko. Ale coś innego mnie zastanawia…

Patrzymy na nią pytająco.

— Czy jej pojawienie się właśnie dzisiaj ma coś wspólnego z wczorajszą awarią prądu?

Wciąż patrzymy, nie rozumiejąc, o co jej chodzi.

— No wiecie! — Macha niecierpliwie rękami. — Mogło nastąpić jakieś zwarcie w ciemni i dlatego prąd zgasł. A nawet jeśli coś innego spowodowało awarię, to cholera wie, jak to mogło podziałać na kogoś, kto akurat był w ciemni.

Zastanawiamy się.

— Przyprowadzili ją dopiero dziś… — mówi Paula.

Wiola kiwa głową.

— Mogła spędzić noc w szpitalu. Może próbowali jej przywrócić część pamięci. Ale widać, że jest totalnie zresetowana. Nawet słowa nie powiedziała.

— Jezu — mówię. — Co one jej tam zrobią…

Może jednak powinnam pogadać z Yuno.

*

Upragniona wizyta w bibliotece wreszcie nadchodzi. A raczej to my nadchodzimy, w sile dwunastu, bo część oddziału wypięła się na intelektualną rozrywkę. Prowadzą nas dwie strażniczki — jedną jest Katrin, imienia drugiej nie pamiętam. Serce bije mi mocno, gdy przekraczamy próg.

Biblioteka istotnie jest malutka, złożona z dwóch regałów z beletrystyką i jednego z innymi, na ogół grubszymi książkami. Uchylone okno wychodzi na wiosenny ogród, w którym nie byłyśmy od czasu awantury z Roksaną. Jabłonie jeszcze nie kwitną, ale i tak wydaje nam się, że czujemy w powietrzu zapach kwiatów, które gdzieś w nich kiełkują niewidzialne.

Dziewczyny od razu dobierają się do półek — oczywiście tych z beletrystyką — ale ja nie mogę oderwać wzroku od Nadii. Pierwszy raz, odkąd trafiłam do zakładu, widzę kogoś w cywilnych ciuchach. Ma na sobie marchewkową bluzkę, kontrastującą z jej jasną skórą. Żadnej biżuterii; pewnie przepisy nie pozwalają. Ale by wyróżnić się z tłumu personelu i więźniarek, wystarczy ta bluzka i lekko kręcone ciemnoblond włosy, które opadają niemal do ramion, lecz zawijają się na końcówkach. Widocznie mundur obowiązuje ją jedynie wtedy, gdy pełni funkcję wychowawczyni. Bibliotekarką jest w cywilu. Tylko niebieskie oczy błyszczą tak samo, niezależnie od stroju. Uśmiecham się do niej.

Widywałam Nadię, kiedy miała dyżur w naszym oddziale albo w hali. Dyżurujące w oddziale wychowawczynie wieczorami zaglądają do cel. Pytają, czy wszystko w porządku, a jeśli się czegoś potrzebuje, można im to zgłaszać. Była u nas ze dwa razy. Wydawała się nieco bardziej introwertyczna od Barbary, ale równie miła. W zasadzie poza „dzień dobry", „dobry wieczór" czy „dobranoc" nigdy dotąd nie zamieniłam z nią słowa.

— Dobry wieczór — mówię także teraz, bo na dworze już zmierzcha.

Nadia uśmiecha się przelotnie. Jej usta nie są ani zbyt wąskie, jak u Wioli, ani zbyt wydatne, jak u Roksany. W sam raz.

— Dobry wieczór.

Jest w niej jakaś nostalgia, jakieś zamyślenie, jakby nie w stu procentach przebywała między nami, lecz wyciekała gdzieś do innego świata, w inne sfery. Łapię się na tym, że pragnę ją tu zatrzymać.

— Poczekam, aż się tłum przewali — tłumaczę się z faktu, że wciąż stoję przy jej biurku.

Kiwa głową, jakby nie wiedziała, co powiedzieć, albo nawet była skrępowana moją obecnością. W końcu uśmiecham się przepraszająco i odchodzę, korzystając z faktu, że niektóre z dziewczyn już coś dla siebie wybrały i teraz podchodzą do Nadii, by powkładała karty w odpowiednie przegródki.

Nie pamiętam żadnych książek z dawnego życia, ale kiedy omiatam wzrokiem półkę, niektóre tytuły, a nawet okładki, budzą odległe skojarzenia. Z czasem nawet zaczynam sobie przypominać uczucia, które towarzyszyły moim wcześniejszym lekturom, choć fabuła wciąż mi umyka. Chwilami tylko przypomina mi się jakiś bohater, jakaś wizja.

Wyciągam rękę po *Zorzę północną* Philipa Pullmana. Chwilę obracam ją w rękach, celebrując przyjemne skojarzenia. Gdy wreszcie otwieram książkę, okazuje się mocno zniszczona — część stron jest poklejona, innych brakuje. Robi mi się smutno, a jednocześnie jeszcze bardziej pragnę się zaopiekować tą książką. Choćby tylko na chwilę.

Mogłabym wypożyczyć aż trzy, ale nie chcę. Nadia powrzucała już większość kart w przegródki z imionami poszczególnych dziewczyn. Kiedy do niej podchodzę i pokazuję Pullmana, okazuje się, że karty nie ma w środku.

— Nie powinnam tego dawać na półkę — mówi Nadia. Głos ma ładny, głęboki.

— Roksana? — pytam cicho.

Wzdycha.

— Wiem, że brakuje części stron, ale bardzo chcę to przeczytać — nie ustępuję. — Wydaje mi się, że już kiedyś... że już kiedyś to czytałam i lubiłam.

Patrzy na mnie tymi zamyślonymi oczami.

— Poskładałam, ile mogłam — mówi. — Chciałabym odtworzyć całość, ale w tej stercie kartek... — Milknie i widzę, że serce jej krwawi z powodu tego, co się tu wydarzyło.

— One wciąż tu są? — pytam.

Przez chwilę wpatruje się we mnie nierozumiejącym wzrokiem.

— No, te powyrywane kartki.

Wzrusza ramionami.

— Leżą w kupie na zapleczu. Niektóre podarte na kawałeczki, ale nie potrafię ich wyrzucić. Choć może w końcu będę musiała.

— Nie wyrzucaj — mówię gwałtownie, a na jej ustach powoli wykwita uśmiech, który niemal sięga oczu. — Jeśli chcesz... mogłabym czasem po pracy pomóc ci je posegregować. Może choć część uda się dopasować do odpowiednich książek. Przykleimy je. Nawet jeśli wciąż będzie czegoś brakować, jak tutaj, będziesz mogła wystawić je z powrotem na półkę.

Podpiera dłonią czoło, zakrywając oczy.

— To syzyfowa praca — odpowiada w końcu, opuszczając rękę. — Część tych kartek naprawdę jest w strzępach. Poza tym kończy mi się taśma klejąca. Złożyłam podanie, ale w dzisiejszych czasach nie wiadomo, czy mogę na coś liczyć.

— Nadiu, proszę! — Nie wiem, skąd biorę odwagę, by tak się do niej zwracać. Chyba z Pullmana, którego kurczowo ściskam w dłoniach. — Możemy przynajmniej posortować kartki. Tyle, ile się da. Jak w końcu przyślą tę taśmę, dokończymy. — Mówię z taką pasją, że dziewczyny wokół wybałuszają oczy. A Nadia znów wzdycha.

— Będę musiała spytać Durum.

Durum. Którą bruzdą na jej twarzy popłynie ta prośba, z jaką historią się spotka? Czy trafi na skałę, czy na łzę? Odnajdzie wspomnienie śmierci i zniszczenia czy radości narodzin i ocalenia? Od tego zależało powodzenie misji.

— Spróbuj ją przekonać — mówię cicho, popatrując to na twarz Nadii, to na książkę.

Nie mam jeszcze swojej przegródki, więc Nadia zapisuje na kartce: „Helena — *Zorza północna*" i wkłada ją do pudełka. Miło mi, że pamięta moje imię.

— Chcesz drugi tom? — pyta nagle i grzebie gdzieś pod biurkiem.

Kiwam głową, choć na mnie nie patrzy. Wyjmuje z szafki książkę.

— Też wybrakowana. Dzisiaj ją trochę reanimowałam. Weź.

Wyciągam rękę, a Nadia dopisuje przy moim imieniu kolejny tytuł.

Wracamy do cel w milczeniu, by nie drażnić Katrin. Dopiero gdy zasuwają się za nami drzwi, dziewczyny patrzą na mnie jak na kosmitkę.

— Naprawdę wierzysz, że Durum da się przekonać?

*

W nocy nie mogę zasnąć, bo Sonia i Paula się kochają. Nie żeby mi to przeszkadzało. Po prostu… tak jakoś. Myślę o sobie sprzed uwięzienia. Kim byłam, kogo spotykałam. Smuci mnie to, że nie pamiętam swojej matki. Wielka pustka nagle rozpościera się wokół i próbuje mnie wchłonąć; wbijam paznokcie w materac, by się w niej nie rozpuścić. Poza bólem nie czuję nic, tylko on sprawia, że wciąż istnieję. Jest moim imieniem, twarzą, duszą, ciałem.

Kiedy na dole zapada cisza, pustka staje się wszech-mocna.

Tej nocy mam pierwszy sen. Nie pierwszy od czasu przyjścia do zakładu, ale pierwszy z serii.

Jestem w jakimś starym, opuszczonym domostwie. Wiem, że jest tu ze mną ktoś jeszcze. Bawimy się w chowanego, ale tak długo nie mogę go znaleźć, że przestaje to być zabawne. Boję się wołać, bo oprócz nas mogą być tam inni. Wspinam się po skrzypiących schodach na strych. Śmierdzi kurzem, wszędzie walają się rozrzucone na chybił trafił obrazy. Same arcydzieła: van Gogh, Gauguin, Beksiński. Obraz Beksińskiego („Skąd ja go znam, przecież nie z więzienia?") przedstawia wielkie drzewo z dwoma konarami rozłożonymi jak drążek linoskoczka, z którego wyrastają jakby inne drzewa. Niebo jest żółte, ziemia usłana czymś czerwonym i oprócz tego drzewa całkiem pusta. Podoba mi się ta ziemia, bo wiem, że wszystko się na niej skończyło i jest oczyszczona jak po ciemni. Gdybym była sama, może weszłabym w ten obraz i została na strychu. Ale muszę znaleźć tego, z kim się bawię, więc znów skrzypię deskami schodów i po chwili jestem na głównej kondygnacji. Wciąż go nie ma. Została jeszcze piwnica, do której boję się zejść. Piwnica nie jest dobra, nie ma w niej światła. Śmierdzi krwią. To nie jest moja krew, ale pachnie znajomo. Zbyt znajomo.

Nagle zaczynam się dławić, po omacku szukam drzwi, wybiegam z domu, uciekam na oślep przez ogród, przez furtkę, przez drogę. Wciąż czuję ten zapach. Wpadam w ubraniu do rzeki, zanurzam się cała, próbuję go z siebie zmyć. Wszystko na nic. Unoszę dłonie do twarzy i znów dławię się odorem zbrodni. Muszę wrócić do tego domu.

*

Wkrótce potem Wiolka zaczyna przychodzić do mnie na noc. To się jakoś samo dzieje. Kiedy się słucha odgłosów cudzej miłości, pragnie się choć przez chwilę mieć kogoś przy sobie.

Wiolka mówi, że za murami miała męża, ale nie pamięta jego twarzy. Nie jest nawet pewna, czy w ogóle istniał. Czasem się zastanawia, czy po tej stronie morza są jeszcze jacyś mężczyźni, bo od chwili przejścia przez ciemnię żadnego nie widziała. Tak czy owak, seks z kobietą jest inny. Znasz jej ciało równie dobrze jak swoje i nie musisz się zastanawiać, jak sprawić jej rozkosz. Może z tego powodu, a może dlatego że łączy nas tylko przyjaźń albo nawet nie tyle, już od pierwszego razu nie czuję skrępowania. Noc rozbraja opory, rozprasza wstyd. Jest spokojnie, tak spokojnie, jakby to wszystko działo się we śnie.

Nie śpimy ze sobą co noc ani nie robimy z tego wielkiego halo. Czasem jest przyjemnie, a czasem tak sobie. Wtedy myślę o Adamie i zastanawiam się, co się z nim stało. Dziewczyny mówią, że zakład dla facetów jest w Bestacie. Ciekawe, że na statku wystarcza miejsca na przewożenie więźniów, a nie mogą tam zmieścić kilku płyt.

*

Ku naszemu zdumieniu płyty jednak przychodzą. Yuno ogłasza nam tę rewelację dopiero w świetlicy, gdy zgromadziłyśmy się na kolejną sesję filmową. Cieszymy się jak dzieci. Ja jeszcze nie jestem tak wygłodniała, ale niektóre dziewczyny nie mogą uwierzyć, że to się dzieje naprawdę, i żądają natychmiastowej prezentacji któregoś z nowych filmów.

— Puszczę teraz listę — mówi Yuno — a każda z was niech zaznaczy film, który chciałaby dzisiaj obejrzeć. Tylko bez oszustw. Później zliczymy głosy i włączymy ten, który dostał ich najwięcej.

Gdy lista do mnie dociera, przez chwilę potrafię tylko wpatrywać się w nią z zachwytem. Część tytułów jest mi całkiem obca, ale kilka wzbudza odległe tęskne wspomnienia. *Aż poleje się krew, Zabójstwo Jesse'ego Jamesa przez tchórzliwego Roberta Forda...* Okazuje się, że większość dziewczyn chce obejrzeć *Co gryzie Gilberta Grape'a*. Kij im w oko.

Yuno wkłada płytę do odtwarzacza i po chwili rozlega się charakterystyczny szum, a na ekranie pojawia się menu. Kilka sekund później patrzymy już na twarz Johnny'ego Deppa. Podniecenie nowością jest tak wielkie, że zapominam o rozczarowaniu i zaczynam się wczuwać. Chłopak, który gra chorego brata Gilberta, przechodzi sam siebie. Nie pamiętam w tej chwili jego nazwiska. Dziewczyny mówią, że później został sławnym aktorem, ale nigdy nie dorównał tamtej roli.

Jest nieźle, a będzie jeszcze lepiej, gdy doczekam się prezentacji moich propozycji. Może świat wcale nie chyli się ku upadkowi. Może po prostu trzeba przetrwać kryzys, odbić się od dna i zacząć wszystko od nowa.

Po projekcji podchodzę do Yuno i proszę, żeby wpisała na listę tamte dwa filmy.

— Sama je wybrałaś? — ośmielam się spytać.

— Pomogła mi Nadia — odpowiada. — Spisałyśmy wiele tytułów, ale tylko te udało się zdobyć. W sumie dwanaście filmów.

— Bardzo ci dziękuję, Yuno — mówię z powagą, a ona uśmiecha się lekko, jak na Waponkę — niemal przyjaźnie.

— Może dzięki temu przez jakiś czas utrzymamy dziewczyny w ryzach.

Nie wie jeszcze, że tych dwanaście filmów nie wystarczy nawet na dwanaście spokojnych dni.

MEGACWEL

Wieczorami chodzimy pod prysznic.

Każdy oddział kąpie się osobno, ale i tak jest to dwadzieścia gołych lasek naraz w jednym pomieszczeniu. Początkowo mnie to krępowało. Czasu mamy jednak tak mało, że trzeba się skupić na kąpieli, bo inaczej można zostać z szamponem na głowie albo niezmytym żelem. Potem wychodzimy, wycieramy się identycznymi ręcznikami i błądząc niemal po omacku wśród pary, ze szczypiącymi oczami, znajdujemy swoje tuniki. Każda ma nadrukowane imię i numer właścicielki, więc nie da się ich pomylić.

Tym razem jednak coś idzie nie tak. Ubrałyśmy się już wszystkie, para trochę opadła, a mała Ania wciąż kuca naga w kącie.

Podchodzę do Wioli.

— Co z nią?

Pokazuje, że nie wie. Jakoś tak głupio nam podejść do nagiej dziewczyny. Pozostałe też już się gapią.

— Gdzie jej tunika? — pyta ktoś nagle. Rozglądamy się i widzimy, że na wieszakach już nic nie wisi.

— Cholera — mówię. — Roksana, to ty?

Zalega straszna cisza.

Dopiero teraz uświadamiam sobie, co zrobiłam. Jestem tu niewiele ponad miesiąc, a właśnie rzuciłam wyzwanie największej tyrance w tym więzieniu. Tyrance nieobliczalnej, bo pozbawionej wszystkiego, na czym mogło jej zależeć. Trudno.

— Co ja, kurwa? — Podchodzi i patrzy mi w oczy. Jest wyższa, potężniejsza. Przełykam ślinę.

— Ktoś jej schował tunikę. — Boję się, ale nie odwracam wzroku. Okna w szatni, właściwie lufciki, są umieszczone zbyt wysoko, by ktoś mógł przez nie cokolwiek wyrzucić. Tunika musi się znajdować w pomieszczeniu.

Słyszymy jakieś zdławione śmiechy i jednocześnie spoglądamy w ich kierunku. „Klony" chichoczą, zakrywając usta dłońmi. Roksana podchodzi i bezceremonialnie kopie Tinę.

— Gdzie tunika?

Śmiech milknie jak nożem uciął i obie dziewczyny patrzą na swoją guru. Zaraz jednak odwracają wzrok, jakby każda chciała przerzucić odpowiedzialność na tę drugą. Roksana chwyta Lidię za skraj tuniki.

— Liczę do trzech.

Lidia wyrywa się jej, idzie do pomieszczenia z prysznicami, przynosi przemoczoną doszczętnie tunikę i rzuca ją pod nogi Ani, która nawet nie podnosi ukrytej w ramionach głowy. Podchodzę, podnoszę tunikę i wyżymam ją pod nogi „klonów".

— Ona ma to włożyć?

Cisza. Powinnam już dać spokój, ale się nakręciłam.

— Zdejmuj swoją — mówię do Lidii.

— Odpierdol się.

Ale Roksana patrzy na mnie z zaciekawieniem i chyba zaczyna się dobrze bawić.

— Zdejmuj — wtóruje mi.

Wokół ustawił się już wianuszek dziewczyn. To wszystko trwa już dość długo; dziwię się, że strażniczka jeszcze nie wali w drzwi i nie każe nam natychmiast wyłazić. Pewnie zaraz to zrobi.

Lidia bierze mokrą tunikę i idzie z nią do łazienki. Słyszymy, jak próbuje wykręcić z niej więcej wody. Po chwili wraca przebrana w pognieciony, mokry ciuch, a swoją tunikę rzuca pod nogi Ani. Przyklękam przy dziewczynie i delikatnie dotykam jej ramienia.

— Aniu. — Zero reakcji. — Włóż to. Później dostaniesz nową tunikę albo wysuszysz swoją.

Wciąż nie reaguje, więc daję Wioli znak, żeby mi pomogła. Boję się, że Ania będzie się bronić, ale pozwala włożyć sobie tunikę przez głowę jak zatrwożone zwierzątko, które boi się nawet stawiać opór. Nieco trudniej jest wsunąć ręce w odpowiednie otwory, ale w końcu i to się udaje. Potem podnosimy ją powoli.

— Pójdziesz sama?

Jak zwykle nic nie mówi, ale stoi bez naszej pomocy.

Strażniczka, której imienia nawet nie znam, bez żenady wsadza łeb między drzwi a futrynę i pyta sarkastycznie, ile jeszcze waćpanny potrzebują czasu. Jest młoda i bezpośrednia, ale lepsze to niż sfrustrowana Katrin. Twarz ma brzydką, lecz nierażącą, bo jej mimika zmienia się jak w kalejdoskopie.

Wychodzimy. Pozostawiam Anię pod opieką Wioli, a sama zatrzymuję się przy strażniczce.

— Mogłabyś zgłosić do magazynu, żeby dali tej małej... — robię nieokreślony ruch głową; wszyscy i tak wiedzą, kto to „ta mała" — ...nową tunikę? Zamoczyła swoją, to znaczy — plączę się — tunika przypadkiem spadła jej na mokrą podłogę.

Strażniczka patrzy na Ankę, potem na Lidię.

— Zamieniły się — mówię szybko.

Chyba jej nie nabrałam, ale to nieistotne. Ważne, żeby Ania dostała tunikę.

— Który to pokój? — pyta.

Obliczam sobie szybko, że skoro pomiędzy nami a nimi są dwie inne cele, to one muszą być...

— Dwójka — odpowiadam. Nasza cela ma numer pięć.

Strażniczka kiwa głową i zagania mnie do szeregu. Później się dowiem, że ma na imię Kinga.

*

Kiedy wchodzę do celi, czuję na sobie czyjś wzrok. Odwracam się i napotykam oczy spłoszonego zwierzątka.

— Jestem w szoku — mówi Sonia, gdy tylko zasunęły się za nami drzwi. — Postawiłaś się Roksanie, a ona cię nie zabiła.

— Zaraz tam postawiłam — bronię się. — Zadałam tylko niewinne pytanie.

— Myślicie, że „klony" same wpadły na ten pomysł? — pyta Wiola.

Paula wzrusza ramionami.

— Są tak głupie, że nawet mogły. Choć wątpię. Podejrzewam, że Roksi maczała w tym palce. Ale spodobało jej się, że może dodatkowo upokorzyć Lidię.

Teraz już jestem pewna, że muszę jak najszybciej pogadać z Yuno.

*

Następnego dnia w pracy towarzyszy nam jednak Kenjo. W pewnej chwili przychodzi do niej Nadia. Jest w cywilu, więc wszystkie laski przestają pracować i gapią się na nią. Nie słyszymy, o czym gadają, ale nagle Kenjo podnosi wzrok i zerka na mnie. Potem kiwa głową. Nadia odchodzi, a my z westchnieniem wracamy do pracy.

Kiedy wychodzimy na obiad, Waponka przywołuje mnie do siebie.

— Dyrekcja się zgodziła, żebyś pomogła Nadii posklejać zniszczone książki — mówi. — Przyśle po ciebie po obiedzie.

Ogarnia mnie taka radość, że zapominam o wszystkim innym.

*

Książki, mnóstwo książek wokół. Książki poranione, rozszarpane, okaleczone. Ale wciąż książki. I Nadia ze mną. Podczas obiadu ledwie coś skubnęłam, a po powrocie chodziłam z kąta w kąt, nie mogąc znaleźć sobie miejsca. W końcu przyszła Katrin i ze swoją nadąsaną miną zaprowadziła mnie do biblioteki.

Teraz jesteśmy na zapleczu, wśród sterty papierów, okładek, Bóg wie czego. W powietrzu unosi się mieszanina zapachów kurzu, papieru i farby drukarskiej. Na podłodze jest wykładzina, więc możemy spokojnie siedzieć, kucać, klęczeć, sortując kartki, połówki kartek, strzępy.

— Zostały mi dwie rolki taśmy — mówi bezradnie Nadia.

Ma na sobie czarne, rozszerzane u dołu spodnie i bordowy sweter, niemal w kolorze mojej tuniki. Przychodzi mi nawet do głowy, że ubrała się tak celowo, ale zaraz karcę siebie za to głupie podejrzenie. Włosy z jednej strony zatknęła za ucho, zza którego jeden kosmyk wciąż się złośliwie wymyka. Wygląda dziś młodo. Twarz ma trochę bladą, ale po tylu miesiącach zimy trudno się dziwić. Zresztą my jesteśmy jeszcze bledsze. Tylko Roksana ze swoją śniadą cerą się wyróżnia.

Przeklęta Roksana. Wczorajsza konfrontacja w szatni wzbudziła we mnie mieszane uczucia. Z jednej strony, jakiś rodzaj dumy, że postawiłam się jej i wygrałam, bo chyba tak można interpretować to, że wzięła moją stronę. Z drugiej — przerażenie jej bezwzględnością, tym większą i podlejszą, jeśli to ona stała za historią z tuniką. Znów czuję wyrzuty sumienia, że nie porozmawiałam z Yuno, ale tego dnia po prostu nie miałam ku temu okazji.

— Przecież taśmy chyba nie trzeba sprowadzać z Bestatu?

— Kiedyś robili ją w wielu zakładach, ale połowa z nich upadła. Jak wszystko. Komputer mi zabrali, bo był potrzebny gdzie indziej. Dobrze, że od czasu do czasu aktualizowałam papierowy katalog. — Nadia się uśmiecha.

Tartaki i fabryki papieru są u nas, ale większość książek drukuje się w Bestacie. Kiedyś taniej było robić to w Azji. Kiedy benzyna zaczęła się wyczerpywać, dalekobieżny transport lądowy zamarł, a morski cofnął się do etapu parowców napędzanych drewnem, którego wciąż było pod dostatkiem. Problem stanowiła raczej nieprzewidywalność mórz.

Przytłoczone strzępami, postanawiamy w pierwszej kolejności skupić się na kartkach, które zachowały się w całości. Łatwiej przypisać je do konkretnej książki i włożyć na właściwe miejsce. Najłatwiej jest wtedy, kiedy w jednym kawałku zachowała się większa liczba kartek. W ten sposób doprowadzamy do stanu względnej używalności kilka tomów. To na zachętę, żeby mieć poczucie, że ta praca w ogóle ma sens.

— Dziewczyny nie mogą uwierzyć, że Durum się zgodziła.

Nadia milczy chwilę, jakby się zastanawiała, co odpowiedzieć.

— To Yuno — mówi wreszcie. — Kiedy przyszła do mnie porozmawiać o filmach, powiedziałam jej o twojej propozycji, a ona po namyśle stwierdziła, że można ci zaufać i nie trzeba niepokoić Durum.

Faktycznie wygląda na to, że Yuno ma do mnie jakąś słabość. Zresztą nie tylko ona. Dziewczyny mówią, że Roksana zabiłaby każdą inną osobę, która by się jej postawiła, a Katrin za taką odzywkę, jak ta w stołówce, załatwiłaby delikwentce co najmniej tydzień szlabanu. Szlaban oznacza, że nie możesz wychodzić na dziedziniec, do kina ani do biblioteki. Tylko robota.

Gdzieś pod skórą czuję, że to prawda, choć nie mam pojęcia dlaczego. Ani nie olśniewam urodą, ani intelektem, ani też nie mam szczególnie silnej osobowości. Przeciwnie, jestem raczej ofermą, ale tu, w zakładzie, ludzie zdają się tego nie dostrzegać. Przez to wszystko rzeczywiście staję się śmielsza i zaskakuję samą siebie, tak jak wtedy, kiedy zaproponowałam Yuno zamówienie filmów albo Nadii naprawę książek, nie mówiąc już o wczorajszej scence z Roksaną. Początkowo bałam się, że kiedyś zobaczą wszystkie moje słabości i mnie zniszczą, ale to nie tak. One je widzą i nic sobie z tego nie robią. Można nawet powiedzieć, że dorabiają ideologię nawet do moich gaf. Zupełnie jakbym miała jakąś magiczną moc, którą dostrzegają wszyscy oprócz mnie, no i może oprócz Durum.

Oczywiście żartuję z tą magią. Sonia mówi, że jestem bardzo przenikliwa i potrafię wyrazić rzeczy dla innych nieuchwytne. I że dzięki mnie one też zaczynają je rozumieć. Paula mówi, że uśmiecham się wtedy, gdy nikt inny by tego nie zrobił. A Wiola, zamiast coś mówić, przychodzi do mojego łóżka.

Mgliście pamiętam, że na wolności było podobnie. Długo się ukrywałam, nim mnie schwytano, a ludzie wcale nie traktowali mnie jak morderczyni. Mieszkałam u jakiejś wiejskiej rodziny, pomagając w domu i polu. Dopiero ci Wapończycy… Oni są wychowani w innej kulturze, obowiązek jest dla nich na pierwszym miejscu. Poza tym wiedzą, że są tu gośćmi, i choć niektórzy, jak Durum, dochrapali się stanowisk, wielu wciąż klepie biedę i boi się, że zabraknie dla nich miejsca w tym kraju. Nie zrobili tego z zawiści. Po prostu uważali, że tak trzeba.

Mam nadzieję, że Adam posiada choć część moich umiejętności i że w Bestacie traktują go równie dobrze jak mnie tutaj. Niewiele pamiętam z naszego wspólnego życia. Nie wiem, jak długo byliśmy razem ani jakie mieliśmy plany. Kiedy o nim myślę, mam wrażenie, jakbym go znała od zawsze… Ale cóż oznacza „zawsze" dla kogoś, kto zamiast wspomnień ma wielką czarną dziurę, w której od czasu do czasu migoczą chaotyczne obrazki? A jednak dałabym sobie rękę uciąć, że Adam nie jest bardziej winny niż ja. Jeśli dopuściliśmy się zabójstwa, musiały to spowodować jakieś nadzwyczajne okoliczności. Wiem jednak, że nie ma takich okoliczności, które usprawiedliwiają odebranie życia. Dlatego wciąż nie mogę zrozumieć, co się stało.

Wiola mówi, że tego morderstwa mogło wcale nie być; że ciemnia czasem tak manipuluje wspomnieniami, by stworzyć wrażenie czegoś, co tak naprawdę nigdy nie istniało. Jakbyśmy poskładali fragmenty snu, ale w niewłaściwym porządku. Może naraziliśmy się władzom czymś całkiem innym, a one potrzebowały pretekstu, by nas zamknąć. Mam nadzieję, że to prawda.

— To chyba z Camusa, co? — Wyrywa mnie z rozmyślań głos Nadii.

Patrzę na postrzępioną kartkę.

Należy bowiem mówić o pogrzebach i narrator za to przeprasza. Czuje dobrze, jaki zarzut można by mu postawić, lecz ma jedno tylko usprawiedliwienie, a mianowicie, że przez cały ten czas były pogrzeby i że w pewien sposób, jak wszystkich współobywateli, zmuszono go do zajmowania się pogrzebami. W każdym razie nie czyni tego z upodobania do ceremonii tego rodzaju; przeciwnie, woli społeczeństwo żywych i na przykład kąpiele morskie. Ale zniesiono kąpiele morskie, a społeczeństwo żywych lękało się przez cały dzień, że będzie musiało zrzec się swych praw na rzecz społeczeństwa umarłych*.

* Albert Camus, *Dżuma*, tłum. Joanna Guze, Państwowy Instytut Wydawniczy, Warszawa 1965, s. 134.

— Chyba nie cieszy się popularnością. — Śmieję się i szukam książki, by porównać wygląd strony z tymi, które w niej zostały. Pasuje. Tyle że trzeba jeszcze odnaleźć z pięćdziesiąt kolejnych.

Swoją drogą ciekawe, że pamiętamy książki, a nie pamiętamy swojego życia. Tak działa ciemnia. Może gdybym zobaczyła Adama, matkę, jakieś miejsca z dzieciństwa, wszystko by mi się przypomniało; tak jak Camus, o którego istnieniu przed chwilą nie miałam pojęcia, wypłynął na powierzchnię wraz z wypowiedzeniem jego nazwiska, przeczytaniem tych zdań. Jakby to były kliknięcia w komputerze, otwierające właściwy katalog.

— Patrz. — Po chwili grzebania w papierach pokazuję Nadii plik sklejonych kartek. — Od sto czterdzieści do sto siedemdziesiąt osiem. Jeszcze parę i będziemy w domu.

Roksana nie darła książek metodycznie. Robiła to w furii, tu wydzierając całą zawartość, tu fragment, a gdzie indziej zadowalając się paroma kartkami, które na odmianę darła na drobne kawałeczki. Pewnie właśnie to ostatnie spotkało kilka kartek z Camusa, których nie udaje nam się odnaleźć. Mimo to Nadia postanawia włączyć powieść do księgozbioru.

— To już siódma. — Głaszcze okładkę. — Siódme zmartwychwstanie.

— Ale z żadnej śmierci nie wychodzi się bez szwanku. Całkiem jak z ciemni. Nawet gdyby odzyskało się większość wspomnień, część kartek nigdy nie wróci na swoje miejsce.

Nadia podnosi na mnie wzrok i przez tę krótką chwilę, gdy spotykają się nasze spojrzenia, strach łapie mnie za gardło. Ale ta chwila mija i już po chwili głowa Nadii pochyla się nad kolejnymi strzępami, a dłonie sortują je wprawnie.

*

Wieczorem Wiola pyta, co mi jest.

— A żebym to ja wiedziała…

Myślę o tych trupach Camusa. I o kąpielach morskich. Nasz zakład wznosi się dość daleko od brzegu, ale i wysoko, więc gdyby nie mur, pewnie z okien cel byłoby widać morze. Nie jestem przekonana, czybym tego chciała. Po ostatniej powodzi wody się nie cofnęły i Mały Bałtyk, który przed laty rozdzielił nasz kraj na dwie części, stał się na tyle duży, że Bestat zniknął nam z oczu. Zostaliśmy sami na wyspie, do której codziennie, potem co dwa dni, a potem dwa razy w tygodniu przybijał statek wiozący towary ze wschodu. Na zachodzie był już tylko ocean. A nad nim Niderland — ziemia Cyganów, Wapończyków i tych, którym woda zabrała wszystko.

Zaciskam palce na prześcieradle.

*

W środę następny seans. Odkąd pojawiły się nowe filmy, pokazy znów odbywają się dwa razy w tygodniu. Po Gilbercie Grapie przyszedł czas na coś z mojej listy, a tym czymś jest *Zabójstwo Jesse'ego Jamesa przez tchórzliwego Roberta Forda*. Fascynuje mnie klimat tego filmu, jego piękne dłużyzny, kołysanie traw na prerii. Ameryka, mityczna Ameryka… Niestety, wiele dziewczyn wydaje się nie podzielać moich uczuć i ziewa dyskretnie. W tylnych rzędach ktoś non stop głupio chichocze. Obracam się i widzę przyjaciółki Roksany, Lidię i Tinę. Ciekawe, z czego się tak cieszą. Pod naporem mojego spojrzenia trochę przycichają, ale nie na długo. Roksany nie ma na sali. Wciąż nie zdjęli jej szlabanu. „Klonom" upiekła się historia z tuniką, bo nikt ich za rękę nie złapał.

Gdy tylko pokazują się napisy końcowe, „klony" wstają demonstracyjnie.

— Fuj, co za smęt, aż mnie dupa rozbolała. Trwał chyba całą wieczność!

— A mnie łeb napierdala. Kto w ogóle wymyślił to ba-
dziewie? — Lidia doskonale wie, że to był mój pomysł,
i specjalnie mówi to tak, żebym usłyszała, choć nie ośmie-
la się zaatakować mnie wprost. — Jak tego kogoś dostanę
w swoje łapy, to zrobię z nim to. — Udaje, że coś wyżyma,
i przez ułamek sekundy patrzy na mnie, ale gdy nasze spojrzenia się krzyżują, szybko się odwraca. Znowu wychodzę
na silniejszą, a przecież ja też długo nie wytrzymuję kontak-
tu wzrokowego. Tyle tylko, że ona odwróciła się pierwsza.

Pozwalają sobie na wiele, bo w sali zamiast Yuno jest
z nami Nadia. Kiedyś pracowała jedynie w bibliotece i była
instruktorem kulturalnym, a na wychowawczynię przekwa-
lifikowała się dopiero wtedy, gdy z kulturą zrobiło się krucho. Wychowawczyni to słowo-wytrych, bo chyba nikt
w tej placówce, oczywiście z wyjątkiem dyrektorki, nie wierzy w żadne wychowywanie, a Nadia ma zbyt mało auto-
rytetu i władzy, żeby coś zdziałać. Z problemami wszyscy
przychodzą do Yuno, która jest zastępczynią Durum i jeśli
ktoś może coś załatwić, to właśnie ona. Inne wychowawczynie to takie „przynieś, wynieś, pozamiataj" — prowadzą
zbiórki, pilnują nas w pracy, prowadzą zajęcia na dziedzińcu, ewentualnie chodzą wieczorami po celach i sprawdzają, czy wszystko w porządku. W świetlicy są z nami dwie
strażniczki, bo jedna wychowawczyni nie potrafiłaby utrzymać nas w ryzach. Ale kino prowadzi Nadia.

Siedzi zamyślona i widzę, że jej także podobał się film.
Pewnie nawet sama go dopisała do listy zakupów, bo trudno podejrzewać Yuno o fascynację kinem amerykańskim.
Zresztą nie wiem... Moje pokolenie zna Amerykę tylko z opowieści i takich filmów jak ten. Yuno jest starsza,
może nawet kiedyś tam była? Kto wie, co robiła przed powodziami, jakie funkcje pełniła w swoim kraju. Może była
kimś ważnym, nim została rozbitkiem, którego los rzucił
na naszą ziemię.

W końcu Nadia wstaje, a my rozchodzimy się do pokojów w eskorcie strażniczek.

Śnię o Ameryce. O miejscu, które kiedyś było tak blisko, dostępne dzięki samolotom, telewizji, łączom internetowym w ciągu sekund przesyłającym obraz, głos, tekst. Zastanawiam się, czy te czasy kiedyś powrócą. A może potrzeba setek lat, by jakiś nowy Kolumb ponownie odkrył nieznany ląd?

*

W pracy zmiana. Nie przystawiamy pieczątek „JABŁKA" ani „ZIEMNIAKI". Teraz króluje „OSTROŻNIE — SZKŁO!". Dziewczyny żartują, że faceci z Bestatu mają dwie lewe ręce i wszystko trzeba im szykować w słoiczkach jak dzieciom.

Wykrawam karton na gilotynie (swoją drogą, co za głupota, żeby słoiki czy cokolwiek, co kryje się pod pojęciem „szkło", pakować w kartony), gdy nagle widzę kątem oka, że przyszła Durum. Dziewczyny też to zauważają i od razu atmosfera w hali gęstnieje, jakby powietrze zastąpiła tężejąca galareta. Durum rozmawia z Yuno, która dziś nas pilnuje. Yuno kiwa głową, a Durum wchodzi do Niebieskich i po chwili wyprowadza stamtąd małą Anię, która kuli się ze strachu, jak zwykle. Waponka prowadzi ją za przedramię, a dziewczyna idzie ze spuszczoną głową, powłócząc nogami. Wychodzą dokądś. Galareta stopniowo się rozpuszcza.

— Ciekawe, po co ją wzięła — szepcze do mnie Wiola.

Ona też nosi bordową tunikę, choć nie pamięta, żeby kogoś zabiła. Nie jest pewna, ale wydaje jej się, że usunęła ciążę. Rząd powinien się cieszyć, mówi dalej, że nie wydała na ten kurczący się świat kolejnej gęby do wykarmienia. Ale nie, rząd uważa, że każda gęba jest na wagę złota, zwłaszcza biała gęba, bo wapońskie ciąże ma gdzieś. Wiola dodaje jednak, że na szczęście odkąd jest w zakładzie, nie miesiączkuje.

Paula i Sonia pracują w sąsiedniej hali, tej dla Niebieskich, które nienawidzą nas za to, że mają cięższą pracę, choć popełniły lżejsze przestępstwa. Tak naprawdę chodzi o to, że personel zakładu boi się powierzyć nam piły i młotki. Na szczęście ta nienawiść obowiązuje tylko w czasie pracy. W celi jesteśmy koleżankami.

— Pewnie będą na niej robić jakieś eksperymenty — mówi Roksana, która w hali zachowuje się na ogół dość przyzwoicie, bo jej „niebieskich" przyjaciółek też tu nie ma.

— Eksperymenty? — podchwytuje ktoś. — Jakie?

Roksana wzrusza ramionami.

— A bo ja wiem? Może spróbują ją odcwelić? Wiecie, że ona nawet mówić nie potrafi?

— Jak to? — pytam. — Ani słowa?

— No, słowo to może owszem. Ale żeby tak zdanie skleciła, to jeszcze nie słyszałam.

Pod popisami Roksany wyczuwam zdenerwowanie, jakby miała coś do ukrycia.

— A niby jak by ją mieli odcwelić? Przepuszczą ją przez ciemnię w drugą stronę czy jak?

Roksana znów wzrusza ramionami, ale musimy już zamilknąć, bo Yuno na nas patrzy. Boję się, że dostanę zakaz pracy w bibliotece. Wciągnęło mnie to ratowanie książek, odzyskiwanie ich strzępów. Już nie się mogę doczekać kolejnej wizyty. Nadia ma dzisiaj wolne. Ciekawe, co robi tam na zewnątrz. Może ma drugą pracę, bo do zakładu przychodzi tylko w niektóre dni. Muszę ją o to spytać. Albo może lepiej nie. Zresztą i tak by mi nie powiedziała.

Przez resztę dnia dyskretnie obserwuję Roksanę. Pozbawiona koleżanek, które we wszystkim jej asystują, wydaje się zwyczajną dziewczyną. Tylko czasem na jej twarzy pojawia się coś, co wzbudza we mnie strach. Myślę wtedy o miłości, którą jej zabrano.

Po jakiejś godzinie Durum przyprowadza Anię z powrotem. Ciekawe, że sama się fatyguje. Rzadko zagląda do hal, większość czasu spędza w swoim gabinecie. A tu, proszę, zamiast przysłać strażniczkę, osobiście przychodzi po dziewczynę, a potem ją odstawia. Nie wierzę w żadne eksperymenty, ale może naprawdę czuje się winna, że w ciemni coś poszło nie tak. Może nawet się boi, że przyjdzie kontrola i ją ukarze. Jeśli tak, to całkiem prawdopodobne, że zabrała Anię po to, by ją uczyć, jak ma się zachowywać, żeby nie podpadało. Cóż, zobaczymy, jak jej pójdzie.

Roksana wyraźnie się boi, że Anka zacznie sypać. Szczerze mówiąc, ja osobiście na to właśnie liczę. Chciałabym, żeby powiedziała Durum, że jest jej źle i że chce zmienić celę. Ale wiem, że jest na to zbyt przerażona. Mnie wciąż nie udało się porozmawiać o tym z Yuno, a teraz, gdy Durum zainteresowała się Anią, czuję się przynajmniej częściowo zwolniona z tego obowiązku. Później będę sobie mówić, że ten konformizm był bez znaczenia. Może był, a może nie był. Może wszystko potoczyłoby się tak samo, a może inaczej. Ironia losu polega na tym, że nigdy się nie wie, co by było, gdyby się wybrało inną drogę.

— Jezu, jak Roksana się przeraziła, gdy wspomniałaś o tej ciemni! — mówi przy obiedzie Wiola. — Mało nie odjechała na tamten świat.

— Co ty? — dziwię się. Widać byłam zbyt przestraszona spojrzeniem Yuno, żeby to zauważyć.

— Ona wie, że zrobiłyby z niej miazgę, gdyby została ściemniona. Sama bym się do tego przyczyniła — mówi Laura. — Ta laska poważnie działa mi na nerwy.

*

Pierwsze wiosenne wyjście na dziedziniec sponsoruje ładna pogoda, jak by to kiedyś powiedziano. Dzień zrobił się nieco dłuższy, więc jest jeszcze jasno, choć słońce skryło się za murem i tylko różowa poświata świadczy o tym, że gdzieś tam wciąż dycha. Chłodno, mamy pod tunikami dresowe portki wyjęte chyba z jakiegoś lamusa, bo śmierdzą stęchlizną, ale i tak jest to miła odmiana. Portki oczywiście przechodnie — po nas dostaną je kolejne oddziały. Bo na dziedziniec, tak jak do biblioteki, wychodzimy oddziałami. Jest nas tu więc dwadzieścia dziewcząt — cały nasz pokój, cały pokój Roksany, Marty i dwa kolejne. Prócz tego Barbara i dwie strażniczki. Wystarczy, bo nie ma dokąd uciekać.

Gramy w dwa ognie. Podzieliły nas losowo na dwie drużyny. Kto zostanie trafiony piłką, wypada z gry. Ja na ogół odpadam mniej więcej w połowie. Najlepiej radzą sobie Wiola, Marta, no i Roksana, chociaż wcale się nie stara. Chyba dziewczyny po prostu boją się w nią rzucać. Na co dzień nie mamy okazji wyładować nadmiaru energii, więc mimo braków kondycyjnych bawię się doskonale. Świeże powietrze uderza mi do głowy, endorfiny się wydzielają; czuję, że mogłabym tak w nieskończoność biegać po narysowanym kredą boisku, rzucając piłką albo uchylając się przed nią, i nie czuć zmęczenia. W pewnym momencie rzucona przeze mnie piłka mija wszystkie dziewczyny i uderza w ramię stojącą kilka metrów od boiska strażniczkę. Ups. Na szczęście to nie Katrin ani nikt podobny, tylko nowy nabytek — młoda szatynka w okularach, o imieniu Greta. Patrzę na nią i rozkładam przepraszająco ręce, a ona żartobliwie grozi mi palcem.

— Przepraszam! — mówię.

— ...chciałam mocniej! — dopowiada któraś z dziewczyn i wszystkie wybuchają śmiechem, ale mnie naprawdę jest głupio. Idę po piłkę, bo nikt inny się nie kwapi.

— Nic się nie stało — mówi Greta, gdy przechodzę obok niej. I patrzy z zaciekawieniem, jakby mnie znała, choć jest tu dopiero drugi tydzień.

Zastanawiam się, o czym może wiedzieć. O konfrontacji z Roksaną? Wątpliwe, bo nie było przy niej nikogo z personelu. O tym, że pomagam Nadii w bibliotece? Że namówiłam Yuno na zakup płyt? To już prędzej. Choć całkiem możliwe, że tylko mi się wydaje i że Greta patrzyłaby tak samo na każdą inną dziewczynę, która pacnęłaby ją piłką w ramię. Ale to jej zaciekawione, sympatyczne spojrzenie pozostanie ze mną na długo. Kolejny kamyk do ogródka powszechnej życzliwości, którą wydaję się wzbudzać bez wyraźnej przyczyny.

Gramy dalej, aż w końcu na placu boju pozostają naprzeciw siebie Roksana i Ania. Nie wiem, jak do tego doszło. Dziewczyny chyba oszczędzały Anię, która raczej stała, niż biegała, a jeśli uchylała się przed piłką, to odruchowo. Teraz trzyma ją w ręku i nie bardzo wie, co z tym fantem zrobić.

— Rzucaj! — szczuje ją Roksana, a Ania coraz bardziej kuli się w sobie. — No rzucaj, kurwa!

Zapada cisza. Wszystkie dziewczyny stoją wokół boiska i się gapią. Ania musi być potwornie rozdarta — z jednej strony czuje lęk przed zaatakowaniem Roksany, z drugiej — przymus. Nie wiem, czy naprawdę odbieram jej uczucia, czy tylko je sobie wyobrażam. Nie mam pojęcia, co powinna zrobić w tej sytuacji; sama jestem skonfliktowana: jeśli nie rzuci, to znaczy, że się boi; jeśli rzuci, to dlatego, że Roksana jej kazała. Mam bardzo złe przeczucia. Czuję, że ta sytuacja w jakiś sposób odzwierciedla to, co się dzieje w celi numer dwa.

W końcu Ania rzuca, bez przekonania i bez siły. Roksana się nie uchyla. Dostaje w żebra. Patrzy na Anię z krzywym uśmiechem i zaczyna klaskać. Dziewczyny podchwytują to i oklaskują zwyciężczynię, która ze spuszczoną głową zostaje sama na placu boju. Przypomina mi się Pullman i chora matka Willa. Przez długą, zbyt długą chwilę walczę ze sobą. W końcu wielkim wysiłkiem woli wyrywam się z kręgu klaszczących, wchodzę na boisko i kładę Ani rękę na ramieniu.

— Chodźmy — mówię cicho, aby tylko ona mnie słyszała. — Już po wszystkim. Wygrałaś.

Wydaje mi się, że moje słowa przerażają ją jeszcze bardziej.

*

Opowiem wam o tym, tak jakbym tam była. Częściowo to prawda, częściowo nie. Halę Niebieskich dzieli od naszej pusta framuga po drzwiach, więc gdy tylko słyszymy, że po drugiej stronie coś się dzieje, zaraz zapuszczamy tam żurawia. Resztę opowiadają mi Paula i Sonia.

Siedzimy jak co dzień przy robocie. Ktoś coś piłuje, ktoś przybija, ktoś inny przykleja. Nagle krzyk.

— Kurwa!

Wszystkie patrzą, kto krzyczy, a powinny patrzeć gdzie indziej. Bo krew kapie już z nadgarstka na stół, ze stołu na podłogę. Teoretycznie w każdej hali powinna być wychowawczyni lub strażniczka, ale Yuno wyszła na chwilę i Kinga ma pod opieką obie hale. Biegnie zobaczyć, co się stało; dziewczyny w bordowych tunikach tłoczą się w wejściu. To mała Ania, megacwel, podcięła sobie żyły nożykiem do papieru. Muszę się odwrócić, bo widok krwi przyprawia mnie o mdłości. Czuję duszność ze snu, czuję ten sam zapach. Wtulam się w kąt i czekam, aż mi przejdzie.

Tymczasem w drugiej hali Kinga unosi rękę Ani, by krew nie uciekała, i każe którejś z dziewczyn poszukać bandaża w apteczce. Yuno już biegnie, już jest przy nich. Robią z bandaża opaskę uciskową nad raną i wzywają pomoc przez interkom. Ania przez cały czas zachowuje się tak samo, apatycznie, jakby nie za bardzo wiedziała, co zrobiła i co się wokół niej dzieje. Monika, która zobaczyła wszystko pierwsza i podniosła krzyk, powie później, że nawet gest, którym mała podcięła sobie żyły, był apatyczny. Mimo to cięła mocno. Stół i podłoga lepią się od krwi. Dobrze, że prędko przybiegają pielęgniarki z noszami i zabierają dziewczynę do ambulatorium.

Yuno opanowanym głosem prosi dyżurną o przyniesienie z aneksu ścierki i mopa, po czym sama ściera krew i wyrzuca to wszystko do śmieci. Gdyby nie drgająca żyła na jej szyi, można by pomyśleć, że w ogóle się tym nie przejęła. Twarz Kingi, jak zwykle, zmienia się z sekundy na sekundę, tym razem ukazując na przemian niepokój, zagubienie i ulgę. Już jest bezpiecznie, już mogę patrzeć przez framugę. Patrzę ja, patrzy Roksana. Usiłuję zidentyfikować uczucie malujące się w jej ciemnych oczach. To nie żal, nie strach, nawet nie nienawiść. Gdybym miała obstawiać, postawiłabym na zazdrość.

Myślimy, że zwolnią nas do cel, ale nie. Mamy pracować jak gdyby nigdy nic. Mamroczemy pod nosem przekleństwa, choć tak naprawdę wolimy być tu wszystkie razem, zajęte pracą, niż siedzieć bezczynnie w celach. Ten desperacki gest uświadomił nam, że nawet megacwel jest człowiekiem; że gdzieś, na jakimś poziomie świadomości, a może podświadomości, wie, co się z nim dzieje. Zastanawiam się, czy to dobrze, czy źle. Sądząc po oczach Roksany, raczej źle.

*

Znów jestem w bibliotece i sortuję papier. Te popołudnia stały się dla mnie czymś w rodzaju przepustki do innego świata. Prawdziwej pewnie nigdy nie dostanę — tylko Niebieskie Tuniki czasem wychodzą, ale rzadko, bo po powrocie znów trzeba przejść przez ciemnię. Poza tym po cholerę wychodzić, skoro i tak trzeba będzie wrócić. Popatrzysz sobie chwilę na tamten świat, pooddychasz świeżym powietrzem i co? Potem tylko będzie ci żal, że znów musisz tu siedzieć. Tak mówią, ale po kilku tygodniach siedzenia tutaj trudno nie marzyć o wyjściu na otwartą przestrzeń. Ściany zakładu przytłaczają. A tu, w bibliotece, gdzie jest jeszcze ciaśniej, można się przedostać przez książki do innej rzeczywistości, jak przez szafę w *Opowieściach z Narnii*.

Nadia ma na sobie ciemnozielony golf, całkiem nieźle pasujący do mojej tuniki. Ładnie w nim wygląda. Młodo. Włosy rozpuszczone, z jednej strony tradycyjnie założone za ucho. Dorwała się do jakiegoś czytadła Marian Keyes. Mówi, że to porządne czytadło, a ja jej wierzę.

— Dużo dziewczyn to wypożyczało.

Rzucam okiem na książkę, czytam parę zdań, które są całkiem zabawne, i dokonuję przeglądu zniszczeń. Wyrwano prawie połowę stron, ale nie w całości, tylko po skosie. Spróbuję je odnaleźć, kierując się kształtem wydartych kartek, choć to zadanie równie karkołomne jak wszystko, co tu robimy.

— Pytałaś Yuno o taśmę?

Została nam jedna jedyna rolka. Nie wystarczy nawet na posklejanie tej książki.

— Pytałam — mówi Nadia złowróżbnym tonem.

— No i?

— No i nic. Powiedziała, że postara się coś zrobić, ale nie obiecuje.

— Cholera jasna. Trudno. Posklejajmy chociaż tę. Chyba znalazłam tu trochę kartek.

Leżały zmięte i chyba dzięki temu trzymają się razem. Po rozwinięciu widzę znajome imiona: Anna, Aidan.

— Niektóre dziewczyny twierdzą, że facetów w ogóle nie ma — rzucam przynętę.

— Jak to nie ma?

— No, że się wynieśli z Arkadii. Wiesz… przemysł ciężki, elektroniczny, budowlany — to wszystko jest na kontynencie. U nas mogą co najwyżej tyrać na roli albo ścinać drzewa.

Nadia patrzy na mnie, ale nie tak jakbym powiedziała coś głupiego.

— Tyrać na roli też ktoś musi. Zresztą nie przesadzaj, są tartaki, zakłady, policja.

— Zakłady? — Śmieję się.

— Ojej, nie takie zakłady. Prze-my-sło-we.

— Dobra, dobra. Żartuję. A tak à propos, to zakład dla facetów jest w Bestacie, prawda?

— Tak — mówi z ociąganiem. — Dlaczego pytasz?

— Mam tam kogoś. To znaczy tak mi się zdaje; wiesz, ile się pamięta po ciemni. Albo i nie wiesz. Ciekawa jestem, jak mu się tam żyje.

Nadia rozkłada ręce.

— Kiedyś utrzymywaliśmy kontakty z męskim zakładem, dzieliliśmy się doświadczeniami, rozwiązaniami. Ale odkąd nie ma internetu, nie ma i konferencji. Przy tych prymitywnych podróżach trzeba mieć naprawdę poważny powód, żeby się wybrać na drugą stronę morza.

— W gazecie pisali, że Mały Bałtyk zrobił się ostatnio niespokojny.

— W jakiej gazecie?

W świetlicy, w której oglądamy filmy, leżą stare gazety. Najnowsza, do jakiej się dogrzebałam po jednym z seansów, była sprzed trzech miesięcy i miała powyrywane niektóre kartki, ale i tak stanowiła źródło cennych informacji dla kogoś, kto zamiast wspomnień ma sieczkę. Mówię o tym Nadii.

— Bywa wzburzony, to prawda — mówi z ociąganiem i wyczuwam, że ma się na baczności. — Czasem statek z towarami spóźnia się o parę dni. Ale potem morze się uspokaja.

— Znowuż w innej gazecie — ciągnę w nadziei, że jednak zdołam wyciągnąć z niej coś więcej — pisali, że według naukowców z Azji wody z czasem zaczną się cofać. Niektórzy myślą, że to nastąpi już za dziesięć, góra dwadzieścia lat, ale inni uważają, że potrzeba stuleci.

Nadia milczy.

— Nie śledzę tego — mówi w końcu i widać, że nie jest zadowolona. — Co gazeta, to inna opinia. Co rząd, to inne prawo. Ja chcę po prostu żyć, pracować i nie myśleć o tym, co będzie.

Teraz powinnam ją zapytać, co robi za murami, ale nie przechodzi mi to przez gardło. Jestem tylko wychowanką, przestępczynią, a ona pracownikiem więzienia. To przepaść. Kontakty, jakie tu mamy, są czymś wyjątkowym. Powinnam docenić ten przywilej i siedzieć jak mysz pod miotłą, zamiast zadawać kłopotliwe pytania. Cholera wie, czy nie ma tu jakiegoś podsłuchu. Zaraz wkroczy Durum i zabierze mnie, jak małą Anię, nie wiadomo dokąd.

Anię przyprowadziła z powrotem po godzinie, więc chyba nie robili z nią nic drastycznego. Nie wyglądała na zmienioną. Wciąż była cicha i przestraszona, kuliła się pod spojrzeniem Roksany, mechanicznymi ruchami obrysowując kartony, które miały zostać wycięte wzdłuż nakreślonych przez nią linii. Muszę przyznać, że szło jej to całkiem zgrabnie. Równie zgrabnie jak to, co zrobiła później. Może to wcale nie przez Roksanę się cięła. Może Durum wskrzesiła w niej jakieś wspomnienia, które powinny pozostać martwe. A może jedno i drugie. Trudniej znieść upokorzenia, gdy mgiełka zamroczenia opada i nastaje jasność. Odratowali ją. Wróciła do nas. A także do Roksany i „klonów".

Uparcie doklejam pogniecione kartki Keyes, nie tak zgrabnie jak mogłaby to zrobić Ania. Krzywo. Zagina mi się taśma, brzegi kartek wystają to z jednej, to z drugiej strony. Staram się koncentrować na bieżącym zadaniu, nie myśleć o tym, ile jeszcze przed nami, czego być może nie zdołamy zrobić... Ale Nadia najwyraźniej ma kryzys, bo przerwała pracę i siedzi wpatrzona w regał.

— Co jest?

Kręci głową.

— Bez sensu to wszystko.

Czuję, że nie chodzi jej tylko o książki, ale na nic innego nie mam wpływu.

— Daj spokój. Zobacz, ile już naprawiłyśmy. — Wskazuję kąt, w którym leży stos około dziesięciu naprawionych książek. Doskonale wiem, że dalej nie pójdzie tak łatwo: poskleiłyśmy te, które ucierpiały najmniej. Pozostałe to chaos, sterta makulatury. Ale nie mogę się poddać, bo stracę nie tylko książki, lecz także to miejsce, w którym zapominam o niewoli.

— Kto będzie je czytał? — Podkurcza kolana, opiera na nich łokcie i ukrywa twarz w dłoniach. Mgliście czuję, że to moja wina. Po cholerę zaczynałam o tym morzu? Wciąż jednak udaję, że cały problem zamyka się w tym kantorku, w tej bibliotece.

— Ja. Ty. I wiele innych osób. A nawet jeśli nie, te książki same w sobie są warte, by je ratować. Liczy się każda kartka. Każda kartka to odzyskany fragment historii.

Naprawdę tak myślę. Może dlatego, że te poszatkowane tomy są jak lustrzane odbicie mojej własnej pamięci, niby utraconej, a jednak nie, bo raz po raz natykam się na strzępy wspomnień i próbuję je do siebie dodać.

Nadia milczy i widzę, że drżą jej ramiona. Tylko nie to. Co ma zrobić więźniarka, gdy wychowawczyni przy niej płacze? Cokolwiek to będzie, może się obrócić przeciwko mnie.

— Hej. — Siadam obok niej, po chwili wahania dotykam lekko ramienia. Nadia nieruchomieje, ale nie podnosi głowy. Pewnie jest równie przestraszona jak ja. — Musimy się skupić na najbliższym zadaniu — mówię cichutko, niemal do jej ucha. — Zawsze na najbliższym. Nie wolno wybiegać za daleko, bo zobaczy się śmierć.

Włosy Nadii fajnie podkręcają się na końcach. I pachną inaczej niż włosy więźniarek. W końcu podnosi głowę i patrzy na mnie. Odruchowo ujmuję ją za brodę i unoszę twarz jeszcze wyżej. Nadal uważam, że wygląda pięknie, ale teraz dostrzegam w jej twarzy potworne zmęczenie.

— Robota czeka — mówię.

I zaraz lękam się tego gestu, odsuwam rękę, spuszczam wzrok. Przez chwilę siedzimy w potwornej ciszy. Patrzę na swoją dłoń, która tak poufale, tak bezmyślnie zachowała się wobec wychowawczyni, i mam ochotę ją sobie odciąć. Wiem, że Nadia nie będzie chciała mnie skrzywdzić, ale jeśli uzna, iż próbuję wkraść się w jej łaski dla własnej korzyści, odeśle mnie. Zwłaszcza że i tak zwątpiła w sens ratowania książek. „Wybacz — modlę się do niej w duchu. — Wybacz, że przypomniałam ci o czymś, o czym cały świat pragnie zapomnieć". Być może to więzienie w istocie jest rajem, który chroni nas przed lękiem egzystencjalnym, przed agorafobią, akwafobią. Być może to ono jest prawdziwą Arkadią.

W końcu Nadia bez słowa przyklęka na jedno kolano i wraca do sortowania kartek. Doklejam kolejne fragmenty Keyes. Przez całą wieczność pracujemy w całkowitym milczeniu, które ciąży mi na żołądku jak kamień. Słychać tylko szelest papieru i dźwięk rozwijania taśmy. Mam wrażenie, że nie odezwiemy się już do końca świata.

*

W celi czeka apokalipsa.

Ledwo zamykają się za mną drzwi, wiem, że stało się coś złego. Sonia łazi od ściany do ściany i wali pięściami we wszystko, co popadnie. Potem siada na łóżku i ukrywa twarz w dłoniach. Znów wstaje i uderza. Wiolka leży na swoim łóżku, przykryta kocem po czubek głowy. Nie, zaraz. Wiolka siedzi z podkurczonymi nogami na łóżku Pauli. Więc to Paula? Co robi na łóżku Wiolki? Co tu się w ogóle stało? Zaczynam mieć bardzo złe przeczucia.

Sonia wali głową w kant górnej pryczy. Próbuję ją powstrzymać, ale odpycha mnie i zaczyna szarpać przykryte kocem zawiniątko.

— Pokaż się, kurwo! Pokaż swój ryj! — Nieruchomieje z rękami na zawiniątku, odchodzi, pada na łóżko poniżej. — Dlaczego ona? Dlaczego nie ty?! — woła do mnie. Potem rzuca poduszkę na podłogę i zwija się w kłębek, prawie tak samo jak zawiniątko na górze.

Siadam obok Wioli.

— Mów.

— Zabrali Paulę.

Znów patrzę na zawiniątko na pryczy.

— Jak to zabrali?

— Przyszła Katrin i dwie inne i kazali się jej spakować. Powiedziałyśmy, że nigdzie jej nie oddamy, ale nas skuły, a ją wyprowadziły. Dopiero potem przyszły po jej rzeczy i przyprowadziły nam ją. — Wskazuje zawiniątko. — Powiedziały, żebyśmy się nie awanturowały, bo nas przeniosą do drugiego bloku. I żebyśmy się nie ważyły tknąć cwela.

Nagle wszystko rozumiem. Choć tak naprawdę nie rozumiem nic. Kładę Wiolce rękę na ramieniu, a potem wstaję i dotykam zawiniątka. Wiem, że moje przerażenie jest niczym w porównaniu z przerażeniem tego szczupłego dziecka o wielkich oczach, które się tam ukryło.

— Co się stało? — Nie mogę zrozumieć. — Dlaczego Paula? Dlaczego Anka jest tutaj?

Wiola patrzy tępo przed siebie.

— Pocięła się, to ją przenieśli. Pewnie właśnie o to jej chodziło.

— Czemu tutaj, kurwa? Czemu za nią?! — wrzeszczy Sonia. — Wiedziały, że Paula jest z nas najsłabsza. Specjalnie rzuciły ją tamtym na pożarcie. — Wali pięścią w pręt łóżka.

Paula odebrana Soni i umieszczona w celi z Roksaną pałającą żądzą zemsty za utraconą miłość... To rzeczywiście nie wygląda na przypadek. Nie umiem jednak połączyć wszystkiego w logiczną całość. Najpierw wizyta Durum w hali produkcyjnej. Rzadko się zdarza, by osobiście zabierała którąś z wychowanek. Zwykle mamy wrażenie, że jesteśmy dla niej jedną wielką masą, którą trzeba urobić na obraz i podobieństwo porządnych Waponek. Nie wiem, do czego miałby jej być potrzebny ktoś taki jak Ania. Chyba że faktycznie próbowali ją naprawić. Durum mogła się bać inspekcji, która przyjdzie i zobaczy, że z dziewczyną jest coś nie tak; że ciemnia wymazała jej z pamięci więcej, niż było trzeba. Tyle że Ania wcale nie wygląda na naprawioną, więc albo się nie udało, albo chodziło o coś całkiem innego.

A teraz to przeniesienie. Oczywiście nie biorę poważnie sugestii Wioli, że Ania powiedziała Durum o tym, co się działo w ich celi — cokolwiek to było. Przez te wszystkie dni, odkąd jest w zakładzie, słyszałam z jej ust wyłącznie „tak" i „nie", a i to rzadko. Poza tym, gdyby chodziło o wybryki Roksany, to chyba raczej ją powinni przenieść do drugiego... Przypominam sobie, że do drugiego bloku przeniesiono Gabrielę, i moje myśli milkną.

No dobrze... Załóżmy, że przeniesienie nie byłoby dla niej karą. Załóżmy, że Durum faktycznie chciała odizolować od niej Anię. Wiedziała, że personel spieprzył sprawę w ciemni, choć równie dobrze mogła zawinić przerwa w dopływie prądu. Nie znam się na psychologii, ale stres raczej nie pomaga w odzyskaniu pamięci. Nietrudno dodać jeden do jednego i uznać, że skoro ten dzieciak trafił do jednej celi z Roksaną i „klonami", jego stan z pewnością się nie poprawi.

Uznajmy to za możliwe wyjaśnienie przeniesienia Anki. Ale dlaczego do nas? Dlaczego za Paulę? To naprawdę wygląda na złośliwy żart. Zabraliby mnie — dałabym radę obłaskawić Roksanę. Zabraliby Wiolę — przynajmniej nie rozdzieliliby pary. Nikt mi nie wmówi, że personel nie wie, kto z kim sypia. A Katrin już na pewno. Chyba że właśnie o to im chodzi, by nas ranić. W końcu jesteśmy w więzieniu (przepraszam: zakładzie), a nie na wakacjach.

Rozpacz Soni, przerażenie Ani. Nie wiem, którą najpierw pocieszać, uspokajać. Sonia jest mi bliższa, spędziłam z nią w tej celi wiele dni. Wiem, jak zaborcza jest jej miłość do Pauli, jak potwornie musi boleć ta strata. W takich sytuacjach wydaje się, że życie straciło wszelki sens, że każdy kolejny dzień, każda minuta istnieją tylko po to, by nasilać ten rozdzierający ból. Nawet ja nie mogę przestać myśleć o tym, co czuje teraz Paula, co się z nią dzieje. Ale myślę także o strachu małego „zwierzątka" ukrytego pod kocem, które wyrwano z jednego piekła, by rzucić w drugie.

— Przenosisz się na dół? — pytam Wiolę.

Normalnie nawet nie musiałabym zadawać tego pytania. Dolne prycze mają w więziennej hierarchii wyższy status i kiedy ktoś z dołu odchodzi, na jego miejsce zwykle przenosi się osoba z góry. Tyle że u nas ustalił się inny porządek — jedna para spała na dole, druga na górze. Oczywiście tego porządku już nie ma. Wciąż jednak myślałam, że Wiola będzie wolała pozostać na górze, by mieć mnie bliżej.

— Sonia nie mogła ścierpieć widoku małej na łóżku Pauli — szepcze mi do ucha.

Cieszę się, że tym razem mówi o niej per mała. Z drugiej strony sama się dziwię, że myśląc o Ani, używam imienia, bo odkąd stało się jasne, że przyszła z ciemni totalnie wymazana, wszystkie nazywają ją cwelem. Nikt już nie pamięta, że to Roksana i jej przyjaciółki pierwsze użyły tego słowa. Ja sama wielokrotnie łapałam się na tym, że traktuję ją jak kogoś upośledzonego, choć przecież upośledzone jesteśmy wszystkie, bo każdej z nas ciemnia zabrała większość dotychczasowego życia.

*

Dopiero po zgaśnięciu świateł ciemny kształt wypełza spod koca i idzie do łazienki. Gdy wraca, silna postać rzuca się na nie i powala na podłogę. Wiola i ja w trymiga zrywamy się z łóżek, ale Sonia całym ciężarem ciała przyciska Anię do ziemi i okłada pięściami. Nim zdążę zeskoczyć, Wiola jest przy nich i bezskutecznie próbuje je rozdzielić.

Nagle mam przed oczami ruch nożyka do papieru, przecięte żyły Ani, krew kapiącą na stół, na podłogę. Zapach tej krwi, ten sam, który czułam we śnie, miesza mi w głowie. Nie chcę już bronić Ani. Chcę ją pomścić. Nie wiem, skąd biorę siłę, ale jakoś udaje mi się unieruchomić ręce Soni i wykręcić je do tyłu. Wije się jak piskorz, co pozwala Ani wyślizgnąć się spod niej, a ja tylko na to czekam. Gdy Wiola jest zajęta Anią, siadam okrakiem na plecach Soni, puszczam ręce i nim zdąży cokolwiek z nimi zrobić, z całej siły walę jej głową o podłogę. Nie wiem, ile razy tak uderzam.

— Zwariowałaś? — Wiola chwyta mnie za włosy i ciągnie mocno. Chcę bić dalej, ale nie mogę, bo głowa odskakuje mi do tyłu. Sonia stęka. Oddycham ciężko. Wiola wciąż trzyma mnie za włosy. W końcu puszczam głowę Soni i unoszę ręce w geście poddania.

— Sonia, żyjesz? — pyta Wiola.

Odpowiada jej jękliwy pomruk.

— Zwariowałyście obie?! — wścieka się Wiola, puszczając moje włosy, choć jestem pewna, że spory pęk został jej w ręce. Wciąż siedzę na plecach Soni, bojąc się, że zaatakuje, gdy wstanę.

— Co z Anią? — pytam i rozglądam się, ale ona zdążyła się już wdrapać na górę i wpełznąć pod swój kocyk bezpieczeństwa.

— Chyba OK. Złaź z Soni. Mało wam, że zabrali Paulę? Chcecie się nawzajem pozabijać?

W końcu złażę, choć cały czas jestem w gotowości. Ale chyba nieźle ją stłukłam, bo przewraca się na bok, zwija w kłębek i unosi rękę do twarzy. Wiola dotyka jej i klnie.

— Zmocz ręcznik i przynieś tu — rozkazuje mi.

Idę, moczę ręcznik w zimnej wodzie i parokrotnie wycieram nim własną twarz, próbując uspokoić wzburzoną krew. W końcu zanoszę go Wioli. W mroku widzę ciemniejsze plamy na czole Soni, pod nosem, na wargach. Wiola obmywa je ostrożnie, a Sonia pojękuje jak zbity pies.

Wspinam się na łóżko i przykrywam kocem jak Ania. Nic nie chcę wiedzieć. Nie obchodzi mnie, czy Wiola zacznie walić pięściami w drzwi, wzywać pomocy. Wiem, że gdyby mi nie przeszkodziła, zabiłabym Sonię. One chyba też to wiedzą.

*

Rano Ania ma sińce na policzkach, a Sonia podłużnego czerwonego guza na czole, rozkwaszony nos i spuchnięte wargi. Oprócz sińców, rzecz jasna. Na szczęście już nie krwawi. Widać nie zrobiłam jej aż takiej krzywdy.

Na apelu oczywiście awantura. Ale trochę bezosobowa, bo Sonia twierdzi, że spadła z łóżka, a Ania jak zwykle nie mówi nic. Yuno, która prowadzi zbiórkę w zastępstwie Durum, jest wściekła, a jednocześnie wyraźnie zagubiona. Widać, że nie ma pojęcia, co się stało. Nie wierzy, że ja mogłabym to zrobić. Kończy się na tym, że obie poszkodowane lądują u lekarza, po czym Anka przychodzi pod eskortą do pracy, a Sonię zatrzymują w szpitalu. Złamałam jej nos i trzeba go zoperować. Cieszę się, że nie będzie jej dzisiaj w celi. Odetchniemy. Od jej bólu, od nienawiści. Spróbuję się zbliżyć do Ani, przekonać ją, że może mi zaufać.

Intryguje mnie jej przypadek. Chcę wiedzieć, czy da się ją przywrócić do społeczeństwa, odblokować te pokłady pamięci, których nie powinna była utracić, zaszczepić jej mechanizmy obronne. Nie zamierzam na niej eksperymentować, zastanawiam się nad własnymi utraconymi wspomnieniami. Czasem jakaś chwila, jakiś sen wydobywają na powierzchnię ich odpryski. Twarze, miejsca, imiona. Jak złoty piasek, który prześlizguje się między palcami i spada w otchłań. Ale gdyby tak znaleźć dla niego odpowiednie naczynie i gromadzić tam ziarnko po ziarnku, może w końcu układałoby się coś, co choćby z grubsza przypominałoby jakąś historię…

Owszem, boję się tego, co mogłabym zobaczyć w takim naczyniu. Czasem, jak ostatniej nocy, wrzynają się we mnie ostre odłamki dawnej tożsamości. Ale nie wierzę, by cokolwiek mogło być gorsze od tej potwornej ciemności, z której raz po raz wyłaniają się niezrozumiałe, nieuchwytne, groteskowo wykrzywione kształty. Tych kształtów boję się bardziej niż czegokolwiek, co mogę ujrzeć po zapaleniu światła.

PRZEBUDZENIE

Rano przychodzimy do roboty, a tu zaskoczenie. Kenjo wybiera z sali Bordowych Tunik osiem dziewczyn, w tym mnie i Wiolę, i mówi nam, że przez dwa dni będziemy pracować z Niebieskimi.

— Jest pilne zadanie i trzeba je skończyć w ciągu dwóch dni — wyjaśnia.

Widać uznały nas za niegroźne, skoro postanowiły dać nam piły do rąk. Gdyby Roksana dostała taką piłę, to nie wiem... Kenjo pewnie też nie wie, skoro zdecydowała się pozostawić ją w sąsiedniej hali, choć jej siła na pewno by się tu przydała.

Okazuje się, że wcale nie będziemy ciąć desek. To robota dla Niebieskich. Nas Kenjo zagania do jednego kąta, daje mnóstwo nalepek i poucza, które gdzie mają się znaleźć. Przyklejam do drewnianych skrzyń nalepki „FABRYKA MEBLI RZEPETTO". W każdej takiej skrzyni zmieściłby się trup, ale Kenjo mówi, że będą w nich deski, które popłyną na drugą stronę Małego Bałtyku.

Cieszę się ze zmiany. Nowa hala, nowe twarze i nowa praca, choć tylko na dwa dni. Siedzimy na uboczu, więc nie widzę ani Pauli, ani Soni. Ale wiem, że kiedy wrócimy do celi, Sonia będzie mówić tylko o przyjaciółce, o tym, jaka jest szczęśliwa, że może na nią patrzeć przez tyle godzin, i jaka nieszczęśliwa, gdy muszą się rozstać. Tak było przez ostatnie dwa dni. Nie udało mi się w tym czasie porozmawiać z Yuno, a, co gorsza, Nadia poszła na chorobowe i do końca tygodnia nie mam co liczyć na wizytę w bibliotece. Wprawdzie posadzili tam kogoś na zastępstwo i dziś po południu dyżurne z poszczególnych cel będą mogły oddać i wypożyczyć książki, ale zaplecze jest zamknięte i do sklejania będziemy mogły wrócić najwcześniej w poniedziałek. Dobrze, że jutro kino, bo chybabym zwariowała.

W celi kolejna niespodzianka. Sonia, która dotąd wracała z pracy nienaturalnie pobudzona i przez pierwszą godzinę nie mogła sobie znaleźć miejsca, chodząc od ściany do ściany, gestykulując i gadając do wszystkich i do nikogo, teraz siedzi przygaszona. Patrzę na Wiolkę. Wiolka na mnie. Daję jej znak, żeby spróbowała wybadać, o co chodzi. Do mnie Sonia teoretycznie wciąż się nie odzywa, choć kiedy jest pobudzona, zapomina o tym.

— Hej, co jest? — pyta Wiola, siadając obok niej.

— Daj mi spokój.

Patrzy na mnie i rozkłada ręce. „Kombinuj" — pokazuję. Kombinowanie kończy się sesją przytulania i pieszczot, przed którymi Sonia broni się tylko do pewnego momentu. Cwaniara z tej Wioli. Powinnam być zazdrosna, ale przyjmuję, że robi to w imię wyższych celów. Sonia poddaje się biernie pieszczotom, jakby ładowała baterie. Potem dość łagodnie jak na siebie odsuwa rękę Wioli i zaczyna mówić.

— One coś knują. Patrzyły na nas. Lidia i Tina. Paula jakby się bała ze mną gadać.

Znów myślę o tym, jak bardzo przemyślane wydaje się wtrącenie do jaskini lwa właśnie Pauli, najsłabszej z nas.

— Jutro po kinie rozmawiam z Yuno — oznajmiam zdecydowanym tonem. — Niech się dzieje, co chce. Niech nawet mnie zabiorą.

Naprawdę tak myślę. Czuję, że ta rozgrywka dotyczy mnie, a Paula została w nią wciągnięta niejako w zastępstwie. Tamtego dnia, kiedy Sonia wróciła ze szpitala z opatrunkiem na nosie, atmosfera była ciężka. Wiedziałam, że już nie będziemy się bić. Bójka rozładowała furię, ale pozostał głęboki smutek i poczucie, że coś się skończyło. Może musiało tak być. Moje pierwsze tygodnie w więzieniu były jak sen. Wciąż zamroczona po ciemni, nie rozumiałam, gdzie naprawdę się znalazłam i że być może nigdy stąd nie wyjdę. Teraz, gdy rozdzielono naszą paczkę, a to, co z niej pozostało, nie potrafiło utrzymać się w jednym kawałku, czuję się nieskończenie bardziej samotna. Nie mogę już liczyć na Sonię, a Wiola nie ufa mi tak bezgranicznie, jak dotąd. Ania trochę się otwiera, ale to ja mam być dla niej oparciem, nie ona dla mnie.

Kiedy zapada zmrok, czuję się boleśnie przytomna. Pustka, z którą tu przyszłam, wciąż kołacze się we mnie jak uwięziony ptak, lecz zamroczenie minęło i czuję, że każde uderzenie jego skrzydeł o pręty klatki sprawia nieznośny ból.

*

Następnego dnia Durum znowu zabiera Anię z pracy. I znów przychodzi po nią osobiście. Pół godziny później przyprowadza ją z powrotem. Zachodzimy w głowę, o co tu chodzi. Ania wciąż nic nie mówi, tylko „dobranoc" i „dziękuję". W celi nie leży już schowana pod kocem, ale poza tym niewiele się zmieniło od pierwszego wieczoru.

Po kolacji idziemy na film. Wciąż powtarzam sobie w głowie to, co chcę powiedzieć Yuno. Zastanawiam się, jak ją zagadnąć. Będę musiała się pospieszyć, nim każe nam ustawić się w dwuszeregu, żeby strażniczki mogły nas odprowadzić do cel. Oglądamy *Dziennik Bridget Jones*, ale jakoś nie mam ochoty wczuwać się w perypetie bohaterki. Po sali też zbytnio się nie rozglądam. Zauważam jednak, że Paula siedzi między koleżankami z celi, z dala od Soni. Kiedy tylko pokazują się napisy końcowe, wstaję i idę na tył sali, gdzie siedzi Yuno.

— Możemy porozmawiać? — pytam cicho.

Patrzy na mnie swoim nieprzeniknionym wzrokiem Waponki.

— Dobrze — mówi i zwraca się do strażniczek: — Zróbcie zbiórkę i odprowadźcie wychowanki. Helena pomoże mi wynieść sprzęt.

Kątem oka zauważam spojrzenie Roksany.

W milczeniu odłączamy odtwarzacz i kolumny, po czym zanosimy je do kantorka za świetlicą.

— Usiądź. — Yuno wskazuje mi jedno ze stojących tam krzeseł.

Siadam, choć trochę mi głupio, że ona robi to dopiero po mnie. Przełykam ślinę.

— Wiesz, że Paulę przeniesiono do pokoju Roksany…

Kiwa głową.

— Ona jest bardzo zżyta z Sonią — ciągnę. — Czy dałoby się coś zrobić, żeby mogły być razem?

Yuno przez chwilę patrzy na mnie w milczeniu.

— Nie ja jestem tu dyrektorem — odpowiada w końcu surowo.

— Rozumiem. — Opuszczam na chwilę głowę, biorę głęboki wdech i znów patrzę jej w oczy. — Wiem, że Durum nie zgodzi się na powrotną zmianę. Myślałam jedynie, że można by je przenieść… choćby do drugiego bloku. Gdziekolwiek. Byle były razem. Byle Paula nie musiała być z… — Nagle do mnie dociera, że jestem o krok od zostania donosicielką. Hm… Ciekawe. Trzymam kciuki za Anię, żeby doniosła, a sama nie chcę tego robić. — Nieważne. Byle były razem.

— Zapytam Durum — mówi Yuno po kolejnej chwili ciszy. — Ale nie mogę nic zagwarantować. A teraz chodźmy. Odprowadzę cię do pokoju.

Zamyka kantorek i całą salę. Nasze kroki stukoczą na posadzce korytarza.

— Yuno — mówię cicho, gdy zatrzymujemy się przed drzwiami celi. — Powiedz Durum, że jeśli będzie trzeba, ja mogę zamieszkać z Roksaną.

W korytarzu panuje półmrok, ale mam wrażenie, że jej spojrzenie łagodnieje.

*

Nadia jest blada i ma podkrążone oczy, jakby ostatnio niewiele spała, ale konspiracyjnie pokazuje mi dwie szpulki taśmy klejącej. Unoszę kciuk i nie mogę się doczekać fajrantu. A fajrant jest dziś później, bo nie wyrobiłyśmy się z oklejaniem skrzynek. Yuno powiedziała, że cała partia musi do wieczora wyjechać z zakładu, więc mamy pracować do oporu, a w nagrodę jutro da nam wolne do dwunastej. Niektóre dziewczyny się burzą, a mnie wszystko jedno, bo kiedy tu siedzę, pracuję mechanicznie i nie muszę o niczym myśleć. A zwłaszcza o tym, co zastanę w celi.

Oczywiście moje „wszystko jedno" trwa jedynie dopóty, dopóki nie widzę Nadii i jej szpulek, a następuje to podczas przerwy na obiad. Cholera. Poszłoby się zaraz do biblioteki, powdychało zapach książek, a trzeba jeszcze co najmniej dwie godziny wdychać zapach drewna i potu. W odróżnieniu od hal produkcyjnych biblioteka ma duże okno, z którego wprawdzie nie widać nic oprócz ogrodu, ale teraz, wiosną, zapach świeżego powietrza może zawrócić w głowie. Okienek w celach nie wolno otwierać. Są zrobione z odpornego szkła, żebyśmy nie wybijały szyb i nie raniły się. Podobno jeśli w nie walić ciężkim przedmiotem, na szkle pojawi się szereg pęknięć, ale rozbić się go nie uda.

Skrzynki chyba się kocą i wszystko wskazuje na to, że będziemy kwitnąć w tej hali do usranej śmierci. Kiedy wreszcie zbliża się koniec, jest już wieczór. Martwię się, czy Nadia jeszcze na mnie czeka. Ostatnia skrzynka wyjeżdża na taśmie i Yuno dziękuje nam za obywatelską postawę, co większość dziewcząt kwituje krzywymi uśmieszkami. Potem przygotowujemy się do wymarszu. Podchodzę do Waponki.

— Yuno, czy mogłabym zajrzeć do biblioteki? Miałyśmy dziś z Nadią kleić książki, ale nie wiem, czy nie znudziło jej się czekanie. — Kręci głową, jakby chciała mi powiedzieć, że jestem kompletną wariatką.

— Idź do pokoju. Jeśli Nadia jest w bibliotece, powiem jej, że może po ciebie posłać.

— Dziękuję.

W celi odświeżam się trochę nad umywalką i kręcę obolałym karkiem. Dziewczyny kładą się na pryczach i nawet im się nie chce nic mówić, nie wspominając już o tym, by któraś dała się namówić na rozmasowanie mi pleców. Wchodzę na górę i oddycham głęboko, licząc na to, że lada chwila usłyszę szczęk zamka... A kiedy faktycznie go słyszę, podskakuję i omal nie spadam z łóżka. Musiałam przysnąć, bo w głowie mam mętlik, w którym więzienna rzeczywistość miesza się z jakimiś wizjami wolności — pachnących zbożem pól, konia ciągnącego bronę. Przed chwilą nie miałam pojęcia o ich istnieniu, a teraz jest tak, jakby tu ze mną były.

Może powinnam więcej śnić? Może dzięki temu odzyskam przeszłość? Przypominam sobie sen o piwnicy pachnącej krwią i nie jestem już tego taka pewna. W progu staje strażniczka Greta. Dziewczyny z dolnych prycz przyglądają jej się beznamiętnie.

— Helena proszona do biblioteki — oznajmia.

Zwlekam się na dół, nie mając pojęcia, ile czasu minęło od powrotu z pracy. Sądząc po bólu, niewiele. Dziewczy-

ny patrzą na mnie, jakbym spadła z byka. Wkładam papcie
i wlokę się za Gretą.

— Która godzina? — pytam sennie.

— Dwudziesta trzydzieści — mówi. — Podobno chciałaś przyjść — dodaje zdziwiona.

Zastanawiam się, czy to przypadek, czy też Nadia specjalnie posłała po mnie właśnie ją. Od czasu incydentu na
dziedzińcu Greta jest moją ulubioną strażniczką. Chyba
dlatego, że jest tu nowa i wciąż traktuje nas jak ludzi.

— Tak, tak — zapewniam. — Tylko przysnęłam — przyznaję wstydliwie.

— Miałyście dziś więcej pracy — mówi.

Po chwili stoimy już przed drzwiami biblioteki. Greta
puka i wchodzi, nie czekając na zaproszenie. Nadia uśmiecha się zza biurka. Znów dostrzegam jej zmęczenie i myślę, że gdybyśmy nie były umówione, pewnie poszłaby już
do domu. Greta wpuszcza mnie, zamyka drzwi i odchodzi. Nadia da jej znać przez interkom, kiedy trzeba będzie
mnie odebrać.

— Wiele dziś nie zrobimy.

Macham ręką z rezygnacją.

— Daj spokój, gdybym wiedziała, jak długo będziemy
przyklejać te cholerne etykiety, w ogóle bym się z tobą nie
umawiała. Nie byłam pewna, czy na mnie czekasz, więc poprosiłam Yuno…

— Ciężko było?

— Ciężko. Ale to dobrze. Nie trzeba o niczym myśleć, a potem jest się zbyt zmęczoną, żeby się czymkolwiek przejmować.

Modlę się, żeby wiedziała o przeniesieniu Pauli, bo myśl
o opowiadaniu jej całej historii od początku przerasta mnie.
A jednocześnie czuję potrzebę wyrzucenia z siebie frustra-
cji wywołanej panującą w celi atmosferą.

— Wiesz o Pauli? — zaczynam w końcu z wahaniem.

Przymyka na chwilę oczy. Potem patrzy na mnie, jakby podjęła decyzję.

— Takie rzeczy się zdarzają — mówi. — Jeśli w jakiejś celi są problemy, Durum czasem przenosi dziewczyny.

— Problemy?! — Z trudem nad sobą panuję. — Chcesz mi powiedzieć, że sprawiała je mała Ania, która nic nie mówi i boi się własnego cienia? A może problemem było to, że Paula i Sonia za bardzo się zżyły?

Nadia wciąga gwałtownie powietrze, jakbym sprawiła jej przykrość.

— Nie wiedziałaś?

Milczy.

— Myślałam, że wszyscy wiedzą. One się z tym nie kryły. Katrin na pewno wiedziała. Sonia myśli, że to jej sprawka.

Zapada ciężka cisza. Wstaję i podchodzę do okna. Otwarta jest część z moskitierą; widzę zapadający zmierzch, przez drobną siatkę wdycham zapach wolności. Nawet tu rozróżniamy pory roku, choćby dlatego, że zimą rzadziej wypuszczają nas na dziedziniec, a do ogrodu prawie wcale. Ale teraz, przy tym oknie, wiosna oznacza dla mnie znacznie więcej niż częste wyjścia: oznacza nadzieję, która pozwoli mi stawić czoło kolejnym godzinom, kolejnym dniom.

— Może i wiedziałam — mówi Nadia cicho, jakby do siebie.

— Wybacz. Zagalopowałam się. Ty nie masz z tym nic wspólnego. Ale jest źle. Wszystkie boimy się o Paulę, a Sonia wariuje. — Ponieważ Nadia wciąż milczy, czuję się zobowiązana, by coś dodać. — Poprosiłam Yuno, żeby pogadała z Durum. Niedługo sobie nagrabię tym spoufalaniem. Nie zdziw się, jak dostanę szlaban.

— Popracujemy czy wolisz rozmawiać? — pyta Nadia.

Właściwie to nie wiem. Ciągnie mnie do wydobywania z niebytu kolejnych tomów, ale już samo bycie tutaj wycisza mnie i sprawia mi przyjemność. W otoczeniu książek czuję się spokojna i teraz, kiedy największa złość zaczyna mijać, mam ochotę mówić ciszej, ładniej.

— Popracujmy. W końcu po coś na mnie czekałaś.

Przez chwilę wygląda, jakby chciała coś powiedzieć, ale się rozmyśla.

Idziemy za zaplecze. Patrzę na malutki stosik sklejonych książek w kącie i furę podartego papieru dookoła. Nie dopuszczam do siebie myśli o tym, jak jałowa jest nasza praca. Dopóki ją wykonujemy, mogę tu z tobą siedzieć wśród strzępów mądrych słów i odpoczywać.

Z tobą. Tak coraz częściej myślę o Nadii, jakbym zwracała się prosto do niej. Zastanawiam się, czy ona kiedykolwiek tak o mnie myśli, ale chyba sobie pochlebiam. Jestem tylko więźniarką, która lubi książki. A szkoda, bo chciałabym, żebyś tak o mnie myślała. Chciałabym, żebyś znów wtuliła głowę w ramiona i pozwoliła mi się pocieszać, choćby przez chwilę. Ale to już nie wróci. Popełniłyśmy błąd, pozwalając sobie na tę odrobinę poufałości niedopuszczalnej między więźniarką a wychowawczynią. Nie mogę ryzykować, choć kiedy zerkam na ciebie ukradkiem i widzę zmęczoną twarz, zastanawiam się, co tu ze mną robisz, zamiast iść do domu, do miasta.

Znajduję okładkę książki zatytułowanej *Eifelheim*. Czytam opis na ostatniej stronie i nabieram ochoty na poznanie całości, choć w środku nie ma ani jednej kartki. Gdzieś muszą być. Jeśli odnajdę którąkolwiek, zacznę rozpoznawać krój czcionki, imiona bohaterów, nazwy miejsc. Wtedy pójdzie już z górki.

Eifelheim to niemiecka wioska, w której w XIV wieku wylądował statek z obcymi. Miał awarię i nie mógł odlecieć na swoją planetę, więc tkwił i tkwił w tej wiosce, aż miejscowy ksiądz, który dał obcym schronienie i pilnował, żeby nie wpadli w łapy inkwizycji, zaczął ich nawracać na chrześcijaństwo. Nigdy nie czytałam nic tak zwariowanego, więc po prostu muszę się dowiedzieć, co będzie dalej. Zaczynam przewracać kartki w poszukiwaniu nazwy wioski lub imienia głównego bohatera — Dietricha. Są jeszcze Krenkowie — tak nazywają siebie obcy. I właśnie ich znajduję najpierw.

Tak się angażuję w swoje poszukiwania, że zapominam o bólu pleców, ramion, wszystkiego. Wciąż jestem świadoma obecności Nadii, która jednak z pierwszego planu przemieszcza się w głąb tła. Dopiero jej kaszel wyrywa mnie z transu. Odrywam się od pracy i patrzę na nią.

— Nie wyzdrowiałaś jeszcze. Powinnaś być w domu.

Macha lekceważąco ręką.

— Daj spokój, jutro i tak mam wolne.

— Szkoda — mówię — bo my pracujemy dopiero od dwunastej. To za dzisiaj.

— Tobie też przyda się odpoczynek. Tyle harówki dzisiaj i jeszcze tu.

Pewnie tylko mi się zdaje, że słyszę troskę w jej głosie. Nie chcę dopuścić do siebie tej tęsknoty, która wdziera się w moje trzewia, próbuje oszukać rozum, uśpić czujność.

— Wezwij Gretę — proszę. — Pewnie już późno. Tylko mi nie ruszaj tych kartek do następnego razu.

— Będę w czwartek.

— W czwartek mamy kino — odpowiadam i o ułamek sekundy za późno gryzę się w język. Pieprzyć kino.

— Poproszę którąś z dziewczyn, żeby wzięła za mnie piątkowy dyżur na dziedzińcu — mówi Nadia. — Ja wzięłabym czwartkowy, a w piątek spotkałybyśmy się tutaj. O ile się uda.

To mi nawet pasuje. Będę mogła rzucić na ciebie okiem na dziedzińcu, a następnego popołudnia będę cię miała dla siebie, myślę.

— Trzymam kciuki.

Zegar na ścianie biblioteki wskazuje dwudziestą pierwszą trzydzieści. Za pół godziny cisza nocna. Wezwana przez ciebie Greta przychodzi szybko i znów jestem więźniarką, którą trzeba eskortować do celi.

*

Na dziedzińcu tym razem nie gramy w piłkę. Durum wymyśliła zajęcia wychowawcze. Sama nawet stoi teraz obok i się przygląda. Za to nigdzie nie widzę Nadii. Cholera. Pewnie nie udało jej się zamienić z nikim na dyżury. To znaczy, że z jutrzejszego spotkania też nici.

W zakładzie jest nas około sześćdziesięciu. Nie licząc drugiego bloku, o którym nie wiadomo nic poza tym, że podobno znajduje się obok naszego, za szpitalem. Stąd go nie widać.

Na dziedziniec wychodzimy w trzech grupach, każda dwa razy w tygodniu i dodatkowo przy dobrej pogodzie wszystkie w niedzielę, każda o innej porze. Moja grupa wychodzi w poniedziałki i czwartki. Uwielbiam te chwile, kiedy mogę oddychać czystym powietrzem, a nad głową mam niebo. Czasem nawet zdaje mi się, że słyszę morze albo jakieś odgłosy z miasta, choć pewnie to złudzenie, bo nasz zakład stoi na wzgórzu poza jego granicami.

Dzisiaj wyjątkowo każą nam zabrać ze sobą krzesła ze stołówki. Dzielą nas na cztery grupy po pięć osób i każdej rozdają kartki. Kenjo i Barbara, nasze dzisiejsze wychowawczynie, wyjaśniają, że na kartce jest przedstawiony dylemat, który mamy spróbować rozstrzygnąć. Naśmiewamy się z tego, ale w sumie podoba nam się ta zabawa, bo pozwala się oderwać od więziennej rzeczywistości.

Dylemat jest taki: *W waszej wsi funkcjonuje spółdzielnia rolnicza. Przynależność do niej nie jest obowiązkowa, ale większość rolników jest jej członkami. Każdy przywozi swój towar, który po wycenie na odpowiednią kwotę punktów może wymienić na inne towary w ramach tej kwoty. Pewnego razu jesteście świadkami kradzieży dokonywanej przez kierownika spółdzielni, który część towarów nielegalnie ładuje na swój wóz. Musicie wspólnie zdecydować, jakie podjąć w tej sprawie kroki.*

FAKTY:

- *Kierownik nielegalnie zabrał na swój prywatny wóz sporo towaru.*
- *Widziała to tylko wasza piątka.*
- *Kierownik jest lubiany i ma opinię uczciwego.*
- *Spółdzielnia pełni pozytywną rolę w życiu wsi.*

Oprócz mnie w grupie są Lidia, Paula, Monika i Ela. Dwóch ostatnich prawie nie znam. Ela jest chuda, z długimi włosami związanymi w kitkę. Monika grubsza, z rozpuszczonymi i nieco krótszymi. To ona pierwsza podniosła krzyk, gdy Ania podcięła sobie żyły. Widuję obie w halach, w stołówce, na dziedzińcu albo w łazience, ale chyba nigdy dotąd nie zamieniłyśmy słowa. Cieszę się, że mogę pobyć chwilę z Paulą, mimo towarzystwa Lidii, jednego z „klonów".

— Słuchajcie, no, jestem zbulwersowana! — zaczyna „klon". — Ludzie nam nie uwierzą, że kierownik kradnie!

— Właśnie. W tym problem — podchwytuje Paula i patrzy na mnie. — Chyba że się na niego zaczaimy i zrobimy zdjęcie.

— Zdjęcie nie jest żadnym dowodem! — mówi Ela piskliwie. — Trzeba go złapać i zawołać wszystkich, żeby zobaczyli.

— No dobra — odzywa się Monika. Ma przyjemniejszy, niższy głos. — Ale jak już go złapiemy, to co dalej?

Zapada cisza.

— Pomyślcie: nawet nie wiemy, od kiedy kradnie. Może to trwa już długo, a my nic nie zauważyliśmy i byliśmy zadowoleni. Towaru dla wszystkich starcza. Jak go wsypiemy, to ludzie będą chcieli go zabić i nie wiadomo, jak to się skończy. Albo pójdą na policję, a ona zamknie spółdzielnię i dupa.

— Co?! — oburza się Lidia. — Mamy udawać, że nic się nie stało? Żeby się rozbestwił i wszystko nam wywiózł?

Ich dyskusja brzmi sztucznie, jakby każda myślała tylko o tym, jak zadowolić wychowawczynie. Może liczą na to, że jeśli znajdziemy właściwą odpowiedź, dadzą nam nagrodę? Pewnie tak będzie. Pewnie na tego, kto poprawnie rozwiąże dylemat, faktycznie czeka jakaś nagroda. Mam jednak przeczucie, że będzie ona mniej namacalna, niż się wydaje moim koleżankom.

— Niech Helena coś powie.

Zerkam na Paulę, która wypowiedziała te słowa z wyraźną zaczepką, jakby chciała mi za ich pomocą coś przekazać. Wzdycham.

— Może po prostu pogadamy z nim i zapytamy, dlaczego to robi?

Patrzą na mnie jak sroka w gnat.

— No coś ty!? Przecież się wyprze, a potem nas zniszczy! Ja tam nie mam zamiaru z nim gadać — deklaruje Lidia.

Zastanawiam się, dlaczego jestem takim dziwadłem. Dlaczego nie umiem spojrzeć na sprawę praktycznie, tak jak one, tylko zawsze muszę się doszukiwać drugiego dna? Dlaczego widzę kierownika nie jako papierową figurkę, która nas okrada, tylko jako człowieka, który oddycha, myśli, czuje, może cierpi? Kiedyś mi się ta przeklęta empatia odbije czkawką.

— Ja pogadam — obiecuję, jakby to się działo naprawdę. — Może ma jakieś problemy w swoim gospodarstwie albo ktoś z jego bliskich choruje, a on wymienia ten towar na lekarstwa.

Mają tak zdziwione miny, że chętnie zrobiłabym im zdjęcie.

— Mam to w dupie! — oznajmia po chwili milczenia Lidia. — A co, niby w moim gospodarstwie nie ma problemów? Nikt mi nie choruje? Nie dalej jak w zeszłym tygodniu dziecko mi chorowało!

— Hej, czemu mi nie powiedziałaś? Mój tata jest lekarzem! Zbadałby je!

Rozbawia nas ta deklaracja i na chwilę wypadamy z ról.

— Serio, Monika? Serio masz tatę lekarza?

Oczywiście doskonale wiemy, że Monika nie ma prawa tego pamiętać. A jeśli nawet pamięta, nie może być pewna, że to prawda. Wzrusza ramionami.

— Może i tak. Co za różnica?

Podchodzi do nas Barbara.

— Za pięć minut kończymy — mówi. — Postarajcie się do tego czasu podjąć decyzję.

„Klon" wciąż się oburza, że szukam usprawiedliwień dla złodzieja, ale nie ma lepszego pomysłu niż ten, który zaproponowałam. Pozostałe dziewczyny wydają się czuć ulgę, że ktoś zadecydował za nie. Zdążamy jeszcze ustalić kilka szczegółów i kończy nam się czas.

Barbara po kolei prosi każdą z grup o przedstawienie ich rozwiązań. Dwie postanowiły wsypać kierownika i wybrać nowego. Jedna doszła do wniosku, że skoro towaru dla wszystkich starcza i nikt dotąd niczego nie zauważył, należy na razie przymknąć oko i obserwować sytuację. Kiedy przychodzi nasza kolej, mam taką tremę, jakbym co najmniej stała przed tym kierownikiem i oznajmiała mu, że wiem o kradzieży.

— Postanowiłyśmy, że jedna z nas porozmawia z kierownikiem i zapyta, dlaczego to zrobił.

Większość dziewczyn znów patrzy na mnie, jakbym spadła z kosmosu. Barbara pyta o powody naszej decyzji.

— Myślimy, że skoro do tej pory nikt się na niego nie skarżył, mogło się to zdarzyć pierwszy raz.

— I wtedy przestępstwo jest mniejsze?

Durum stoi z boku, ale cały czas czuję na sobie jej intensywny wzrok. Jestem zdenerwowana jak diabli, choć Wiola powie później, że nie było tego po mnie widać.

— Nie. Po prostu nie chcemy go skazywać bez poznania przyczyn.

— A jakie przyczyny go usprawiedliwią?

Zastanawiam się chwilę.

— Nie chodzi o usprawiedliwienie. Chodzi o to, żeby dać mu szansę. Jeśli na przykład choruje mu dziecko i potrzebuje towaru, by go wymienić na lekarstwa, możemy go poprosić, żeby następnym razem nam o tym powiedział. A kiedy dziecko wyzdrowieje, kierownik będzie stopniowo odpracowywał straty spowodowane przez kradzieże.

Barbara kiwa głową, ale nie potrafię nic wywnioskować z jej twarzy.

— Ustaliłyście, która z was ma z nim porozmawiać?

Przełykam ślinę.

— Ja.

— Dlaczego?

— To był mój pomysł.

Po prezentacjach Barbara i Kenjo opowiadają nam o skali rozwoju moralnego, którą wymyślił jakiś facet. Skala składa się z sześciu szczebli różniących się w zależności od tego, czym się kierujemy w życiu. Najniższy stopień to „orientacja posłuszeństwa i kary", a najwyższy „orientacja uniwersalnych zasad sumienia". Potem mamy ocenić, któremu poziomowi odpowiada myślenie zaprezentowane przez każdą z naszych grup. Wygląda na to, że moje nie odpowiada żadnemu.

— Ciekawe, po co im to było? — zastanawia się Wiola, gdy już jesteśmy z powrotem w celi.

— Jak to po co? — prycha Sonia. — Chciały wybadać, kto jest uległy, a kto im się postawi, jak zaczną coś kombinować. Helena najlepiej się w tym połapała. Wiedziała, że nie wystarczy przymknąć oko na ich cwaniactwo. Trzeba jeszcze się podlizać.

Uśmiecham się, jakby to była prawda.

— Pozdrowienia od Pauli — mówię, choć Paula wcale nie kazała jej pozdrowić.

Sonia jest na mnie cięta, że nic nie załatwiłam w związku z przenosinami. Z kolei Paula podczas zajęć w grupie odnosiła się do mnie ironicznie, tak jakby chciała pokazać Lidii, że ma mnie gdzieś. Ale jej spojrzenie mówiło co innego. Był w nim strach.

*

W kinie lecą *Stalowe magnolie* i wszystkie laski płaczą. Nawet Roksana, chociaż udaje twardzielkę, ma niewyraźną minę. Film opowiada o chorej dziewczynie, którą gra Julia Roberts. Nagle przypominam sobie bladą twarz Nadii i przychodzi mi do głowy, że ona też może umrzeć. Miała być dzisiaj na dziedzińcu albo w bibliotece, ale nie widziałam jej nawet w stołówce. Walczę z pokusą zapytania Yuno, co się dzieje. Nie mogę pokazać, że mi zależy, bo rozdzielą nas, tak jak Paulę i Sonię. Pewnie coś mi się uroiło, ale nie potrafię wybić sobie tego z głowy. Wciąż mam przed oczami tę Julię Roberts — w jednej chwili zdrową, a przynajmniej na chodzie, a w następnej umierającą.

W nocy bierze mnie taka chandra, że mam ochotę wyć. Wiercę się i wiercę, aż Wiola się budzi i przychodzi do mnie. Nie odtrącam jej, a potem czuję się jeszcze gorzej. Mała Ania znów nakrywa głowę kocem. To potworna noc.

*

Praca przynosi wytchnienie. Cały czas myślę o Nadii, ale już nie tak intensywnie. Kenjo pyta, czy wszystko w porządku. Spoglądam na nią.

— W porządku — mówię. — A co?

— Źle wyglądasz.

Macham ręką na znak, że to nic takiego. Muszę naprawdę źle wyglądać, skoro nawet Waponka to zauważyła. Może i lepiej, że nie zobaczę się dziś z Nadią. Ja potrafię jej wybaczyć, że wygląda jak ofiara wampira, ale ona mnie…

Nie zostajemy dzisiaj po godzinach, bo skrzynie wyjechały. Wlokę się na obiad prosto z hali i widzę ją. Siedzimy z dala od siebie, co jest mi na rękę, bo wstydzę się jej pokazywać w tym stanie. W celi spróbuję coś ze sobą zrobić na wypadek, gdyby miała po mnie posłać. Pożyczam od Wioli puder w kremie i przykrywam nim swoją bladość. A ona patrzy, jakby wiedziała, że mnie traci. Bo chyba wie…

Potem słyszę głos Nadii z dziedzińca i wiem, że dziś też się nie spotkamy. Nasłuchuję pod oknem, a Ania podchodzi i nasłuchuje ze mną. Dźwięk dobiega raczej przez wywietrzniki niż przez tę zbrojoną szybę, ale raz po raz coś słychać. Dzisiejszą grupę też podzielono na czwórki i omawiają jakąś scenkę. Żałuję, że mnie tam nie ma. Wiem, że nie mieszczę się na skali, ale przynajmniej wymyśliłam coś innego niż wszyscy inni. Chciałabym, żeby to Nadia patrzyła na mnie tak jak Durum, choć nie wiem, co kryło się w jej spojrzeniu.

Tylko że gdyby ona tam była, pewnie byłabym zbyt stremowana, by myśleć. W bibliotece rozmawiamy jak równa z równą. Jesteśmy tam tylko we dwie, a więzienie, jeśli nie liczyć krat w oknach, wydaje się ponurym żartem. W bibliotece Nadia nie ma munduru. Ale kiedy prowadzi zajęcia albo siedzi z nami w świetlicy, jest funkcjonariuszką.

— To samo co wczoraj — mówię do Ani, a ona się uśmiecha. To pierwszy uśmiech, jaki widzę na jej ustach, i jeden z ostatnich.

Trochę się zmieniła, odkąd ją do nas przyprowadzili. Wciąż jest spłoszona, ale już nie przerażona. Nie ucieka wzrokiem, gdy ktoś na nią patrzy. Momentami dopadają ją stare demony, wystarczy jednak przeczekać i znowu jest dobrze. Odzywa się częściej, więc próbuję z nią rozmawiać.

— Jak myślisz? Powinni wywalić kierownika ze spółdzielni?

Wzrusza ramionami.

— Nie wiem, co to ta spółdzielnia.

— A jakby ktoś kradł książki z biblioteki?

Znów się uśmiecha i powszechnie zrozumiałym gestem przesuwa brzegiem dłoni po szyi.

— A jakby potrzebował lekarstw dla chorej koleżanki?

— To niech ukradnie lekarstwa.

Proszę. O tym nie pomyślałam. Śmieję się i przygarniam Anię siostrzanym gestem. Szybko jednak puszczam, bo widzę, że się zdenerwowała.

— Spoko, Anka! Nikt cię tu nie skrzywdzi.

Potem wielokrotnie będę sobie przypominać te słowa i zastanawiać się, czy nie osłabiłam jej czujności.

*

Kilka dni później posyłasz po mnie i oto znów wdycham zapach książek, kurzu, świeżego powietrza zza moskitiery i twoich perfum. Są tak delikatne, że przedtem nie zwracałam na nie uwagi, a i teraz ledwo potrafię je wyłowić z gamy zapachów, które w duchu nazywam bibliotecznymi. Dziś jednak uważam, że odmładzają bibliotekę, która bez nich przypominałaby uszkodzone mauzoleum.

Wyglądasz już lepiej. Śmieję się ze swoich obaw. Wszystko przez ten głupi film. Kiedy tu przebywam, nie czuję respektu, tylko radość z obcowania z tobą. Wciąż marzę o twoim dotyku i wciąż boleśnie odczuwam obecność przezroczystej ściany, która wyrosła między nami po tym, jak dotknęłam cię bez namysłu i obie przestraszyłyśmy się tego gestu. Wciąż z tęsknotą wspominam tamten moment. Ale po tygodniowej rozłące cudem jest dla mnie samo przebywanie z tobą sam na sam.

Z tobą i z *Eifelheimem*. Mówisz, że nikt tego nie wypożyczał, ale widzę w twoich oczach podziw dla mojej determinacji. To mi daje dodatkowego kopa, by dalej mozolnie gromadzić i kleić strony lub ich fragmenty. Pytam cię o ten eksperyment na dziedzińcu. Mówisz, że to w ramach resocjalizacji.

— Chodzi o świadomość moralną. O to, czym się kierujecie przy podejmowaniu decyzji.

— No, coś tam rozumiem. Ale i tak myślimy, że było w tym drugie dno.

— Jakie?

Wzruszam ramionami.

— Bo ja wiem? Sonia uważa, że Durum chciała sprawdzić, kto jest uległy, a kto może sprawiać kłopoty, kiedy będzie próbowała wprowadzić jakieś zmiany.

Zastanawiasz się.

— Ale przecież pracowałyście w grupach. Skąd może wiedzieć, czyj pomysł ostatecznie zwyciężył?

— Może, bo Kenjo i Barbara podsłuchiwały. A dzięki tym grupom dowiedziała się nie tylko tego, jakie kto ma zdanie, ale także czy potrafi narzucić je innym.

Zerkasz na mnie w sposób wyraźnie dający do zrozumienia, że słyszałaś o moim wystąpieniu. Krzywię się, choć w głębi duszy jestem zadowolona, że dotarły do ciebie te wieści.

— Ja tam niczego nie narzucałam. Po prostu pozostałe dziewczyny nie były przekonane do tego, co mówią. Raczej odgrywały role niż szukały prawdziwego rozwiązania, więc było im na rękę, że ktoś jest pewien swoich racji.

Przyglądasz mi się z uśmiechem, który podkreśla twoją urodę.

— A ty jesteś.

— Nie zawsze. — Śmieję się. — Tylko kiedy włącza mi się empatia.

Twój uśmiech blednie, stopniowo przechodząc w zamyślenie.

— Dziewczyno — mówisz — skąd tyś się tu wzięła?

— Z tej samej pieprzonej wyspy co wszystkie. Oprócz Waponek, znaczy.

Marszczysz brwi. Żałuję swoich słów, bo te zmarszczki na czole odbierają ci wiele uroku. Na szczęście tylko na chwilę.

— Nie lubię, gdy ktoś używa słowa „wyspa".

— Oj, tam — usiłuję obrócić wszystko w żart. — Australia też jest wyspą. Przynajmniej była. I jakoś przez wieki to nikomu nie przeszkadzało.

Nie rozwesela cię to, co zresztą ani trochę mnie nie dziwi. Zmieniam temat i przy okazji zadaję pytanie, które od dawna mnie nurtuje, choć wiem, że nie mam prawa oczekiwać od ciebie odpowiedzi.

— Słuchaj, właściwie po co to całe udawanie, że nas resocjalizujecie? Żadna z nas nie wie, kiedy stąd wyjdzie i czy w ogóle. Poza tym skoro mamy się resocjalizować, to chyba powinnyśmy wiedzieć coś o swoim dawnym życiu. Co mi po świadomości, że kogoś zabiłam, skoro nie wiem nawet kogo i za co?

Milczysz chwilę i widzę, że cię to dotknęło, jakbym kierowała pretensje konkretnie do ciebie. Spuszczam z tonu.

— No, daj spokój, wiem, że to nie twoja wina. Tylko się zastanawiam, dlaczego tak jest.

— Kiedyś uznano, że przechodząc przez ciemnię, już na samym starcie pobytu w zakładzie dostaniecie nowe życie bez balastu starych przyzwyczajeń i starych błędów. Musicie wiedzieć, za co tu siedzicie, ale szczegóły przestępstw i wspomnienia z dawnego życia nie są wam potrzebne.

— Sranie w banie — prycham. — Oczywiście doskonale wiesz, że trochę pamiętamy, prawda? Czasem coś wraca do nas w snach, czasem na jawie. Jak skrawki tych książek.

— A ty ile pamiętasz? — pytasz.

Zerkam na ciebie spode łba.

— Sprawdzasz mnie?

Kręcisz głową, ale nie jestem przekonana.

— Nie chcę o tym gadać. Powiedz Durum, że nic nie pamiętam i że jej resocjalizacja jest gówno warta.

— Nie mam zamiaru nic mówić Durum. To prywatna rozmowa i obrażasz mnie, uważając, że zamierzam ją gdzieś powtarzać. Przepraszam, że zapytałam.

Przychodzi mi do głowy, że skoro jest tu działający interkom, to może być i podsłuch. Mam nadzieję, że nie dość czuły, by ściągać głos z zaplecza.

— Ja też przepraszam. Może kiedyś ci opowiem. Na razie nie jestem gotowa.

Wracamy do pracy. Tego popołudnia udaje ci się skleić trzy książki. Ja zapętliłam się na *Eifelheimie*, robiąc postępy tak niewielkie, że wcale ich nie widać.

*

Czytam sobie książkę o psychologii. Wypożyczyłaś mi ją, bo jest tam mowa o teorii Kohlberga. To ten facet od dylematów moralnych. Okazuje się, że oprócz sześciu poziomów, o których mówiliśmy na zajęciach, wymyślił też siódmy. Nazwał go moralnością transcendentną. Książka nie wyjaśnia dokładnie, na czym ten poziom polega, bo inni naukowcy nie wzięli go poważnie i w końcu sam Kohlberg się z niego wycofał.

Oprócz Kohlberga jest w książce mnóstwo innych fascynujących rzeczy. Nie wszystko rozumiem, bo używają trudnych słów, ale zaciekawia mnie na przykład Carl Gustav Jung, który też dużo mówi o tej całej transcendencji. W dodatku uważa, że niektóre sny są nam zsyłane przez kogoś z góry. Wyobrażam sobie, że moja mama siedzi na jakimś szczycie, lepi dla mnie sen, potem dmucha na niego, a on leci jak dmuchawiec. Nigdy nie widziałam swojej mamy. Dmuchawca też nie. A przynajmniej tak mi się zdaje.

Ten Jung był uczniem niejakiego Freuda, który jednak miał całkiem inne zapatrywania na ludzką naturę. Uważał, że w dużej mierze kierują nami nieświadome popędy, a ludzką jaźń podzielił na trzy obszary, które kojarzą mi się trochę z domem z mojego snu. Ego, czyli ja, to główna kondygnacja — ta, którą najlepiej znamy i na której spędzamy większość czasu. Superego to strych pełen pięknych obrazów, w których jak w lustrach przegląda się nasze ja i które podpowiadają mu kryteria, jakimi powinno się kierować. To wcale nie takie fajne, bo kiedy próbujesz namalować obraz swojego życia, odkrywasz, że nie starcza ci talentu, a może samozaparcia, i nie czujesz się z tym dobrze. Ale najgorzej jest wtedy, gdy zaglądasz do piwnicy. Tam siedzi id — twoja prywatna bestia, której nie da się nie tylko okiełznać, ale i zobaczyć. Tylko od czasu do czasu można dostrzec jej cień albo usłyszeć głos, od którego ciarki przebiegają po plecach.

*

Paula prawie się do nas nie odzywa. Kiedy spotykamy się w pracy lub stołówce, czasem odmruknie coś zdawkowo, ale przeważnie trzyma się z „klonami". Zastanawiam się, czy to poza, czy rzeczywiście wsiąkła w nowe środowisko. W końcu skoro te dwie jakoś wytrzymują z Roksaną, to dlaczego ona by nie miała. Coś jednak mnie niepokoi. Ten układ wydaje się niewłaściwy, jak źle złożona maszyna, która lada chwila może nawalić i zacząć razić prądem. Paula zbyt szybko przeszła na tamtą stronę. Zbyt szybko wyrzekła się miłości Soni. Wszystko zbyt szybko.

Może przeczucie mnie myli, ale nie mogę wybić sobie z głowy, że zdarzy się coś złego. Coś bardzo złego. Oczywiście nie mówię o tym Soni, która potwornie przeżywa zdradę przyjaciółki. Kiedy zabrano nam Paulę, zadziałała siła wyższa, przeciwko której wszystkie byłyśmy bezradne. Paula pozostawała jej Paulą, jej najdroższym, brutalnie zrabowanym skarbem. Teraz jest inaczej. Skarb zachowuje się tak, jakby u nowego właściciela było mu lepiej. Ale nie mogę winić Sonię za to, że węszy podstęp, że doszukuje się drugiego dna. Nie mogę jej radzić, żeby się pogodziła z odejściem Pauli, bo sama się z nim nie godzę. Z mojej mądrej książki nauczyłam się pojęcia „dysonans poznawczy", które jak ulał pasuje do tej sytuacji. Chodzi o przypadek, w którym dowiadujesz się czegoś, co tak bardzo nie pasuje do twojej dotychczasowej wiedzy, że kompletnie nie daje się w nią wpasować. Jeśli masz zaakceptować nową informację, musisz najpierw wyrzucić z głowy wszystko, co dotąd wiedziałaś, albo tak wymodelować stare i nowe, by zaczęły do siebie pasować. To wymaga czasu. A takie ścieranie się niepasujących do siebie fragmentów potrafi potwornie boleć.

Dlatego nie mówię nic Soni, tylko staram się wspierać ją duchowo, cokolwiek to znaczy. Uaktywniam też Wiolę, która zresztą nie potrzebuje wielkiej zachęty. W porównaniu z sytuacją sprzed tygodnia życie w celi staje się całkiem znośne. Tylko to przeczucie, które wciąż tli się z tyłu głowy, nie dając zasnąć…

*

W końcu jednak zasypiam i przez tego cholernego Freuda znowu mam głupi sen. Tym razem jestem w jakiejś kaplicy i trzymam w ręku ten wapoński sztylet, który zawsze nosi przy sobie Durum. Podchodzę do ołtarza i widzę obraz *Ostatnia wieczerza*. Odnajduję postać Judasza, podnoszę sztylet i zaczynam go wykrawać z obrazu. Muszę, bo dostałam na niego zlecenie. Gdy tylko wbijam sztylet w płótno, z dziury zaczyna kapać krew. Wiem jednak, że nie mogę przestać. Muszę dostarczyć Judasza moim zleceniodawcom. Pociągam ostrzem, krew zaczyna spływać ciurkiem na moją rękę, ale nie przerywam operacji. Gdy Judasz jest już wycięty, w obrazie zieje dziura, a krew płynie nie z niej, lecz z postaci, którą trzymam w dłoniach. Mimo to składam Judasza, chowam do kieszeni, wychodzę z kaplicy i biegnę na spotkanie z jednym ze zleceniodawców, który ma na mnie czekać w umówionym miejscu. Kiedy się z nim spotykam i sięgam do kieszeni, ta okazuje się pusta. Przez chwilę nie mam pojęcia, co się dzieje, potem unoszę koszulę i robi mi się słabo.

Budzę się. Oddycham ciężko i na wszelki wypadek faktycznie sięgam pod tunikę, ale na szczęście niczego podejrzanego nie wyczuwam. Jest jeszcze ciemno. Z jednej strony pragnę jak najszybciej zapomnieć o tym śnie, z drugiej — wiem, że próbował mi objawić jakąś ważną prawdę. Jestem zabójczynią, ale we śnie krew Judasza staje się moją krwią, jak gdybym poprzez wycięcie go z obrazu zraniła samą siebie. Czy kiedykolwiek się dowiem, co to znaczy?

*

W pracy na odmianę sielanka, powrót do jabłek i ziemniaków. Ciekawe, że się jeszcze nie zepsuły od jesieni. Musieli je trzymać w chłodniach, a może te nalepki to już na przyszłość, na tegoroczne zbiory. Nagle przychodzi Greta, rozmawia z Kenjo i po chwili wyprowadza z drugiej hali Anię. Nie mam wątpliwości, że znów zabiera ją do Durum. To już trzeci raz, a drugi, odkąd mieszkamy razem w celi. Chociaż coraz więcej rozmawiamy, nie zdobyłam się jeszcze na to, by zapytać Anię, co z nią tam robią.

Mała trzyma się prościej i nie zasłania twarzy włosami. Wciąż jest onieśmielona i zahukana, ale nie tak potwornie, jak na początku. Dopiero kiedy Roksana wbija w nią jadowite spojrzenie, dziewczyna zapada się w sobie, kuli jak pod wpływem ciosu w brzuch. Co może sobie myśleć taka Roksana? Czy teraz, gdy Anię zabrano z jej celi, wciąż sądzi, że mała na nią donosi? Jeśli tak, to wolę nie wiedzieć, co tam się działo.

— Zasrana pinda — mamrocze, ale szybko milknie, bo Kenjo na nią patrzy.

W stołówce rozglądam się za Nadią. Kiedy jest w mundurze, zawsze myślę o niej „Nadia", nigdy „ty". Może kiedyś to się zmieni. Na razie szukam jej wzrokiem, udając, że tak tylko się rozglądam. Przy okazji tego udawania dostrzegam różne inne rzeczy. Choćby to, że Roksana, „klony" i Paula siedzą na końcu jednego ze stołów, trzymając głowy blisko siebie i rozprawiając o czymś z ożywieniem. A także to, że Katrin praktycznie nie może oderwać wzroku od Grety. Może wcale nie jest taka wredna, jak myślą dziewczyny. Może jest po prostu nieszczęśliwa. Nie, no, dość tych wygłupów. Czy ktoś się troszczy o mnie? Czy obchodzi go stan mojego ducha? Cóż, może i tak. Kenjo na przykład zauważyła, że źle wyglądam. Sześćdziesiąt dziewczyn w zakładzie i co najmniej połowa nie wygląda najlepiej, a ona zwróciła uwagę właśnie na mnie.

Niebezpieczna to rzecz — uwierzyć, że jest się kimś wyjątkowym. Za takie myślenie można nieźle dostać po dupie. Z drugiej strony, trudno ignorować fakt, że może się więcej niż inne dziewczyny. Już parokrotnie, a jestem tu dopiero dwa miesiące, udawało mi się coś załatwić zarówno dla siebie, jak i dla nich. Zwykle z korzyścią dla siebie, ale to chyba nie przeszkadza, prawda? Kto powiedział, że trzeba się poświęcać, żeby świat był lepszy? Większość ludzi pragnie tego samego: poszanowania własnej godności, szczęścia, miłości, realizacji swoich pragnień. Z tą realizacją w zakładzie, zresztą może i na całym świecie, jest trochę ciężko, ale to już siła wyższa. Zasadniczo jednak gramy w tej samej drużynie, choć nie wszystkie to rozumieją. Im ktoś jest szczęśliwszy, tym mniej odreagowuje na innych swoje frustracje. Nie wiem, czy można wszystkim dogodzić, ale takie zagrywki, jak rozdzielanie dziewczyn albo podglądanie, jak się kochają, torpedują wszelkie próby poprawienia atmosfery. Muszę jak najszybciej znaleźć okazję, by porozmawiać z Yuno i zapytać, czy coś wskórała w sprawie Pauli. Poza tym odhaczam sobie w głowie, żeby spróbować jakoś dotrzeć do Katrin, może nawet do Roksany.

Przysłuchuję się swoim myślom i nagle mam ochotę postukać się w głowę. Chcę naprawiać świat, jakbym była nie wiadomo kim, a tak naprawdę jestem bezradna nawet wobec własnych uczuć. Dostrzegam w końcu Nadię na drugim końcu sali. Siedzi w towarzystwie innych wychowawczyń. To jej dzień mundurowy, więc patrzenie na nią sprawia mi szczególny ból, bo ten mundur oddala ją ode mnie o lata świetlne. Czuję się wtedy jak małolata zakochana w gwieździe filmowej.

W pewnym momencie Nadia spogląda w moją stronę i nasze spojrzenia się krzyżują. Szybko odwraca wzrok. Trochę zbyt szybko.

Czasem żałuję, że w ogóle spotkałam ją na swojej drodze. A czasem myślę, że za każdą z chwil spędzonych z nią w bibliotece dałabym się porwać na kawałki jak te książki, które próbujemy leczyć.

*

Przyczajam się przy wyjściu ze stołówki. Katrin już nas zapędza do szeregu, ale spokojnie patrzę jej w oczy i proszę o rozmowę z Yuno, starając się brzmieć jak ktoś, kto uważa ją — Katrin — za ważną osobę. Nie niebezpieczną, tylko taką, którą się szanuje. Nie wiem, do jakiego stopnia mi się to udaje, ale Katrin przez jedną z młodszych strażniczek powiadamia Yuno, że wychowanka chce z nią rozmawiać. Ciekawe, czy naprawdę nie zna mojego imienia, czy chce pokazać swoją wyższość. Reaguję uprzejmym podziękowaniem.

— Dzień dobry, Yuno. — Kłaniam się prawie jak Waponka. — Czy możemy porozmawiać na osobności?

Yuno odkłania się, prawie jakbym i ja była Waponką.

— Chodźmy do mojego gabinetu.

Świat się kończy. Yuno zaprasza mnie do gabinetu. Kątem oka zerkam na pozostałe dziewczyny, próbując wybadać ich reakcję. Niektóre chyba nie usłyszały jej słów. Inne uśmiechają się ironicznie, jakby myślały, że zamierzam składać jakieś donosy. Tylko Sonia i Wiola patrzą na mnie z podziwem, a Ania ze strachem. Dopiero teraz do mnie dociera, że ona się boi. Boi się powrotu do Roksany i „klonów". Już dawno powinnam jej wytłumaczyć, że nie chcę się jej pozbyć z celi.

Gabinet Yuno jest urządzony bardzo skromnie. Biurko, krzesła, regały. Na biurku komputer — jeden z nielicznych działających, jakie widziałam w życiu. Żadnych obrazków, żadnych zdjęć męża czy dzieci. Tylko na ścianie duża mapa Waponii. Nieistniejącej Waponii.

— Bardzo przepraszam, że zawracam ci głowę — mówię. — Chciałam tylko zapytać, czy rozmawiałaś z Durum o Pauli.

Yuno z powagą kiwa głową. Patrzy mi w oczy, żebym wiedziała, że nie ściemnia.

— Długo nie mogłam znaleźć okazji, ale przed dwoma dniami udało mi się z nią porozmawiać. Durum zareagowała pozytywnie. Powiedziała, że w jednym z pokojów niedawno zwolniły się dwa miejsca. Poprosiła Paulę na rozmowę, a ona powiedziała, że ma już dosyć przenosin i chce zostać.

Patrzę na nią baranim wzrokiem. To niemożliwe. Musiałam się przesłyszeć.

— Ale… wiedziała, że byłaby tam z Sonią?

Yuno unosi lekko ramiona.

— Sądzę, że Durum nie pominęła tak istotnego faktu.

Opuszczam głowę i zakrywam oczy dłonią, próbując zebrać myśli.

— Jezu — mamroczę, opuszczając rękę, lecz nie podnosząc głowy. — Przecież minęło dopiero kilkanaście dni. Nie wierzę, żeby tak całkiem zobojętniała. Jesteś pewna, że Durum...? — Gryzę się w język. Tylko tego brakowało, żebym oskarżyła dyrektorkę o kłamstwo. — Przepraszam. Jasne, że jesteś pewna.

Yuno cierpliwie czeka, aż powiem coś więcej. Ale co właściwie miałabym powiedzieć? Czuję się, jakby ktoś dał mi obuchem w głowę. Wciąż myślę, że Durum dla świętego spokoju mogła okłamać Yuno, ale kiedy sobie przypominam zachowanie Pauli, nie jestem tego taka pewna.

— Wybacz, że nie zwróciłam się do Durum wcześniej — mówi w końcu Yuno. — Była bardzo zajęta.

— Rozumiem. Szkoda, że w ogóle doszło do tej zamiany — odpowiadam cicho.

Patrzy na mnie, jakby chciała coś dodać. Ale nie dodaje.

W celi mówię dziewczynom, że Yuno nie udało się nic załatwić. I że nie znam szczegółów.

*

Następnego dnia w pracy, kiedy wychodzimy na pięciominutową przerwę, proszę Paulę o chwilę rozmowy. Choć teatralnie okazuje irytację, w końcu idzie za mną.

— Podobno Durum z tobą rozmawiała.

— Rozmawiała, i co?

— I powiedziałaś, że nie chcesz mieszkać z Sonią.

Na dźwięk imienia przyjaciółki Paula wyraźnie się denerwuje.

— Bo nie chcę. Rozumiesz: nie chcę! Zbyt wiele się zmieniło. Już nie jestem tą naiwną dziewczynką z waszej celi. Zmieniłam się. Tamta Paula nie wróci. Przykro mi.

— Mnie też — mówię cicho. — Bo kiedy na ciebie patrzę, wciąż ją widzę.

— Ja nie — odpowiada twardo. — Słabo ją pamiętam. — Odwraca się i chce odejść do koleżanek.

— Paula! — zatrzymuję ją. Patrzy na mnie niechętnie.

— Ona wciąż cię kocha.

Patrzę, jak się ode mnie oddala, i choć mam tyle obaw, nie tracę wiary, że wszystko jeszcze się ułoży. Nie mam pojęcia, jak szybko i tragicznie potoczą się sprawy. Widzę jej zgrabne, delikatne ciało i myślę o duszy, która ukryła się pod pancerzem gruboskórności. Zawsze będę pamiętać ostatnie słowa, jakie do niej wypowiedziałam.

*

Kiedy po mnie posyłasz, czuję zarazem radość i lęk. Tyle ostatnio o tobie myślałam, że żadne spotkanie nie zdoła spełnić moich oczekiwań. W dodatku będę pewnie tak spięta, że ucieknę w pracę, w *Eifelheim*. Tęsknię już także za tą książką, za Dietrichem i Krenkami, ale to jest łagodna tęsknota, coś w rodzaju tęsknoty podróżnika za domem. Wiesz, że dom nigdzie się nie wybiera i że kiedy przyjedziesz, będzie na miejscu. Może trochę tynku odpadło, może nie ma prądu, ale dom ciągle jest.

Tęsknota za tobą jest bardziej złożona. Składa się jakby z dwóch warstw, powierzchownej i tej ukrytej głęboko pod nią. Tę zewnętrzną łatwo zaspokoić, wystarczy samo przebywanie z tobą. Możesz mówić do mnie obojętnie co, a tęsknota będzie się napawać brzmieniem twego głosu. Ale tam, w głębi, druga tęsknota pozostanie niezaspokojona, nietknięta.

— No, bierzmy się do roboty — mówisz na dzień dobry, nie pytając nawet o moje samopoczucie.

To coś nowego. Do tej pory rozmawiałaś chętnie. I jeszcze ten twój uciekający wzrok w stołówce... Zaczynam myśleć, że się zreflektowałaś i chcesz uniknąć dalszego spoufalania się ze mną. To fatalnie.

Staram się wyładować swoją frustrację w pracy nad *Eifelheimem*. Gorączkowo rozgarniam papier, z furią odrzucam niepasujące fragmenty. Początkowo tylko udaję zaangażowaną, ale po jakimś czasie mnie wciąga. Naprawdę chcę się dowiedzieć, co dalej z nawróconymi Krenkami. Czy Dietrich zdołał im wytłumaczyć, o co chodzi w jego religii? Wydają się tak odmienni, że bardziej prawdopodobny jest jakiś makabryczny zwrot w ich wykonaniu, ale mimo swej odmienności nie są podli i wiedzą, że ksiądz uratował im życie.

Sam duchowny jest totalnym zaprzeczeniem moich dotychczasowych wyobrażeń o średniowieczu. I chyba o chrześcijaństwie też. Nawet w dzisiejszych czasach nie spodziewałabym się po księdzu ratowania i ukrywania kosmitów. Ewangelizowania owszem, ale raczej ogniem niż po dobroci. Autor przyznaje zresztą w przedmowie, że zabierając się za pisanie tej książki, miał stereotypowe wyobrażenie o tamtej epoce i dopiero podczas gromadzenia materiałów stopniowo przekonywał się, że jej prawdziwy obraz jest o wiele bardziej złożony. No i dobrze. Proste obrazy rzadko bywają prawdziwe, a w dodatku są nudne.

Czuję na sobie twój wzrok, ale dopiero po dłuższej chwili podnoszę głowę. Wtedy ty odwracasz oczy. Wracam do pracy. Po chwili zerkam na ciebie znienacka, a ty znów patrzysz. Tym razem też uciekasz spojrzeniem, ale tylko na chwilę. Wpatruję się w ciebie uparcie. W końcu uśmiechasz się jakoś niepewnie. Potem poważniejesz i patrzymy sobie w oczy. Długo będę rozpamiętywać tę chwilę, próbując zidentyfikować uczucie, które złapało mnie za gardło, by stamtąd powolnymi falami rozchodzić się do piersi, wypełniać płuca, brzuch, w końcu całe ciało. Strach wciąż jest jego częścią, ale oprócz niego jest tam jakaś potężna, nieznana mi dotąd tęsknota i nieznośne napięcie — napięcie, które nijak się ma do tego, co czuję, gdy patrzę na kochające się dziewczyny lub fantazjuję o seksie. Tamto uczucie zaczyna się w okolicach podbrzusza i sięga niewiele dalej. Z Wiolą przeżyłam chwile łagodnej przyjemności, czasem zakończone satysfakcją, czasem smutkiem. Od ciebie dzieli mnie przepaść, lecz to, co przekazują sobie nasze oczy w ciągu kilku skradzionych sekund, przypomina potężne wyładowanie atmosferyczne.

Spłoszone spojrzenia rozbiegają się w różne strony, a ręce wracają do pracy. W tamtym momencie jestem pewna, że czujesz to samo co ja, ale później, gdy znajdę się z powrotem w celi, zwątpię we wszystko.

*

Ranek przynosi poruszenie wśród personelu. Szczególnie podekscytowani wydają się powściągliwi zwykle Wapończycy. Wieść krąży od hali do hali, od osoby do osoby. Fragment Waponii wyłonił się z morza. Nie wiem, czy mogę sobie pozwolić na wiarę w tak fantastyczny scenariusz. Morze czasem oddaje zalane obszary, ale zwykle czyni to bezpośrednio po powodzi, gdy fala zaczyna się cofać. Waponia zniknęła z mapy wiele lat temu, a sądząc po tym, co się dzieje w naszej części globu, poziom wód wciąż się podnosi. Może jednak w innych regionach świata jest inaczej? Wieść o wypluciu przez wodę fragmentu jednej z wapońskich wysp przywiózł z Bestatu statek handlowy.

— Ciekawe, czy będą chcieli wyjechać? — zastanawia się któraś z dziewczyn tak głośno, że słyszy ją pilnująca nas Greta.

— Cii! — Strażniczka kładzie palec na ustach, wskazując głową stojącą nieco dalej Kenjo.

— Wiesz coś? — pytam konspiracyjnie.

Wzrusza ramionami.

— Same pogłoski. Przywieźli gazety. Na pierwszych stronach jest zdjęcie kawałka lądu, który podobno należy do wyspy Paraido. Zatopionej jedenaście lat temu.

— I co? Chcą wracać? — wyrywa się Marcie.

Greta patrzy na nią z dobrotliwym politowaniem.

— A daj spokój. Może i chcą, ale statki handlowe nie biorą pasażerów. A nawet gdyby Wapończycy postanowili zbudować własne, Bestat już zapowiedział, że nie wpuści ich na swoje terytorium.

— Czemu?

— Myślicie, że ile jest miejsca na tej wysepce? Kilkadziesiąt kilometrów kwadratowych. Azjaci pewnie już je zajęli. Zresztą nie wiadomo, czy za chwilę to miejsce nie znajdzie się znowu pod wodą. Władze Bestatu nie mogą ryzykować, że ci wszyscy emigranci zostaną u nich.

Podchodzi do nas Kenjo, więc Greta szybko się odsuwa i udaje, że żadnej rozmowy nie było.

— Ciekawe, co dalej — mamroczę.

— Lepiej się nie podniecać — mówi Wiola. — Kto by nie chciał, żeby Durum wyjechała? Ale nawet jeśli, to przecież zakładu nie zamkną, a w kraju nie zmieni się nic poza tym, że będzie trochę więcej miejsca.

— Mnóstwo glin to Waponi — zauważa Marta.

— Pieprzyć gliny — prycha Wiola. — Wiesz, za co ja tu, kurwa, jestem? Za to, że usunęłam ciążę. A nie wolno. Nie wolno, bo zasrany rząd, w którym nie ma ani jednego Wapona, uważa, że mamy się mnożyć jak leminigi.

Konsternacja rodzi milczenie. Ja już znam tę historię, ale większość dziewczyn słyszy ją po raz pierwszy. Wiola musi być cholernie odważna, skoro zdecydowała się powiedzieć to głośno. Jasne, ja też uważam, że nie warto się rozmnażać tylko po to, żeby potem musieć patrzeć na śmierć swojego dziecka albo zostawiać go w ginącym świecie, ale nie wypada mówić takich rzeczy, bo wiele kobiet pragnie mieć dzieci i nie może. W ciągu ostatnich dwóch, trzech dekad płodność drastycznie spadła, jakby natura sama uznała, że nie warto już umożliwiać ludziom rozrodu.

Nie wiem, czy niektóre z dziewczyn naprawdę patrzą na Wiolę wrogo, ale widać ona tak to odbiera, bo zaczyna się tłumaczyć.

— Macie szczęście, jeśli nie możecie mieć dzieci. Los zdecydował za was. Ja musiałam sama podjąć decyzję. Zresztą może i nie. Może pamiętam fragment snu albo jakiś film. Wiecie, jak to jest po ciemni. Zapomnijcie o tym.

Ale ja nie zapominam. Myślę o tym, czego oczekują od nas konserwatyści, którzy przejęli władzę po okresie anarchii, jaka nastąpiła po ostatniej wielkiej powodzi. Myślę o ich absurdalnym przekonaniu, że jeśli odmówią przyjęcia do wiadomości wszystkiego, co się zmieniło, świat nadal będzie wyglądał tak jak przedtem. Siedzą na stołkach, przekonani o własnej wyższości, i atakują swoim Bogiem każdego, kto robi coś nie po ich myśli. Pewnie są wśród nich tacy, którzy chętnie pozbyliby się wszystkich Wapończyków, nie interesując się, czy ci mają jakiekolwiek szanse na dopłynięcie do swojej ojczyzny.

Na szczęście nikomu nie chce się dyskutować z Wiolą, a niektóre dziewczyny wydają nawet pomruki aprobaty. Wracamy do pracy, bo Kenjo już przygląda nam się podejrzliwie. Ja też na nią zerkam i zastanawiam się, czy chciałabym, żeby wyjechała. Ona, Yuno, Durum… Wapończycy wsiąkli już w nasz krajobraz i choć czasem jesteśmy na nich wściekli, jak ja wtedy, gdy tamci dwoje donieśli o mnie policji, trudno sobie wyobrazić Arkadię bez nich. Wiem, że kiedyś, jeszcze całkiem niedawno, nie było ich tutaj. Ale teraz są. Pracują w policji i więzieniach, bo straszni z nich służbiści. Naprawiają sprzęty, których nikt inny naprawić już nie potrafi. Sprzęty zepsute przez wodę, ale i przez ludzi. Bo nam, miejscowym, wolno psuć. Im, Wapońcom, wolno jedynie naprawiać.

— Kenjo… — mówię, kiedy szykujemy się do wyjścia z hali. Waponka patrzy na mnie. Jest bardziej przystępna niż Yuno, bardziej ludzka niż Durum. Tu, w zakładzie, nauczyłam się widzieć w nich oddzielne istoty. — …chciałabym, żebyście mogli wrócić do swojej ojczyzny. Ale gdybym rządziła tym krajem, poprosiłabym was, żebyście zostali.

Kenjo patrzy na mnie nieprzeniknionym wzrokiem. Porusza lekko głową. To musi mi wystarczyć za całą odpowiedź.

ZBRODNIA

Przeczucia czasem mylą. Albo w ogóle są gdzie indziej, gdy ich potrzebujemy.

Ten dzień zaczyna się jak każdy inny i nawet przez myśl mi nie przechodzi, że coś się zdarzy. Gdy podczas przemarszu do pracy nagle gaśnie światło, czuję raczej irytację niż lęk. Od czasu tamtej awarii, która na dwie godziny uwięziła nas w celach, prąd wyłączano już kilka razy, choć zwykle na krótko. Pięć, dziesięć minut i światła znów się zapalały.

Zaganiają nas do świetlicy i każą czekać. Rozsiadamy się wygodnie na krzesłach, jakbyśmy czekały na kolejny film. Świetlica ma wprawdzie okna, ale żaluzje są na prąd, więc nie można ich podnieść.

— Dzisiaj kino dla niewidomych — mówi któraś i rozlegają się śmiechy.

Słyszę jakieś tupanie i nagle głos dobiega z przodu sali, z miejsca, gdzie podczas pokazów znajduje się ekran.

— Katarzyno! Katarzyno! To ja, Heathcliff! Jak mogłaś mnie tak potraktować?! Kocham cię, ale teraz cię zabiję, bo mnie wkurzyłaś.

Burza oklasków z sali i do dziewczyny, której głosu nie rozpoznaję, dołącza druga — chyba Monika.

— Heathcliffie, zrozum! Nie mogłam się inaczej zachować w obecności tych wszystkich ludzi.

— Nie dworuj sobie ze mnie, dziewczyno! Ja mam oczy i wszystko widzę... No, może nie w tej chwili. W każdym razie widzę, jak się wpatrujesz w tego dupka, i mam już tego serdecznie dość, i właśnie teraz cię uduszę.

Rozlegają się odgłosy mające imitować duszenie i agonię. Czyjeś ciało osuwa się na podłogę. Nim znów rozbrzmią oklaski, słyszę tupot na korytarzu. Nadal nic sobie z niego nie robię. Pewnie strażniczki biegają z latarkami i sprawdzają, gdzie wyskoczył bezpiecznik. Wzrok trochę już przywykł do mroku i mogę policzyć głowy w sali, a te najbliższe nawet rozpoznaję. Szukam małej Ani. Wiem, że boi się ciemności, choć po kilku tygodniach spędzonych w naszej celi trochę jej przeszło. Nie widzę jej nigdzie w pobliżu.

— Widzisz Ankę? — szepczę do Wioli.

Kręci głową. Wstaję i przechadzam się wzdłuż rzędów, próbując ją zlokalizować. Niektóre twarze odwracają się w moją stronę. Nie wszystkie rozpoznaję. Na pewno jednak żadna nie należy do Ani, bo jej profil, niespokojne ruchy i długie proste włosy raczej bym poznała. Nie widzę też Roksany. Ani Pauli. Kolejna runda po sali utwierdza mnie w przekonaniu, że nie ma ich tutaj.

— Siadać! — burczy pilnująca drzwi Katrin. Niech to szlag. Wolałabym, żeby na jej miejscu był ktokolwiek inny, najlepiej Greta. Ale muszę coś zrobić.

— Katrin — szepczę, podchodząc do niej — w sali brakuje kilku dziewczyn.

— Jak to brakuje? Liczyłaś?

— Nie ma Roksany, Pauli i małej Ani.

Katrin oddala się od drzwi i lustruje latarką rzędy, wyławiając twarze. Heathcliff i Katarzyna, która zdążyła już zmartwychwstać, milkną na chwilę. I właśnie wtedy, stojąc przy drzwiach, które w odróżnieniu od tych w celach nie są sterowane prądem, tylko zwyczajnie zamykane na klucz, słyszę tupot nóg biegnących w drugą stronę, a zaraz potem ktoś zaczyna się dobijać do sali.

— Ratunku! Wpuśćcie nas!

Strażniczka podbiega do drzwi.

— Kto to?

— Roksana…

— Lidia…

— Tina…

Płaczliwe, przerażone, zdyszane głosy.

Katrin grzebie w kieszeni, wyjmuje pęk kluczy i uchyla drzwi. Trzy kształty wślizgują się do środka.

— Szybko! Ona je zabiła!

Szmer w sali stopniowo gaśnie. Dziewczyny uciszają się nawzajem.

— Kto? Kogo?

— Durum… Durum zabiła Paulę.

Odpycham je i przekręcam klucz, którego Katrin nie zdążyła wyjąć z zamka. I biegnę. Biegnę tam, skąd przybiegła ta trójka. Na korytarzu znów tupot. To buty strażniczek, oficerki, a nie nasze łapcie. Tak brzmiały pierwsze kroki. Te, które minęły świetlicę i pobiegły w lewo. Teraz kroki są za mną, wyprzedzam je o dobre dwadzieścia metrów. Początkowo biegnę na oślep, ale zza załomu, z odcinka korytarza, na którym znajdują się drzwi do ogrodu, dochodzi słabe światło. Dobiegam do zakrętu i staję jak wryta, a potem osuwam się na kolana.

Teraz wierzę, że kogoś zabiłam. Jeśli ona mogła, to dlaczego nie ja? Nie robi żadnego ruchu w moją stronę. W ogóle się nie porusza. Po prostu stoi tam w milczeniu i trzyma w ręku ten swój zakrzywiony sztylet. U jej stóp leży skąpane we krwi ciało z poderżniętym gardłem. Obok, pod ścianą, nieruchomo spoczywa drugie, zgięte wpół. Ten widok wyrywa mnie z marazmu. Później będę się zastanawiać, co tu zaszło. Odwracam ciało Ani. Krwawi, ale nie tak jak Paula. Nie od sztyletu, raczej od uderzania głową w ścianę. Nie daje znaku życia. Drżącą dłonią próbuję wymacać puls i nie mogę. Kroki słychać coraz bliżej. Durum wciąż stoi nade mną z zakrwawionym sztyletem. Podnoszę na nią wzrok i widzę w jej oczach świadomość końca.

— Durum, dlaczego? — pytam, bo na nic innego nie ma czasu. Nie pytam, dlaczego zabiła Paulę. W każdym razie nie tylko. Wszystko, co się tu stało, jest pokłosiem jednej tragicznej decyzji, wskutek której ta delikatna dziewczyna wylądowała w celi Roksany, w jej rękach, pod jej rozkazami. Dlaczego Durum ją tam zesłała?

Upuszcza sztylet. Wzdrygam się, gdy rękojeść głośno uderza o posadzkę kilka kroków ode mnie. Nim dobiegają do nas pierwsze strażniczki, słyszę coś przypominającego krótki szloch.

*

Następne minuty to chaos. Straż wykręca mi ręce, rzuca na podłogę obok ciała Pauli. Przybiegają dziewczyny, których Katrin nie zdołała zatrzymać. Wszyscy krzyczą. Niewiele widzę, leżąc z nosem przy ziemi, i jestem z tego zadowolona. Nie chcę nic widzieć. Wolałabym też nie słyszeć. Nie wiem, jakim cudem strażniczkom udaje się uniknąć linczu na Durum. Chyba biją pałkami na oślep, bo co rusz słychać świsty, krzyki, przekleństwa. Ktoś klęka przy mnie. Podnoszę ostrożnie głowę, bojąc się, że znów dostanę, ale to Greta. Myśli, że coś mi się stało. Usta jej drżą.

— Ratuj Anię — mówię. A raczej wydaje mi się, że mówię, bo gardło mam tak ściśnięte, że nic się z niego nie wydobywa. Odchrząkam i próbuję jeszcze raz. Lepiej.

Nie wiem, czy żyje. Wiem za to z całą przerażającą pewnością, że Paula jest martwa. I że zabiła ją osoba odpowiedzialna za resocjalizację nas, przestępczyń. Od dłuższego czasu udaję, że nie słyszę szlochu Soni. Szlochu? Nie szlochu, tylko wycia przeplatanego przekleństwami, jakich jeszcze nigdy nie słyszałam z niczyich ust. Wiem, że rzucili ją na podłogę, tak samo jak mnie, a ona próbuje im się wyrwać, by podbiec do ciała przyjaciółki. Czy powinni jej na to pozwolić? Co możesz zrobić z ciałem, które już nie odpowie na twoje pieszczoty? Przywierać do niego, umazać się jego krwią, zanurzyć w niej usta i spijać, póki ciepła? Powinni jej pozwolić. Cokolwiek pragnie zrobić, ma prawo.

Greta woła, żeby przynieśli nosze. Nikt nie zwraca już na mnie uwagi, więc przewracam się na bok, a potem siadam i wciskam się w kąt. Ktoś przykrył ciało Pauli czymś, co wygląda na obrus z jadalni. Noszy wciąż nie ma. Nigdzie nie widzę Yuno. Nadii też nie, ale mgliście pamiętam, że dziś ma wolne. Jest za to Kenjo. Patrzę na jej zaciśnięte usta i nagle zaczynam płakać. Płaczę nad Waponkami, które wczoraj cieszyły się wizją odzyskania ojczyzny; nad Paulą, która była szczęśliwa, a teraz jest martwa; nad Durum, która musiała ją zabić, bo wcześniej popełniła tragiczny błąd; nad Sonią, która spadła w najgłębszą czeluść piekła; nad Anią, którą próbowałam nauczyć, jak być szczęśliwą. Płaczę też nad sobą, bo nie udało mi się temu zapobiec, i nad nami wszystkimi, bo nie wiem, jak dalej będziemy tu żyć.

Dopiero kiedy zabrali ciało i wynieśli nieprzytomną Anię, zapala się światło. W blasku jarzeniówek plama krwi jest jaskrawa jak w filmie i wydaje się równie nieprawdziwa. Łzy płyną mi po policzkach, ramiona się trzęsą. Wiem, że powinnam być silna, bo dziewczyny muszą mieć w kimś oparcie. Może nawet Yuno, której wciąż nigdzie nie widzę, mnie potrzebuje.

Pod przeciwległą ścianą z założonymi rękami stoi Roksana. Na policzku ma bruzdę, jakby ktoś rozorał jej skórę paznokciami. Nie wydaje się tego świadoma. Patrzy gdzieś w pustkę i minę ma nietęgą. Widać, że i ją to dotknęło. Ale mogłabym jej przebaczyć tylko wówczas, gdyby wszystko wyznała.

*

Do cel wracamy pod eskortą sprowadzonej przez Yuno policji. To ludzie z miasta, spoza murów. Są wśród nich mężczyźni. Większość to Wapończycy, lecz widzę też kilku białych. Więc jednak nie wszyscy wyjechali. Boję się momentu, kiedy drzwi zatrzasną się za nami z cichą stanowczością i będę musiała się zmierzyć z rozpaczą Soni. Dobrze, że jest ze mną Wiola. We dwie może damy radę powstrzymywać ją przez autodestrukcją, póki nie nadejdzie pomoc. Tylko gdzie jej szukać? Rozglądam się i widzę jedynie obce mundury, obce twarze.

Co z nami będzie? Kto przejmie kontrolę nad zakładem? Dlaczego to wszystko stało się teraz, kiedy sprawy wydawały się iść ku dobremu, kiedy nasze życie stało się tak znośne, że niemal zapomniałyśmy, co to za miejsce i dlaczego tu jesteśmy? Jeden nierozważny ruch Durum pociągnął za sobą lawinę tragicznych wydarzeń. Wciąż nie rozumiem, dlaczego to zrobiła. Myślałam, że po prostu zbyt mało o nas wie, ale jej dzisiejszy czyn świadczy o tym, że wiedziała aż nazbyt wiele. A skoro tak, to dlaczego, dlaczego oderwała Paulę od Soni i rzuciła ją na pożarcie Roksanie? Ja, Wiola, nawet Sonia poradziłybyśmy sobie. Ona nie. Teraz Paula nie żyje. Nie żyje, bo próbowała być twarda. A Durum już nigdy nie zobaczy swojej ojczyzny. Może trafi do takiego zakładu jak nasz, a może wykręci się, dowodząc, że tylko w ten sposób mogła uratować wychowankę z rąk oprawczyń. Tyle że jakoś w to nie wierzę. Zabiła, bo puściły jej nerwy — być może pierwszy raz, odkąd tu jest. Nie zniesie tego. Będzie chciała ponieść karę, i to jak najcięższą.

Nigdy za nią nie przepadałam, ale w tej krótkiej chwili, gdy z zakrwawionym sztyletem stała nad skąpanym we krwi ciałem mojej przyjaciółki, zobaczyłam w niej człowieka. Czy mam prawo ją osądzać? „Tak" — myślę, patrząc w puste oczy Soni, w których zabrakło już łez. „Nie" — myślę, pamiętając, że i ja jestem morderczynią, choć w to nie wierzę.

Nie umiem opisać koszmaru godzin, które nastają potem. Gdy tylko spuszczamy Sonię z oka, zaczyna walić głową w ramę łóżka. Trzymamy ją z całych sił, a gdy słabnie, głaszczemy i przytulamy, jakby była dzieckiem. Nie wiem, jak długo tak wytrzymamy. W końcu drzwi się otwierają i staje w nich policjantka. Zagląda do celi i widocznie stwierdza, że jest bezpiecznie, bo daje komuś znak i po chwili pod drzwi podjeżdża wózek z obiadem. Zupa w aluminiowych miskach, łyżki z plastiku. Zadbali o to, żebyśmy nie miały żadnej broni. Chociaż na upartego i plastikową łyżką można zrobić krzywdę. Do tego bochenek chleba na celę. I przepraszający uśmiech dziewczyny z kuchni, którą ledwie znam.

— Dzisiaj musicie zjeść w celach.

— Co się dzieje? — pytam ją gorączkowo, nie zwracając uwagi na policjantkę. — Co z Anią? Czy mogłabyś poprosić którąś z wychowawczyń, żeby tu przyszła?

— Nic nam nie mówią. Jak zobaczę wychowawczynię, to poproszę.

— Dzięki.

Gdy już tracę nadzieję, że ktoś się pojawi, znów rozlega się charakterystyczne stuknięcie, a po nim szum rozsuwających się drzwi, w których staje Barbara. Czuję leciutkie ukłucie zawodu. A zaraz potem ulgę. Podchodzę do drzwi. Za Barbarą stoi wapoński policjant. Cóż, niech słucha. Od dziś wiem, że oni też czują.

— Dajcie jej coś na uspokojenie — szepczę, robiąc nieznaczny ruch głową w kierunku łóżka Soni. — Długo tak nie wytrzyma. My nie wytrzymamy. — Patrzy na mnie. — Paula była jej dziewczyną — dodaję, choć boli mnie każde wypowiadane słowo. — Zanim ją zabrali.

Barbara na chwilę przymyka oczy, jakby tym jednym gestem chciała mi zakomunikować, że cierpi wraz z nami, co prawdopodobnie jest prawdą. To, co się tu dziś stało, dotknęło chyba każdą żywą istotę w tym cholernym więzieniu. Więzieniu... Dopiero teraz uświadamiam sobie, w jak wielkim stopniu to więzienie było naszym domem — domem, który dziś runął. Dlatego poczułam ulgę, widząc, że to nie Nadia stoi w drzwiach. Nie chciałam stanąć przed nią jako więźniarka, która spotyka funkcjonariuszkę. Ale także dlatego poczułam żal, bo gdybym ją zobaczyła, mogłabym uwierzyć, że coś pozostało, i trzymać się tej wiary jak tonący brzytwy.

— Dobrze — mówi Barbara. — Spróbuję. A może... — waha się. — ...może poprosić, żeby ją wzięli do szpitala?

Kręcę głową, choć tego właśnie chciałam, zanim tu przyszła. Nie możemy teraz opuścić Soni. Musi tu zostać, nawet jeśli oznacza to patrzenie na łóżko Pauli, wspominanie wspólnych nocy. Musi zostać, bo bez nas poszłaby na dno.

— Co z Anią? — pytam, choć boję się tego, co mogę usłyszeć.

— Ciężko. Ale jest nadzieja.

Oddycham z ulgą. Póki nie usłyszę najgorszego, będę w nią wierzyć. Choć nie wiem, czy po raz drugi da się oswoić i czy warto uczyć ją ufności tylko po to, by ktoś znów ją skatował.

— Dziękuję — mówię do Barbary.

Chwilę później odwiedza nas zakładowa lekarka, Irena. Znam ją, bo dwa razy w tygodniu mamy komisję zdrowia. Lekarka z pielęgniarką chodzą wtedy po salach i niby nas badają, a tak naprawdę pytają tylko, jak się czujemy. Jeśli ktoś się skarży, może liczyć na dokładniejsze zbadanie, a jeśli naprawdę choruje — na parę dni wolnego.

— Wszystko w porządku, dziewczyny? — pyta, jakby nic się nie stało.

— Jak cholera — prycham.

Sonia wzbrania się przed prochami, ale przysięgam jej, że to ja o nie prosiłam. Zgadza się chyba tylko po to, żebyśmy się w końcu odczepiły. Dostaje dwie tabletki. Irena mówi, że za drzwiami cały czas dyżuruje policja. Gdyby coś się działo, wystarczy zapukać albo zawołać.

W końcu Sońka zasypia. Wiola kładzie się obok mnie i leżymy przytulone, nie znajdując słów.

*

Dzień dłuży się niemiłosiernie. Jeśli jutro też nie będziemy nic robić, mogą od razu przemianować nasze więzienie na dom wariatów. Zakład, jak chciała Durum. Zakład dla obłąkanych.

Wieczorem jednak w drzwiach znów staje Barbara. Sonia wciąż śpi, ale wychowawczyni zostawia nam dwie tabletki na wypadek, gdyby były potrzebne. Patrzy na nią z troską, a ja nagle sobie wyobrażam, że leżę chora w szpitalu i Nadia przychodzi mnie odwiedzić.

— Jutro wracacie do pracy — mówi Barbara.

— Co z Durum? — pytam.

— Na apelu wszystkiego się dowiecie.

Wzdycham.

— Powiedz choć trochę.

— Zabrali ją do szpitala w mieście. Nie wiem, co dalej. Na razie obowiązki dyrektora ma pełnić Yuno.

Tę wiadomość przyjmuję z ulgą, choć żal mi Waponki, która będzie musiała ogarnąć ten chaos.

— A co z Roksaną i tamtymi?

Patrzy na mnie nieprzeniknionym wzrokiem.

— Zaraz do nich zajrzę. Jutro się wszystkiego dowiecie.

„Zaraz do nich zajrzę"? To brzmi, jakby chciała sprawdzić, czy u nich wszystko w porządku; jakby sprawczynie tragedii były poza podejrzeniem. Kręcę z niedowierzaniem głową, ale drzwi już świszczą i Barbara znika.

W nocy rzygam. Sonia się budzi i pyta, czy wierzę w życie po śmierci. Ocieram twarz ręcznikiem, wychodzę z łazienki. Tak, Soniu, wierzę. Przecież umierałyśmy już tyle razy…

*

Rano głowa mi pęka. Pewnie jestem blada jak ściana, ale inne dziewczyny nie wyglądają lepiej. Policja wciąż tu jest, eskortuje nas na poranny apel. Idę do raportu zamiast Soni, melduję: stan pokoju — cztery, obecne trzy, jedna nieobecna z powodu choroby. Marta składa potem raport przed Nadią, która ma dziś dyżur. Nadia… A więc wciąż istnieje, podobnie jak istnieje ten hol, stołówka, hale robocze. Może nawet biblioteka.

Po raportach głos zabiera Yuno:

— Zapewne wszystkie wolałybyśmy, aby to, co stało się wczoraj, okazało się złym snem — zaczyna lekko zachrypniętym głosem. Zastanawiam się, czy długo myślała nad tym zdaniem, czy po prostu mówi to, co naprawdę czuje. — Niestety, tak nie jest. To wszystko z przyczyn, których być może nigdy nie zrozumiemy, stało się naprawdę. Nie da się tego wymazać ani zapomnieć. Nie proszę was o to. Proszę jedynie, abyśmy wspólnie spróbowały żyć dalej według tych samych prawideł, które obowiązywały dotąd.

Milknie, a w szeregach podnosi się cichy szmer, jakby obradował rój pszczół. Jak można żyć według tych samych prawideł? Jak można respektować dziedzictwo dyrektorki, która zwariowała?

— Poproszono mnie, żebym przejęła kierownictwo zakładu — kontynuuje Yuno. — Robię to z ciężkim sercem, rozpamiętując los mojej poprzedniczki, ale i z nadzieją, że uda mi się uniknąć podobnej tragedii.

Znowu rozlegają się szepty. „A co z Roksaną i tamtymi? Czy nie spotka ich żadna kara? Mamy wierzyć, że Paula sama…".

— Durum przyznała się do obu czynów — wzbija się ponad brzęczenie głos Yuno. — Nie potrafiła podać przyczyn. Chcę jednak, abyście wiedzieli, że doświadczyła w życiu strasznych rzeczy, i choć od tamtej pory minęło wiele lat, być może obudziły się w niej wspomnienia, z którymi nie zdołała sobie poradzić.

Tym razem zalega głucha cisza. Patrzymy po sobie nawzajem, nie wiedząc, jak rozumieć słowa Yuno. „Przyznała się do obu czynów"? Mamy uwierzyć, że to ona skatowała Anię? Nie słyszałam większego absurdu od chwili przybycia w to miejsce. Chcę się odezwać, poprosić o wyjaśnienia, ale Yuno już mówi dalej:

— Po apelu przejdziemy do stołówki, a potem udamy się do pracy. W najbliższych dniach nad naszym bezpieczeństwem i spokojem będą czuwać policjanci. Mamy nadzieję, że z czasem okaże się to niepotrzebne. Lecz zanim się rozejdziemy, chciałabym, abyśmy minutą ciszy uczciły pamięć zmarłej Pauli — ogłasza.

Sonia mdleje, rzucamy się ją cucić, nie ma czasu na zadawanie pytań.

*

W stołówce mimo asysty policji zmieniamy się w rój wściekłych os. Początkowo sądzę, że wszystkie brzęczą o tym samym, ale szybko do mnie dociera, że niektóre dziewczyny kupiły tezę o pobiciu Anki przez Durum i zastanawiają się raczej nad przyczynami oraz nad tym, z jakimi to wspomnieniami nie mogła sobie poradzić nasza dyrektorka, która do wczoraj sprawiała wrażenie bezdusznego robota.

— Odbiło wam? — Kilka głów odwraca się w moją stronę. — Durum nie pobiła Anki. Pobiła ją Roksana z kumpelami. Widzicie tę ranę na jej policzku? — Patrzą na siedzącą przy sąsiednim stole Roksanę. — Mam nadzieję, że będzie ją boleć do końca życia. Durum zabiła Paulę z zemsty za Ankę. Albo po prostu chciała ją obronić i przesadziła.

Dobrze, że nie ma z nami Soni, którą zabrali do pielęgniarki. Nie wiem, czy potrafiłabym powiedzieć to w jej obecności.

Bruzdy na twarzy Durum... A więc zapowiadały niewysłowioną tragedię, której ja, Europejka, nie zdołałam w nich dostrzec. Być może nie było nikogo, kto potrafiłby rozszyfrować te znaki; może gdyby ktoś taki się znalazł, zdołałby temu zapobiec.

— Ale czemu Paulę? I czemu się przyznała? — pytają jedna przez drugą.

— Myślę, że pozostałe zdążyły zwiać, a ją zostawiły. Od paru dni widziałam, że cała czwórka coś kombinuje. Przypuszczam, że to miał być chrzest Pauli. Chciały pobić Anię, bo uważały, że doniosła Durum o wszystkim, co się działo w ich celi. A Paula obwiniała ją za to, że rozdzielono ją z Sonią i wrzucono do tego szamba.

— To czemu Durum się przyznała? I czy to nie dziwne, że nagle się tam znalazła, kiedy ją biły? I że oczywiście miała przy sobie sztylet?

— Zawsze go miała. A czy nie wydaje wam się dziwniejsze, że kiedy światło zgasło i zagonili nas do świetlicy, znalazłyśmy się tam wszystkie oprócz Anki i całej ekipy Roksany?

Zastanawiają się. W końcu coś dociera do tych zakutych pał.

— Nawet jakby, to nadal nie rozumiem, dlaczego Durum się przyznała — mówi Marta.

Kręcę głową.

— Może dlatego, że czuła się winna wszystkiemu, co zaszło. To ona zabierała Anię na rozmowy, wzbudzając podejrzenia, i to ona przeniosła Paulę do tamtych, co skończyło się tragedią. Waponki są zbyt honorowe, by się zniżać do zrzucania winy na innych.

— Ale jakiego zrzucania? Ja tylko się dziwię, że nie powiedziała, jak było naprawdę.

— A jakby powiedziała, to co? Nikt by tego nie uznał za obronę konieczną. I tak by ją wywalili, osądzili. Teraz przynajmniej mogą uznać, że jest niepoczytalna — mówi Wiola, która podobnie jak ja wie, że Durum dobrze traktowała Anię.

— Dziewczyny, pomyślcie — dodaję. — Durum miała słabość do Anki. Może i wyciągała z niej jakieś informacje, może ściągnęła na nią to nieszczęście, ale na pewno świadomie nie chciałaby jej skrzywdzić!

Laura kręci głową.

— Ja tam nie wiem. Z Anką coś poszło nie tak w ciemni. To obciążało Durum. Może zabierała ją po to, żeby próbować ją naprawić, a jak nie wyszło, chciała się jej pozbyć.

Wzruszam ramionami.

— Bzdury. Jedna osoba nie pobiłaby jej w ten sposób. Poza tym, mając ten swój sztylet, mogła to załatwić raz-dwa.

Przez chwilę rozważają moje słowa.

— Może i masz rację — mówi powoli Marta. — Tylko wciąż nie rozumiem, dlaczego Durum miałaby chronić te trzy. Zwłaszcza jeśli lubiła Ankę.

Rozkładam ręce.

— Ja też nie wiem. Może uważała, że nie ma prawa ich sądzić, skoro sama jest morderczynią. Pamiętajcie, że ona wie o nas więcej niż my same. Wie, kim jesteśmy i za co tu trafiłyśmy.

Policjantka przyprowadza Sonię. Robimy jej miejsce. Rzucam dziewczynom wymowne spojrzenie, żeby trzymały gęby na kłódkę. Próbuję wmusić w Sonię jakieś jedzenie, ale bezskutecznie. Tylko patrzy na mnie z wyrzutem.

— Może nie powinnaś iść dziś do pracy?

— Chcę — mówi twardo.

*

Muszę porozmawiać z Yuno. Nie mam pojęcia, czy ona wierzy w te brednie, ale wiem jedno: to nie jest w porządku. Jakiekolwiek powody miała Durum, by wziąć na siebie cudzą winę, nie możemy pozwolić, by za nią odpowiadała. Podobnie jak nie możemy pozwolić, by Roksanie i pozostałym się upiekło. Poza tym chcę zobaczyć Anię. Nawet jeśli wciąż jest nieprzytomna, chcę przy niej usiąść, wziąć ją za rękę i obiecać, że wszystko będzie dobrze. Podobno ludzie pogrążeni w śpiączce słyszą, co się do nich mówi, choć nie potrafią zareagować. Przynajmniej niektórzy. Dzięki temu potem łatwiej im się wybudzić.

W ciągu kilku następnych dni nie udaje mi się jednak pogadać z Yuno na osobności. W zakładzie wciąż panuje reżim policyjny. Żadnych filmów, na dziedzińcu wyłącznie spacery w kółko pod eskortą. No i oczywiście żadnej biblioteki. Nadię widuję jedynie w mundurze. Czasem prowadzi apel. Czasem mignie mi podczas posiłku. Dopiero czwartego dnia przypada jej opieka nad naszą grupą, a to oznacza, że prawdopodobnie wieczorem zajrzy do cel.

Zagląda i nawet przysiada na łóżku Wioli. Oczywiście drzwi pozostają otwarte, glina za nimi.

— Jak sobie radzicie, dziewczyny?

— Żyjemy — mamroczę z górnej pryczy. — A to już dużo.

Uśmiecha się leciutko. Kiedy jest w tym mundurze, nie mam nawet odwagi spojrzeć jej w oczy. Zresztą ona i tak patrzy na Sonię.

— Na prochach, ale żyjemy — mruczy Sonia.

Mieliśmy z nią jeszcze parę jazd przez te ostatnie dni. Mimo wszystko chyba jest lepiej. Wciąż jej pilnujemy, Wiolka nawet czasem z nią sypia, żeby nic głupiego nie przyszło jej do głowy. A może po prostu po to, by ktoś był przy niej, kiedy się budzi.

— Miałyśmy zebranie — mówi Nadia. — W przyszłym tygodniu chcemy zorganizować jakieś zajęcia na dziedzińcu.

— Z moralności? — pytam z niezamierzoną ironią.

— Nie tym razem. Myślimy raczej o czymś, co pomoże nam wszystkim wrócić do normalnego życia.

Sonia parska gorzkim śmiechem.

— Wiem. To brzmi jak herezja. Ale nie możemy cofnąć tego, co już się stało. Możemy jedynie patrzeć w przód.

Chcę ją zapytać, co z biblioteką, ale zamiast tego z moich ust wyrywają się całkiem inne słowa:

— Nadiu, błagam, powiedz Yuno, że koniecznie muszę z nią porozmawiać. To bardzo ważne. Od kilku dni próbuję ją złapać, ale mi się nie udaje.

Patrzy na mnie, ale to jest zupełnie inne spojrzenie niż tamto z zaplecza, z czasów, kiedy świat był jeszcze na swoim miejscu, miliony lat temu. Służbowe spojrzenie w odpowiedzi na służbową prośbę.

— Przekażę jej. Ma teraz mnóstwo spraw na głowie, więc może będziesz musiała jeszcze trochę zaczekać. Ale przekażę.

— Dzięki.

Zastanawiam się, czy już zawsze będziemy prowadzić tylko służbowe rozmowy. I czy była rozczarowana, że zapytałam ją o Yuno, a nie o nas.

*

Przysłali nam psychologów z zewnątrz. Krzesła już stoją na dziedzińcu, gliny je wyniosły. Tym razem wychodzimy wszystkie — sześćdziesiąt bab. No, powiedzmy pięćdziesiąt parę. Siedzimy, a wychowawczyni przedstawia nam tych wszystkich psychologów, których jest pięciu. Same białasy. Jeden facet i cztery babki. Facet stary i łysy, ale sympatyczny. Babki ani stare, ani młode. Jedna z nich zabiera potem głos i opowiada nam o zespole stresu pourazowego. Spotkałam się z tym określeniem w tej książce o psychologii, którą wypożyczyłam z biblioteki. Wtedy myślałam o Ani i o tym, co musiała przeżyć w celi Roksany. Nie miałam pojęcia, że wkrótce to będzie dotyczyć nas wszystkich. Niektórych bardziej, innych mniej.

Babka, która ma na imię Emilia, wyjaśnia, że zostaniemy podzielone na małe grupki. Idealnie byłoby, gdyby każdą opiekował się inny terapeuta, ale ponieważ jest ich za mało, przydzielą najpierw zadania i wytłumaczą zasady, a potem będą się przemieszczać między grupami.

— Chcielibyśmy, żeby kilka osób pracowało oddzielnie — dodaje. — Chodzi o te z was, które były bardziej związane z ofiarami.

— Z jakimi ofiarami? — rozlegają się krzyki. — Przecież mówili, że Anka żyje!

Emilia unosi rękę w geście, który chyba ma nas uspokoić.

— Oczywiście, że żyje. Miałam na myśli to, że padła ofiarą przemocy.

Potem prosi Sonię, Wiolę i mnie, żebyśmy się przesiadły do jednego z ustawionych z przodu dziedzińca stolików. Do drugiego stolika zmierzają Roksana, Tina i Lidia.

— Co?! Że niby te pindy są poszkodowane?! — To Wiolka. Sonia nie mówi nic, tylko zaciska pięści.

Ich stolik stoi jakieś dziesięć metrów od naszego. Popatrujemy na siebie złowrogo. Podchodzi do nas Emilia z drugą babką.

— To Kora. Będzie z wami pracowała.

— Dobrze, tylko… czy mogłybyśmy usiąść gdzieś dalej od tych? — Wskazuję brodą stolik Roksany. — One źle na nas działają. Bardzo źle. Mamy ochotę poukręcać im łby i nalać trochę oleju. — Sama się dziwię, skąd w moich ustach wzięły się takie słowa, bo zazwyczaj wyrażam się jak grzeczna dziewczynka, ale widać nawet anioł empatii od czasu do czasu spada na ziemię. Co zresztą zdarza mi się ostatnio coraz częściej. Może to freudowska piwnica atakuje. — Chcecie nas leczyć ze stresu, a sadzacie obok tych, które go wywołały? — mówię już spokojniej. — To chyba nie jest dobry pomysł.

— Chwileczkę. — Emilia oddala się i widzę, jak rozmawia z Kenjo. Po chwili wraca z kluczem. — Czy macie coś przeciwko temu, żeby się przenieść do stołówki? Wasza wychowawczyni się zgadza.

— Świetnie — mówi Wiola. — Przynajmniej będziemy mogły napluć z okna na te wredne ryje.

Przydzielają nam dwoje gliniarzy do eskorty i wchodzimy do budynku wraz z Korą, która może być w wieku Yuno, ale jest chuda i bardzo ruchliwa. No i oczywiście nie jest Waponką. Wchodzimy do stołówki, a policjanci zostają w otwartych drzwiach. Patrzymy na nich spode łba. W końcu Kora pyta, czy nie mogliby tych drzwi zamknąć i zostać z drugiej strony.

— Gdyby coś się działo, to przecież usłyszycie.

Gliniarze nie są przekonani, ale w końcu przymykają drzwi, zostawiając je uchylone tylko na jakieś dwadzieścia centymetrów. Znikają nam z oczu, co przyjmujemy z aprobatą.

— Możemy sobie mówić na ty? — pyta Kora, jakby sobie wyobrażała, że w tym pierdlu ktoś zwraca się do nas inaczej. Mimo wszystko miło, że zapytała.

— Jasne. Jestem Helena. — Wyciągam do niej rękę. Wiola i Sonia powtarzają mój gest, choć bez entuzjazmu.

— Słuchajcie, dziewczyny… Może najpierw pogadamy o tym, dlaczego chciałyście siedzieć z dala od tamtej trójki?

Zasypujemy ją wyrazami oburzenia i wyjaśnieniami na temat tego, co się stało. Wiem, że Kora specjalnie daje nam się wykrzyczeć i wcale nie musi wierzyć naszym słowom, ale i tak jest mi lżej.

— Sądzicie, że te dziewczyny celowo wyłączyły światło, żeby pobić Anię?

Wzruszam ramionami.

— Możliwe. Mogły wybadać, gdzie są bezpieczniki. Bo jakoś dziwnie się złożyło, że cała czwórka zniknęła, zanim zagonili nas do świetlicy. A razem z nimi Ania. Trudno uwierzyć w taki zbieg okoliczności.

— Zmusiły Paulę, żeby z nimi poszła! — cedzi Sonia, nie odrywając wzroku od stołowego blatu. — Zmusiły ją. Nigdy nikogo nie uderzyła… Nie wiem, dlaczego… — głos jej się łamie.

— Zostawiły ją i uciekły — mówię cicho. — Może taki był plan. Chciały ją wrobić. Jeśli nic nie powie, to zdała egzamin. Jeśli powie — zostaje cwelem.

— Tyle że nie dostała szansy, by się wykazać — kończy za mnie Kora.

Siedzimy chwilę w milczeniu. Sonia kręci głową.

— Im wszystkim powinno się poderżnąć gardła, ale ta pinda Durum powinna konać w męczarniach. Zabiła ją dwa razy. Najpierw wtedy, gdy ją tam wsadziła, a potem… — Znowu milknie i zaciska pięści.

— Jak myślicie, dlaczego przeniosła Paulę?

— Początkowo podejrzewałyśmy, że to sprawka Katrin — mówię. — Takiej wrednej strażniczki. Myślałyśmy, że Durum kazała jej przenieść Ankę, a ona sama wybrała Paulę na zamianę.

— Dlaczego?

— Pewnie była zazdrosna, bo na taką francę jak ona nikt nie spojrzy — burczy Wiola.

To wygodne tłumaczenie i trochę odciąża Durum, której mimo wszystko jest mi jakoś żal, ale nie wierzę, że strażniczka mogłaby mieć cokolwiek do powiedzenia w takich sprawach.

— Teraz sądzę, że to była zwykła lekkomyślność — nawijam dalej. — Durum zbyt mało o nas wiedziała. Nie interesowała się losami poszczególnych więźniarek. Oprócz Anki. Wybrała pierwszą dziewczynę z brzegu i tyle. — Wypowiadając te słowa, nie wiem wszystkiego, a kiedy się dowiem, bynajmniej nie poczuję się lepiej.

— Musiała mieć świadomość, że tamte nie są aniołkami — mówi Kora — skoro zabrała od nich Anię. I dlaczego właściwie traktowała ją inaczej niż wszystkie?

Sonia chce coś powiedzieć, ale jej nie pozwalam.

— Wiesz, co to jest megacwel?

Kora kręci głową. Tłumaczę jej, jak działa ciemnia i co się dzieje, gdy coś pójdzie nie tak.

— Durum musiała się czuć winna, że to się stało. Była perfekcjonistką, a tu taka wpadka. Dlatego próbowała chronić Ankę.

Nagle zaczynam się zastanawiać, czy ta psycholożka nie jest przypadkiem gliną w cywilu. Jeśli próbowała wyciągnąć od nas zeznania, poszło jej doskonale. Z drugiej strony, dzięki niej zaczęłyśmy jakoś normalnie rozmawiać o tym, co się stało. Choć nadal nie wiem, jak mamy sobie poradzić z najgorszym.

— Cały świat nam się zawalił — mówię. — Osoba, która miała nas resocjalizować, morduje. Gdyby to był wypadek… — Kręcę głową. — A tak… Jak mamy teraz komuś ufać? Jak możemy żyć według starych zasad? Niektóre dziewczyny od tamtej pory boją się Waponek. Ja nie. Wiem, że równie dobrze mogła to zrobić Arkadyjka. Sama kogoś zabiłam. Jak wiele z nas. Ale czyn Durum przekreśla wszelki sens istnienia tego zakładu.

Kora namyśla się chwilę.

— Nie zrozumcie mnie źle. Nie proszę, żebyście jej przebaczyły. Proszę jedynie, byście nie uogólniały jej przypadku. Bardzo źle się stało, że zawiódł ktoś, kto powinien być wzorem. Nie wiem, dlaczego Durum zabiła. Może nie wytrzymała napięcia i pomieszało jej się w głowie. Ale spośród licznego personelu tego zakładu zbrodni dopuściła się tylko ona, nikt więcej.

— Skąd mamy wiedzieć, że to się nie powtórzy?! — wybucha Wiola. — No skąd?!

— A skąd ja mam wiedzieć, że ktoś nie rzuci się na mnie z nożem na ulicy? — odpowiada pytaniem Kora.

— To się zdarza. Wczoraj imigranci z Niderlandu zabili dwie osoby w centrum miasta. Wciąż jednak wychodzę na ulicę, bo nie chcę być niewolnicą strachu. Chcę żyć swoim życiem, dopóki ktoś lub coś mi go nie odbierze. I ani chwili krócej.

Do sali zagląda Emilia i niby to dyskretnie pokazuje Korze zegarek. Psycholożka kiwa głową.

— Musimy kończyć na dziś. Ale w przyszłym tygodniu znów się spotkamy. Macie coś przeciwko małemu zadaniu domowemu?

Sonia parska ironicznym śmiechem.

— Nie pozwalają nam czytać ani oglądać filmów, więc równie dobrze możemy coś napisać. A co konkretnie?

— Napiszcie, czego najbardziej się boicie, jeśli chodzi o wasze przyszłe życie w zakładzie.

— Ja tam niczego się nie boję — mówi Sonia. — Mam wszystko w dupie. Zresztą nie. Boję się łóżka Pauli. I swojego. I wszystkiego, co mi ją przypomina. Boję się naszej celi. I siebie. Najchętniej ukręciłabym sobie łeb, żeby nie pamiętać, nie widzieć.

— Napisz o tym. Widzimy się za tydzień.

I właśnie wtedy, kiedy wydostające się na powierzchnię lęki rozsadzają nam mózgi, musimy wrócić. Wrócić do celi, w której czekają wszystkie nasze demony.

*

Wiola i Sonia coraz bardziej zbliżają się do siebie. Nie chcę przez to powiedzieć, że Sonia przebolała stratę Pauli. Myślę, że ta śmierć zostanie z nią na zawsze. Nawet gdyby miała ponownie przejść przez ciemnię, będzie odczuwała jakąś straszną tęsknotę. W jednej z książek z biblioteki przeczytałam określenie „niepokój egzystencjalny". To będzie właśnie coś takiego. Czujesz bolesną tęsknotę, ale nie wiesz, za czym. Nie wiesz, bo masz amnezję. Nie pamiętasz utraconej przyjaciółki, dawnego życia, łona matki... Ale tęsknisz.

Wiola wie, jak daleko może się posunąć, by nie dotknąć sfery przeznaczonej tylko dla Pauli. Potrafi być doskonałym dopełnieniem i doskonałą pocieszycielką. Czy jestem zazdrosna? Nie mam prawa, bo to ja się od niej oddaliłam. To, co czuję, jest raczej ukłuciem żalu, że zostaję sama. I to na wielu płaszczyznach. Jestem sama, bo straciłam Nadię i bibliotekę, Nadię i *Eifelheim*. Jestem sama, bo zabrano mi Anię. Sama, bo Wiola nie przychodzi już do mnie na noc. I wreszcie — bo wciąż pamiętam oczy Durum patrzące na mnie, gdy mówiłam, że kierownik spółdzielni to też człowiek. Czy ją zawiodłam? Czy pokładała we mnie nadzieje na zażegnanie nienawiści w zakładzie, zawarcie pokoju? Może tak by się stało, gdybyśmy miały więcej czasu. Teraz będzie milion razy trudniej.

Wiola i Sonia tulą się i głaszczą, oswajając noc. I kiedy tak leżę i słucham ich łagodnych szeptów, czuję, że oswajają ją także dla mnie. Będziemy dalej żyć, choć nie wydawało się to możliwe. Będziemy żyć, bo miłość wciąż istnieje.

*

Następnego dnia do warsztatu przychodzi Nadia i rozmawia z Kenjo. Po chwili Waponka podchodzi do mnie.

— Yuno cię prosi — mówi mi niemal do ucha.

Idziemy z Nadią powoli, krok w krok, a za nami policjant. Kiedyż oni wreszcie stąd odejdą? Idziemy korytarzem i wiem, co zobaczymy za chwilę. Przechodzimy tędy co dzień w drodze do pracy. Milkniemy wtedy, spuszczamy głowy i chcemy jak najszybciej znaleźć się w halach. Ale teraz, gdy jesteśmy tylko we dwie, wszystko staje się znacznie trudniejsze. Wciąż widzę plamę krwi, choć podobno już jej tu nie ma. Wciąż widzę poderżnięte gardło Pauli i nieprzytomną Anię pod ścianą.

— Co z Anią? — pytam Nadię.

— Lepiej — odpowiada cicho. — Wyjdzie z tego.

Kręcę głową.

— Ale co z jej psychiką? Czy jeszcze kiedyś komuś zaufa? Co trzeba zrobić, żeby tak się stało? I czy warto, skoro…

Mówię coraz głośniej, aż w końcu Nadia zatrzymuje się i patrzy na mnie. I wtedy widzę w jej oczach ciebie, ciebie z biblioteki. Nie wychowawczynię w mundurze, tylko piękną kobietę, która kocha książki. I która raz pozwoliła mi się dotknąć.

— Warto.

Jeszcze tylko chwila i stajemy przed drzwiami gabinetu Yuno. Bałam się, że mogła się przenieść do tego, który pozostał po Durum, ale nie — jest tam, gdzie zawsze. Nadia puka i wprowadza mnie do środka.

— Dziękuję — zwraca się do niej Yuno. — Kiedy skończymy, poproszę policjanta, by ją odprowadził.

Zostajemy same. Yuno wskazuje mi krzesło. To samo krzesło, co poprzednio, ta sama Waponia na ścianie. Choć wszystko się zmieniło.

— Podobno chciałaś ze mną rozmawiać.

Przełykam ślinę.

— Tak.

I opowiadam jej o wszystkim. O dziwnym zachowaniu Pauli i ukradkowych spojrzeniach wymienianych przez całą tamtą czwórkę. O tym, że gdy światło zgasło, dziwnym trafem one i Ania gdzieś zniknęły. Nikt inny. O roz-oranym paznokciami policzku Roksany i o tym, że Ani nie mogła pobić jedna osoba, zwłaszcza jeśli miałaby jedno-cześnie walczyć z czterema innymi. I że w ogóle nie rozu-miem, jak ktokolwiek może wierzyć w brednie, że skato-wanie Ani to sprawka Durum.

— Myślę, że wzięła to na siebie, bo była zdruzgotana tym, co zrobiła — kończę. — Puściły jej nerwy, kiedy zo-baczyła, jak tamte katują Ankę. Trzy zdążyły zwiać, a Pauli się nie udało. Może nawet specjalnie ją zostawiły.

Yuno kiwa głową, jakby żadne z moich słów nie było dla niej zaskoczeniem.

— Durum nalegała, by obciążyć ją winą za wszystko. Nie chciała zeznawać.

— Zawiodła siebie i było jej już wszystko jedno.

— Może tak. A może nadal wierzyła, że tamte dziew-czyny się poprawią. Chciała, by jej misja była kontynuowa-na, choć jej już tu nie będzie.

— Gdzie teraz jest? — pytam szeptem, bo nagle za-brakło mi tchu.

— Zabrali ją do szpitala w mieście.

Milczymy chwilę. Boję się, że Yuno uzna rozmowę za zakończoną i mnie odeśle, ale ona czeka cierpliwie.

— Roksanę powinno się odizolować — mówię. — Wal-czycie o jedną zbłąkaną owieczkę, a przez to giną ludzie. Nie mówię, że trzeba ją skreślić, wysłać do ciemni. Ma pra-wo dostać szansę, jak każda z nas. Ale nie pozwólcie jej skrzywdzić nikogo więcej.

— Poruszę ten temat na zebraniu.

— Yuno — pytam rozpaczliwie — czy Durum naprawdę nie wiedziała, co się dzieje w tamtej celi? Dlaczego umie-ściła tam Anię? I skąd to dziecko w ogóle się tu wzięło, nie uwierzę, że ma już siedemnaście lat, powinna być w schro-nisku dla nieletnich, a nie w więzieniu!

Yuno składa dłonie i chwilę trzyma je przy ustach — kciuki pod brodą, palce dotykają nosa — jakby się koncentrowała.

— W pokoju numer dwa było wolne miejsce i dlatego tymczasowo umieszczono tam Anię. Gdy jeszcze przebywała tu Gabriela, Roksana zachowywała się mniej agresywnie.

— Słyszałam — mamroczę ironicznie. Nie wiem, skąd mam tyle odwagi. — W końcu zniszczyła tylko pół biblioteki.

Yuno wydaje się niewzruszona.

— Bywała wybuchowa, ale nie miałyśmy raportów o naruszaniu nietykalności cielesnej. Nie było podstaw sądzić, że w celi dzieje się coś złego. Dziewczyny trzymały się razem.

— „Naruszaniu nietykalności"? Yuno, czy my mówimy o tej samej celi i o tym samym problemie? One robiły z Anią, co chciały. Bawiły się nią i upokarzały. Wykorzystywały ją seksualnie, do cholery! — podnoszę głos.

Yuno pierwszy raz wygląda, jakby nie miała odpowiedzi na moje zarzuty.

— Wiem, że to nie ty ją tam umieściłaś — dodaję szybko. — Po prostu nie rozumiem…

— A ja chyba zaczynam rozumieć — mówi powoli.

Przyglądam się jej bacznie. Do tej pory zachowywała pozory spokoju, ale teraz widzę, że jest zdenerwowana. Bierze głęboki oddech i zaczyna mówić:

— Ośrodek dla nieletnich w Choszczynie zalała woda. Wiele osób potopiło się w pokojach. Zginęła również część personelu. Całe miasto było pod wodą, a pomoc mogła tam dotrzeć dopiero, gdy morze się cofnęło. W ośrodku uratowało się tylko kilkanaścioro wychowanków. Wszyscy przeżyli traumę. Patrzyli, jak giną ich przyjaciele i wychowawcy. Czekali na najgorsze. — Głos Yuno drży. Myślę o tym, co przeżyła w Waponii. Ona, Durum i inni. — Uratowanych trzeba było gdzieś umieścić, bo nawet gdyby woda całkowicie ustąpiła, ośrodek wymagał gruntownego remontu. Postanowiono warunkowo zwolnić młodzież, oddając ją pod opiekę rodzin, jeśli te wyraziły zgodę. Nie wiem, czy krewnych Ani nie odnaleziono, czy nie chcieli jej zabrać... Dlatego postanowiono umieścić dziewczynę tutaj, choć miała dopiero piętnaście lat. — Przerywa, ale czekam na więcej, więc kontynuuje: — Wiesz, że nasz zakład jest eksperymentalny. W ośrodkach dla młodzieży nie ma ciemni. Wychowankowie pamiętają o wszystkim, co zrobili i co przeżyli. Młodzież, którą uratowano, była jednak w tak złym stanie psychicznym, że niektórzy z rodziców sami zgłosili się do władz z prośbą o pozwolenie na sesję w ciemni, żeby ich dzieci mogły zacząć życie od nowa, bez tak wielkiego obciążenia. Okazało się, że tradycyjne sesje terapeutyczne nie wystarczały. Dopiero kiedy poddano ich zaciemnieniu drugiego stopnia, stawali się dość wyciszeni, by funkcjonować. Oczywiście pod opieką rodziców, którzy uczyli ich wszystkiego od nowa.

— Ale tu nie ma rodziców — zauważam. — Pełne ściemnienie robi z człowieka megacwela, którego wszyscy mogą wykorzystywać.

— Mieliśmy już takie przypadki. W większości z nich wychowanka z czasem uczyła się wszystkiego na nowo i przestawała odstawać od innych. Oczywiście trzeba jej było w tym pomagać. Dlatego Durum zabierała czasem Anię na rozmowy. Uczyła ją. Szybko zauważyła, że z dziewczyną dzieje się coś złego. Nie wiem, co wiedziała albo co podejrzewała, ale kiedy zwróciłam się do niej z sugestią o przeniesienie Ani, powiedziała, że już nad tym pracuje.

— Dlaczego do nas? Dlaczego za Paulę?

Yuno kręci głową.

— Chciała, żeby Ania była z tobą. Wszystkie zauważyłyśmy, że masz dobry wpływ na wychowanki. Lgną do ciebie, potrafisz je przekonać do rzeczy, które wcześniej by nie przeszły. Masz jakąś moc, którą Durum chciała wykorzystać. Wierzyła, że pomożesz Ani się podnieść.

— Pomogłam jak cholera… — mamroczę.

Patrzy mi w oczy.

— Pomogłaś i jeszcze pomożesz. Wierzę w to.

Przełykam ślinę.

— Dziękuję. Bardzo chcę się z nią zobaczyć.

Kiwa głową.

— Ale dlaczego musiała przyjść właśnie w miejsce Pauli? I jak można przenosić kogokolwiek do celi, w której dzieją się takie rzeczy?

— Inne pokoje były pełne. Durum prawdopodobnie nie uświadamiała sobie skali problemu. Sądziła, że dręczono Anię, bo nie potrafiła się bronić ani naskarżyć, ale zwykła dziewczyna poradzi sobie z Roksaną. Nie przypuszczała, że tam istnieje taka…

— Fala — podpowiadam z ponurym uśmiechem, myśląc o Ani, która nie dała się pokonać wodzie, a omal nie zginęła od ciosów istot ludzkich.

Yuno przytakuje.

— Zastanawiałam się, dlaczego nie przeniosłyście mnie — dodaję. — Nie jestem pewna, czy dałabym sobie radę, ale miałabym większe szanse. Teraz już wiem. Skoro miałam się zająć Anią… Ale dlaczego nie Wiola? Dlaczego musiałyście rozdzielić dziewczyny, które naprawdę się kochały?

Uśmiecha się ponuro.

— Durum nie chciała rozdzielać ciebie i Wioli. Wiedziała, że się przyjaźnicie, i nie chciała cię rozdrażnić, skoro miałaś się zająć Anią.

Na moment chowam twarz w dłoniach.

— Jezu… Przecież my z Wiolą… my tylko…

Boże! Skoro Durum wiedziała, że ja z Wiolą, to ty, Nadiu, też musiałaś to wiedzieć. Dlatego wolałaś udawać, że nie wiesz o Soni i Pauli. Dzięki temu mogłaś też udawać, że nie wiesz o nas. Nie chciałaś mnie zawstydzać. Bo choć moja bliskość z Wiolą w celi nie wydawała się niczym złym, wieczory spędzane z tobą w bibliotece zmieniły perspektywę, czyniąc z tego koleżeńskiego seksu świętokradztwo wobec uczucia, jakie żywiłam do ciebie.

Yuno milczy, więc wzruszam ramionami.

— Wiola to dobra dziewczyna. Cieszę się, że dzielimy celę i że nie muszę od rana do wieczora patrzeć na gębę Roksany. Ale oddałabym to wszystko za życie Pauli.

Jestem zdruzgotana tym, że zginęła z powodu błędnego założenia dyrektorki o moim związku z Wiolą. Nadal jednak nie mogę pojąć furii, która kazała Durum wyjąć sztylet i poderżnąć jej gardło.

— Powiedziałaś wcześniej, że zaczynasz rozumieć… Co? Szaleństwo Durum? Bo inaczej nie potrafię tego nazwać.

Yuno przez chwilę się waha, ale szybko podejmuje decyzję.

— Zasługujesz na to, by znać prawdę. Durum też zasługuje, żebyś ujrzała ją w szerszej perspektywie. Nie tylko jako dyrektorkę zakładu i zabójczynię.

Przez głowę przebiega mi myśl, że może byłoby lepiej, gdybym tej prawdy nie poznała, ale znów widzę wzrok Durum, jak stoi ze sztyletem nad ciałem Pauli, i wiem, że muszę ją poznać. Inaczej nie zaznam spokoju. O ile w ogóle jeszcze kiedyś mi się to uda.

Yuno zaczyna mówić:

— Durum miała kiedyś córkę. Pewnego razu w ich miasteczku ogłoszono alarm przeciwpowodziowy. Morze od dłuższego czasu zajmowało kolejne połacie ziemi i było już tak blisko, że obawiano się, iż po kolejnym zalaniu miasteczko może nie nadawać się do zamieszkania. Mąż Durum był wówczas w delegacji; w domu zostały ona i córka. Durum postanowiła sprowadzić ciężarówkę, by wywieźć przynajmniej część dobytku. Córka uparła się, że zostanie na miejscu, by pilnować domu. Matka nie chciała jej na to pozwolić. Bała się, że przyjdzie woda i ją zabierze. Ale dziewczyna była czupurna i nie dała za wygraną.

Myślę, że wiem już wszystko. Tak naprawdę nie wiem jednak nic.

— Kiedy większość mieszkańców wyjechała, pojawili się szabrownicy. Dziewczyna nie chowała się przed nimi. Chciała bronić swojej własności. Skatowali ją, zgwałcili i zostawili, żeby się wykrwawiła. Gdy Durum wróciła, jej serce jeszcze biło.

Znów chowam twarz w dłoniach. Nie potrafię spojrzeć Yuno w oczy. Jakie jeszcze tragedie skrywają uchodźcy, których obecność Arkadia traktuje jak zło konieczne?

— Ile miała lat? — pytam.

— Trzynaście.

A więc teraz miałaby dwadzieścia parę. Tyle co ja, co Paula. Może trochę więcej.

— To, co teraz powiem, nie musi być prawdą — kontynuuje Yuno — ale skoro opowiadam ci historię Durum, nie mogę pominąć i tego.

Patrzę na nią wyczekująco.

— Mówią, że odnalazła tych mężczyzn i zabiła ich swoim sztyletem.

Myślę o Durum stojącej nad ciałami tych, którzy zhańbili jej dziecko. I o tym, jak potwornie musiała cierpieć, gdy ocknęła się z szału nad ciałem dziewczyny, która mogłaby być tym dzieckiem.

— Yuno — pytam, gdy milczenie staje się zbyt ciężkie — dlaczego ona nie chciała wejść do ciemni? Oczyścić się z tych wspomnień, wyrzucić z siebie choć części bólu?

— Nie wiecie, jak to jest, gdy się straciło ojczyznę — mówi Yuno. — Wy możecie się odrodzić, uzupełnić brakujące wspomnienia fragmentami codzienności. Nam została tylko pamięć. Choćby i niosła ze sobą najstraszniejsze koszmary, nie możemy jej odrzucić.

*

— Więc te awarie prądu to przez powódź? — pyta Wiola.

Opowiedziałam im o zalaniu, wskutek którego trafiła do nas Ania. O córce Durum nie wspomniałam.

— Możliwe. Ale już opanowali sytuację. Woda się cofnęła.

— Całkiem?

— W dużej mierze.

Sonia prycha ironicznie.

— W dużej mierze. Ty to masz gadkę.

— Najważniejsze, że będziemy mogły odwiedzić Anię. Poprosiłam Yuno, żebyśmy mogły iść tam we trójkę. Mam nadzieję, że chcecie.

Wiola patrzy na mnie z politowaniem, jakby mówiła: „A co, sama się boisz?". Może i tak. A może po prostu myślę, że zobaczenie nas wszystkich podziała na Anię lepiej niż tylko moje odwiedziny.

— Ja nie wiem, czy chcę — mówi Sonia, teraz już poważna. — Nie wiem, czy to wytrzymam.

Waham się, czy zadać to pytanie, ale w końcu pytam drżącym głosem:

— Obwiniasz ją o śmierć Pauli?

Wygląda na zaskoczoną, że zapytałam tak otwarcie. Oddycha ciężko.

— Nie, to chyba nie tak, że obwiniam. Po prostu... będzie mi o niej przypominać. O tym, że zabrali nam Paulę, żeby dać Ankę... O tym, że Paula musiała walczyć, żeby się nie dać tamtym, i przez tę walkę zginęła... Nie wierzę, że ją uderzyła. Tylko była z nimi. Nie miała innego wyjścia.

Kładę jej rękę na ramieniu.

— Zawsze będę pamiętać Paulę taką, jaka była tu, w naszej celi. Nic tego nie zmieni.

Sonia kiwa głową ze smutkiem.

— Nigdy nie przestanę jej kochać.

Przychodzi doktor Irena i zgodnie z obietnicą zabiera nas do szpitala. Oczywiście w asyście. Szpital znajduje się na terenie więzienia, ale można do niego wejść bezpośrednio z zewnątrz. Tak robi część personelu, która chodzi w cywilu i nie ma wstępu do pozostałych pomieszczeń zakładu, a także specjaliści dojeżdżający tylko na zabiegi lub konsultacje. My, rzecz jasna, wchodzimy wewnętrznymi drzwiami. Ale i tak szpital jest dla mnie całkowicie nowym doświadczeniem. Z naszej trójki tylko ja jestem tu po raz pierwszy. Wiola swego czasu przeszła zapalenie oskrzeli i władowali ją tu na cały tydzień. Mówi, że przez pierwsze dwa dni cieszył ją spokój i to, że nie musi pracować, ale później głównie się nudziła. Sonia spędziła w szpitalu dobę po tym, jak złamałam jej nos. Ale i tak Ania ma zdecydowanie lepsze statystyki od każdej z nas. Jest tu krócej niż ja, a zdążyła tu być już trzy razy: najpierw kiedy podcięła sobie żyły, potem kiedy pobiła ją Sonia i teraz.

— Wasza koleżanka ma osobną salę — wyjaśnia nam doktor Irena. — Oprócz niej w szpitalu są teraz dwie inne dziewczyny, ale leżą gdzie indziej.

— Jak ona się czuje? — pytam. — Mówi coś?

— Bardzo mało — odpowiada lekarka. — Jest apatyczna. Nie je. Musimy ją dokarmiać kroplówką. Najgorsze jest to, że nawet się nie boi.

Myślę o tym, jakie dziwne jest to nasze więzienie. Może Durum jednak miała rację, upierając się, by go tak nie nazywać. Jest dziwne, bo jeśli nie liczyć ubioru i tego, że niektórzy są uzbrojeni, personel placówki nie różni się zbytnio od więźniarek. To znaczy wychowanek. Ani w dobrym, ani w złym sensie. Ta lekarka mówi o Ani z taką troską, z jaką mogłabym mówić ja sama. A dyrektorka zakładu stała się zabójczynią — jak wiele z nas. Może to dlatego, że wszystkie mamy świadomość kruchości naszego istnienia. Po tym, jak wody planety podniosły się i poszatkowały kontynent, zabierając większość lądu, przez kilka lat w kraju panował chaos. Właściwie nie było żadnego kraju, odkąd Bestat został za morzem. Dlatego kiedy w końcu udało się przeprowadzić wybory, wygrali je ci, którzy gwarantowali porządek. Proklamowali Arkadię, choć wiedziano, że zostali przysłani z Bestatu. I zaczęli ścigać przestępców. Może w innej epoce nazwano by ich rządy totalitarnymi, ale kiedy toniesz, każda ręka, która się do ciebie wyciąga, jest dobra.

Szpital okazuje się malutki. To po prostu oddzielony ścianą fragment budynku z kilkoma pomieszczeniami: trzema salami chorych, izolatką, salą operacyjną, dyżurką pielęgniarek i dwoma gabinetami. Jedna z sal ma uchylone drzwi. W środku leżą dwie dziewczyny. Znam je z widzenia, ale są z innego oddziału i noszą niebieskie tuniki. Następna sala jest zamknięta. Irena delikatnie otwiera drzwi i wpuszcza nas do środka, a potem sama wchodzi. Gliny zostają na zewnątrz.

— Aniu, masz gości — mówi łagodnie.

Poza paroma sińcami na twarzy Ania wygląda dobrze. Nie odwraca jednak głowy, choć wydaje mi się, że zezuje na nas. Dobre i to. Podchodzimy do łóżka.

— Zostawię was — mówi doktor Irena. — Będę w gabinecie naprzeciwko.

Przysiadam na brzegu łóżka i biorę Anię za rękę, nim strach mnie od tego odwiedzie. Nie wiem, co robić. Ściskam łagodnie jej dłoń. Wiola siada po drugiej stronie łóżka, Sonia na krzesełku obok. I tak siedzimy. W końcu dochodzę do wniosku, że wypadałoby coś powiedzieć.

— Słuchaj, mała — zaczynam. — Nie musisz nic mówić, po prostu mnie wysłuchaj. Brakuje nam ciebie. Czekamy, aż wrócisz do zdrowia i do nas. Nie spiesz się. Te laski wciąż tu są. Ale Roksana ma niezłą bliznę na policzku i oby do końca życia się jej nie pozbyła. Nie mów, czy Paula cię biła. Jej i tak już nie ma. I choć Durum wzięła wszystko na siebie, one doskonale wiedzą, że to ich wina.

Odgarniam jej włosy z twarzy, a potem przesuwam palcami po policzku.

— Była u ciebie Yuno? Teraz ona tu rządzi. Na razie jest okropnie, pełno policji, chociaż i do tego można się przyzwyczaić. Tęsknimy za tobą. Pamiętasz, jak podsłuchiwałyśmy przy oknie, co się dzieje na dziedzińcu? Albo jak czytałaś ze mną tę książkę o psychologii? Już ją skończyłam, ale nawet nie miałam okazji oddać. Biblioteka zamknięta. Ale obiecali, że dziś wznowią projekcje filmów. Nie pamiętam, co było następne na liście.

— *Okruchy dnia* — podpowiada Wiola.

— *Okruchy dnia*? W bibliotece jest taka książka! — przypominam sobie. — Ale nigdy do niej nie zaglądałam. Jakiś Wapończyk to napisał.

— Hopkins tam gra — wtrąca Wiola. — Niestety, Hugh Grant także.

Zabawne, że wciąż oglądamy te stare filmy, chociaż nikt — przynajmniej w Arkadii — nie myśli już o kręceniu nowych. Zresztą nie byłoby na czym. Nawet sprzęt odtwarzający dogorywa. Nie wiem, może w Azji wciąż go produkują. Pewnie tak. Jako kolonia Bestatu dostajemy jednak ochłapy z pańskiego stołu.

— Ishiguro — odzywa się nagle Ania.

Przez chwilę milczymy skonsternowane. Albo nie jest wyprana tak doszczętnie, jak nam się zdawało, albo po tym pobiciu wróciła jej pamięć.

— Fakt. — Ja otrząsam się pierwsza. — Ishiguro. Czytałaś?

Wykonuje ruch, który ma chyba oznaczać wzruszenie ramionami.

— Nie wiem.

Wzrok wciąż ma nieobecny, ale przynajmniej odezwała się do nas, a to już wiele. Może wszystko jakoś się ułoży. Boję się jedynie tego, co może się stać, gdy Ania znów zobaczy Roksanę. Żadna z nas nie ma pomysłu, żeby powiedzieć coś więcej. Milczymy więc. Wciąż trzymam Anię za rękę, choć teraz, gdy już się odezwała, jakoś mi tak głupio.

— Masz piętnaście lat.

Dziewczyny patrzą na mnie zdziwione, bo zapomniałam im o tym powiedzieć. Żadna z nas nie zna swojego wieku, choć czasem można to z grubsza określić po jakichś majaczących szczegółach z życia. Wioli wydaje się, że pamięta swoje dwudzieste piąte urodziny, jeszcze na wolności. Ja nie pamiętam żadnych urodzin.

— Skąd wiesz?

Uśmiecham się tajemniczo.

— Nie mogę powiedzieć. Ale wiem, że od tej pory będziemy cię rozpieszczać, bo jesteś najmłodsza.

Wreszcie na usta Ani wypełza coś na kształt ostrożnego uśmiechu.

— Boję się wracać — wyznaje po chwili.

Zastanawiam się, co odpowiedzieć. Robi to za mnie Wiola:

— Będziemy cię pilnować w dzień i w nocy. Niech tylko ta pinda się zbliży, a własnoręcznie wydłubię jej oczy.

Wiem, że nie żartuje. Do sali zagląda doktor Irena.

— Dziewczęta, chyba już wystarczy tych odwiedzin. Zaraz przyniosą kolację. Wy też musicie biec do stołówki.

Żegnamy się, obiecując Ani, że wrócimy najszybciej, jak będzie można. I że opowiemy jej film. Może wtedy sobie przypomni, czy czytała książkę. Raz jeszcze ściskam jej dłoń, mrugam i odwracam się. Policjanci grzecznie czekają za drzwiami.

— Rozmawiała z nami — mówię do lekarki. — Może niewiele, ale rozmawiała. Chciałybyśmy częściej ją odwiedzać.

— To zależy od Yuno — odpowiada Irena. — Ale skoro macie na pacjentkę tak dobry wpływ, to chyba się zgodzi.

*

Gliny odprowadzają nas do stołówki, a tam wrze.

— Co jest? — pytamy, przeciskając się na swoje miejsca.

— Lepiej nie pytaj. Lepiej, kurwa, nie pytaj. — Laura aż się trzęsie ze złości. — Wkręcają nam, że odtwarzacz się zepsuł! Dwa tygodnie czekania, a oni kit wciskają! Kto im uwierzy! Po prostu chcą mieć święty spokój!

Cholera. Miałam ochotę na te *Okruchy dnia*. Nie jestem pewna, czy wychowawcy faktycznie ściemniają. Po ostatnich zalaniach może być problem z zaopatrzeniem. Statki pewnie jakiś czas nie pływały i teraz wożą tylko najpotrzebniejsze towary. W pracy też dawno nie miałyśmy dodatkowych zleceń. Od czasu skrzyń z deskami robimy tylko to co zawsze, te same nalepki i pieczątki. I to bez większego pośpiechu.

Może pozwolą mi wrócić do biblioteki. Albo przynajmniej otworzą wypożyczalnię. Wtedy mogłabym wziąć tę książkę i nawet zanieść ją Ani. Rozglądam się. Nadia siedzi przy stole z dziewczynami z drugiego oddziału. To znaczy, że dziś do nas nie przyjdzie. Za to pójdzie do nich... Nagle ogarnia mnie taki smutek, że mam ochotę ryczeć. Wspominam chwile w bibliotece i myślę, że tamta Nadia, moja Nadia — ta, do której w najśmielszych myślach zwracałam się per ty — odeszła. Że zabiła ją ta potworna zbrodnia. Ją albo mnie. Powinnam była wyznać jej swoje uczucie, gdy jeszcze było to możliwe, gdy obie istniałyśmy na tej samej płaszczyźnie. Teraz to już koniec. Nawet nie wiem, czy chcę wracać do biblioteki. Jeśli tak, to tylko dla książek. Wciąż pragnę się dowiedzieć, czy Krenkowie zrozumieli, o co chodzi z tym całym Bogiem.

— Byłyśmy u Ani — mówię. — Lepiej z nią.

Laura wciąż kipi ze złości, ale chyba stwierdza, że nie wypada jej tego okazywać.

— Super — mamrocze.

— A odtwarzacz na pewno naprawią — dodaję z udawanym przekonaniem.

*

W nocy słyszymy jakiś ruch na zewnątrz celi, a rano okazuje się, że większość policjantów znikła. Yuno wygłasza na zbiórce okolicznościową mówkę.

— Sytuacja w zakładzie unormowała się wystarczająco, by odesłać funkcjonariuszy do innych zadań — mówi. — Ani wy, ani my nie chcemy, żeby nasz zakład przypominał państwo policyjne. Nigdy tak nie było i oby nigdy nie musiało być.

— Ale facetów trochę żal — szepcze mi do ucha Marta.

— Proszę was zatem, żebyście się wykazały dojrzałością i dowiodły, że taki nadzór nie jest potrzebny — kontynuuje Yuno.

— „Zatem"! Erudytka z Waponii! — prycha Wiola, ale patrzę na nią niezbyt miło, więc milknie.

— Ciekawe, co z tą Waponią — wtrąca Marta. — Wynurza się czy nie?

Przez tę całą historię z Durum wieści o wynurzaniu się Waponii zupełnie wyleciały nam z głów. Będę musiała spytać o to Nadię przy najbliższej okazji. O ile taka w ogóle się nadarzy. Yuno jakby czytała mi w myślach, bo oznajmia, że dziś po południu będziemy mogły oddać książki do biblioteki i wypożyczyć nowe. Pewnie trzeba było nas jakoś ugłaskać, skoro z filmów nici. Nim zdążę się ucieszyć, dodaje, że tym razem do biblioteki udadzą się tylko oddziałowe, które zbiorą książki i zamówienia z poszczególnych pokojów. Jeśli nie będzie żadnych problemów, to w następnym tygodniu pójdziemy wszystkie. Sranie w banie.

Po obiedzie Marta chodzi z jedną ze strażniczek, zbiera przeczytane książki i spisuje zamówienia na nowe. Pół godziny później zjawia się z książkami. Poprosiłyśmy o *Okruchy dnia*, ale wyczaiła, że to pierwowzór filmu, którego nie udało nam się obejrzeć, i wzięła książkę dla siebie, a nam przyniosła tylko *Kobietę w bieli* Wilkiego Collinsa (dla Wioli) i *Piknik na skraju drogi* Strugackich (dla mnie). Sonia powiedziała, że ma w dupie książki.

Marta nie przyniosła mi *Okruchów dnia*, ale przyniosła wiadomość. Powiedziała, że Nadia pyta, czy nie miałabym ochoty wrócić do porządkowania biblioteki, bo Yuno się zgadza.

— I co? Masz jej zanieść odpowiedź?

Wzrusza ramionami.

— Jutro będzie u nas na dyżurze, to pogadacie.

I nagle czas zaczyna się wlec jak ślimak. Nie widzę już Nadii w mundurze — widzę ciebie, ciebie pochyloną nad książkami, wątpiącą, szukającą u mnie pociechy. Skoro zapytałaś, to może jednak chcesz, może wciąż potrzebujesz, może choć trochę ci na mnie zależy. Tylko żebyś się do jutra nie rozmyśliła. Proszę. Daj mi szansę. Chcę tylko na ciebie patrzeć, rozmawiać z tobą. Teraz wiem, że istniejesz, choć mundur próbował zrobić z ciebie kogoś innego. Prawie się nabrałam.

Nie mogę spać. Wyobrażam sobie, że płaczę w twoich ramionach. Chyba faktycznie płaczę, bo Wiola pyta, czy nic mi nie jest. Odpowiadam, że nie. Nie chcę, by ktoś mnie teraz dotykał. Ktoś inny niż ty. Potem ogarnia mnie strach. Mój umysł funkcjonuje niezależnie od serca, szepcząc, że to wszystko bzdury. Że nasza bliskość jest tylko moim pobożnym życzeniem. Że lepiej w ogóle do ciebie nie podchodzić, udawać, iż przestało mi zależeć. Bo po co cierpieć? A serce swoje... Nie wiem, któremu mam wierzyć. Boję się, że nie dam rady spojrzeć ci w oczy, wyrzec słowa. Niech już będzie jutro. Niech jutro nigdy nie nadejdzie. Niech...

Chyba w końcu zasypiam, bo kiedy ponownie otwieram oczy, rozbrzmiewa dzwonek oznaczający pobudkę.

*

Nie mogę się doczekać wieczora, ale wreszcie nadchodzi. Siedzę na pryczy, udając, że czytam, a tak naprawdę nasłuchując najlżejszego szmeru. Przyjdź. Przyjdź wreszcie. I Nadia przychodzi, umundurowana, ale mniej odległa, bo przestępując próg celi, należy wyłącznie do naszej trójki. Pyta o samopoczucie i o to, jak nam się podobają książki.

— Te na zapleczu pewnie już się zakurzyły — mówię.

Uśmiecha się leciutko.

— Można temu zaradzić.

Milczymy.

— Przyjdziesz? — pyta cicho, jakbym to ja robiła jej łaskę.

— Jeśli chcesz.

Kiwa głową.

— Yuno się zgodziła.

„Ale czy ty chcesz?" — myślę, lecz nie mam odwagi zapytać o to na głos. Nadia patrzy gdzieś w pustkę.

— Dobra — mówię. — Kiedy?

— Pojutrze. Przyślę po ciebie.

Za otwartymi drzwiami stoi strażniczka z beznamiętną twarzą. Na szczęście to nie Katrin. Nadia żegna się z nami i wychodzi. Ani razu nie spojrzała mi w oczy. Drzwi zamykają się ze złowrogim stukotem.

— Albo mi się zdaje — mówi Sonia — albo ona na ciebie leci.

Zanoszę się sztucznym śmiechem.

— Nie kpij.

— Helena już dawno leci na Nadię — wtrąca Wiolka, ale bez złośliwości.

— Przestańcie mnie wkurzać! — denerwuję się. — Na kogo ja lecę, to moja prywatna sprawa. Ale nie wmówicie mi, że ona...

— Gadaj, co chcesz — mówi Sonia. — Wiem tylko, że Nadia wyraźnie unikała twojego wzroku. Jakby się czegoś bała.

— Helena ma w sobie moc, no nie? — pyta Wiola, tym razem z nutką zazdrości, nie wiem tylko, czy o moją moc, czy o mnie. — Gdyby się bardziej postarała, mogłaby być zakładowym guru.

— Dajcie mi spokój — mówię. — Po prostu umiem rozmawiać z niektórymi ludźmi. Powtarzam: z niektórymi. I w ogóle skończmy już ten temat. — Naciągam koc na głowę i udaję, że śpię, a tak naprawdę z całej siły staram się nie uwierzyć w słowa Wioli.

*

Śni mi się wolność. Jestem z Adamem na jakiejś posępnej plaży. Brudne fale ciężko wylewają się na brzeg, a potem cofają, pozostawiając czarne paski. Te paski tworzą kształty. Wyglądają jak napisy w jakimś nieznanym języku — arabskim, a może wapońskim? Szkoda, że nie ma tu Yuno. Mam poczucie, że gdybym zrozumiała te znaki, przypomniałabym sobie każdy szczegół z dawnego, a może nawet z przyszłego życia.

Potem sceneria się zmienia. Adam wciąż tam jest, ale tym razem znajdujemy się w jakiejś obskurnej norze. Nie wiem, co tam robimy, skąd się wzięliśmy. Wiem jedynie, że nie możemy uciec, a duszne, dławiące powietrze gęstnieje z każdą chwilą, odbierając nam dech. Patrzę przez brudną szybę i widzę Yuno, stojącą na ulicy w dole. Wyciąga przed siebie ręce, jakby chciała pokazać, że jeśli skoczę, złapie mnie. Patrzę na Adama, ale widzę tylko okulary, w których odbijają się moje własne oczy.

MIŁOŚĆ

Już jest pojutrze i posyłasz po mnie. Idę z Mich'ko, młodą wapońską strażniczką. Idę i staram się wyłączyć myślenie. Schodzimy na dół, mijamy dyżurki wychowawców, a potem tę okropną wnękę obok wyjścia do ogrodu. Mich'ko puka do drzwi biblioteki, po czym wchodzi, nim zdążysz odpowiedzieć. To standardowa procedura strażników. Pukanie służy wyłącznie zachowaniu pozorów uprzejmości. Podnosisz głowę znad biurka, zerkasz na mnie, potem na Mich'ko.

— Dziękuję — mówisz do niej. — I potem do mnie:
— Dobry wieczór.

Dopiero siedemnasta, ale za oknem od rana chmury, z których od czasu do czasu pada deszcz.

— Dobry wieczór.

Umawiasz się z Mich'ko, że przyjdzie po mnie kwadrans przed kolacją. Strażniczka wychodzi. Stoję przed tobą i żadna z nas nie wie, co powiedzieć. Tyle marzeń, tyle lęku, że już tu nie wrócę… A teraz jestem. Jestem i nie wiem, co zrobić z rękami, z oczami.

— Chodźmy do pracy — mówisz w końcu i wstajesz zza biurka.

Pięknie dziś wyglądasz. Zresztą dla mnie zawsze jesteś piękna, ale ta czarno-biała bluzka z trójkątnym dekoltem, nad nią kolorowa apaszka, która nie powinna pasować, a jednak pasuje, uwypuklają wszystko, co w tobie uwielbiam. Bluzka to dojrzałość i powaga, apaszka — młodość i kruchość. Ta apaszka jest moją nadzieją. Gdyby nie ona, nie mogłabym liczyć na zburzenie, a może tylko przeskoczenie dzielącego nas muru.

Arnold Krenk, alchemik, odbiera sobie życie, prosząc, by pozostali kosmici podzielili między siebie jego ciało. Myśli, że naśladując Jezusa, pomoże swojemu ludowi wrócić do nieba, to znaczy na własną planetę. Tak Krenkowie rozumieją nauki Dietricha. Myślę o Durum, o jej trzynastoletniej córce. O Durum, która stała się morderczynią, próbując cofnąć czas. Jesteśmy równie bezradni jak ci kosmici. Nie od razu uświadamiam sobie, że cieknąmi łzy. Dopiero gdy przestaję widzieć litery, odkładam książkę i siedzę, opierając czoło na dłoni. Nie wiem, jak długo tak siedzę ani czy coś do mnie mówisz. Może mija minuta, a może wieczność. W końcu czuję wokół siebie twoje ramiona, słyszę, jak szepczesz mi coś do ucha, muskasz wargami włosy. Tak długo o tym marzyłam, a teraz cię odtrącam.

— To Paula skatowała Anię.

Patrzysz na mnie bez słowa.

— Paula i reszta dziewczyn Roksany. Nim Durum przybiegła, pozostałe zdążyły zwiać, a ona wyjęła ten swój sztylet i poderżnęła Pauli gardło.

Opuszczasz głowę i siedzisz długo w milczeniu.

— Dlaczego się nie broniła?

— Przeciwko czterem?

— Nie Ania. Dlaczego Durum nie powiedziała prawdy? Dlaczego? Świat jej się zawalił. Ze strażniczki morderczyń sama przeobraziła się w morderczynię. Stała nad parującym ciałem młodej dziewczyny, która mogła mieć tyle lat, ile miałaby teraz jej córka. Dziewczyny, która kochała i była kochana, lecz ona, Durum, najpierw jej to zabrała, a potem odebrała jej też życie. Nie mogę jednak tego powiedzieć, bo łkam jak dziecko. Znów mnie przytulasz. Tym razem się nie bronię. Twoje wargi bardzo, bardzo powoli koją rozpacz.

— Czekaj.

To głupie, ale muszę się uwolnić, by wydmuchać nos. Uśmiecham się wstydliwie. Potem siedzimy bez ruchu całą wieczność, aż zaczynam myśleć, że mur znów stanął i nawet śmierć Pauli była na nic.

— Durum miała córkę — mówię, by zagłuszyć ciszę.

— W czasie powodzi szabrownicy zgwałcili ją i zabili.

Obejmujesz dłońmi głowę, a kiedy w końcu podnosisz twarz, oczy ci się szklą. Nim zbudzi się nieśmiałość, obejmuję cię ramieniem, drugą dłonią głaszczę po miękkich włosach. Wiem, że moje są szorstkie, niesforne, ale ty bawisz się nimi, kreśląc palcami kółeczka na skórze. Potem składasz długie pieczęci z warg na mojej głowie, oczach, policzkach, ale dopiero ta na ustach przynosi coś więcej niż ukojenie.

Nie cierpię, jak ktoś pakuje mi język do ust. A sądząc po tym, co widziałam w filmach, jest to powszechna praktyka. Nawet Wiolka na początku pchała się z tym swoim ozorem, póki nie dałam jej wyraźnie do zrozumienia, że tego nie lubię. Zresztą nawet wtedy czasem się zapominała, a może po prostu własna przyjemność była dla niej ważniejsza od mojej przykrości. Ty całujesz inaczej, delikatnie, nie rozpychając się, lekko rozchylonymi wargami. Wszystko zaczyna się w kąciku ust, by powoli, milimetr po milimetrze, wędrować ku środkowi, zatrzymując się za każdym razem na ułamek sekundy dłużej. Przerywasz i przez cudowną chwilę patrzymy sobie w oczy. Potem ja próbuję cię pocałować, ale nagle mam suche wargi, a serce tłucze mi się w piersi jak oszalały zając. Obejmujesz mnie dłonią za szyję, przysuwasz policzek do mojego i trwamy tak, aż mój puls trochę się uspokaja. Potem całujesz znowu, smak twojej śliny koi nerwy, każdy łagodny pocałunek to jedno uderzenie serca, coraz wolniejsze, coraz spokojniejsze. Odpowiadam tym samym i obezwładnia mnie cudne, ale i straszne uczucie. Kocham cię, Nadiu. Wiedziałam o tym od dawna, ale przedtem to było zakochanie, nie miłość.

Leżymy na podłodze wśród książek. Ciała już odsłonięte, jakby ten pocałunek, który wciąż trwa, zmienił mur w delikatną mgiełkę. Mgiełka przenika całe moje ciało, kasując z pamięci wszystko poza tym pomieszczeniem, odrealniając wszystko prócz rozkoszy; spowalnia twój dotyk, trwa tam, skąd odeszły już usta i dłonie. A one płyną, rozgarniając ją delikatnie i wypełniając mnie ciepłą rozkoszą, która grzeje, a nie parzy. Powoli, powoli. Język głaszcze i pieści skórę, tu jego miejsce, jego czas — tu, gdzie uwertura dobiegła kresu, gdzie rozbrzmiewa kolejny akt radosnej suity, którą konsumujemy wśród zapachu starego papieru.

Opuszki twoich palców jak skrzydła motyla muskają wnętrze moich ud, gdy wilgotne wargi całują brzuch, zbliżając się do linii włosów łonowych, do załomu pachwiny. Znów czuję lekką tremę, a ty chyba to czujesz, bo podnosisz głowę i wędrujesz w przeciwnym kierunku, do piersi, szyi, ust. Tylko dłoń zostaje tam, gdzie była, głaszcząc coraz śmielej, podczas gdy wargi na przemian całują i szepczą uspokajające, słodkie słowa. Odpływasz powoli, wciąż szepcząc, by zacząć wszystko od nowa, z tym samym namaszczeniem, aż staję się niecierpliwa i sama zaczynam cię prowadzić tam, gdzie nie będę miała już nic do ukrycia.

Wsuwasz dłonie pod moje pośladki, unosząc mnie ku sobie, i po chwili czuję twój dotyk w najbardziej intymnym miejscu swojego ciała, tak delikatny i czuły jak wtedy, gdy całowałaś mnie w usta. Nie myślę o orgazmie; on nie jest celem, lecz prostym zwieńczeniem tego aktu. Niewiele pamiętam ze swego życia, ale czuję, że gdybym już kiedyś coś podobnego przeżyła, nie wymazałaby tego ze mnie żadna ciemnia. Kocham cię, Nadiu. Kocham cię przed ekstazą, która rozlewa się po mnie falami leciutkimi niczym ruchy poruszanej przez matkę kołyski, i po niej, kiedy kołysanie słabnie, a chwilę później nad brzegiem kołyski pojawiają się twoje oczy, twoje usta.

Całujemy się wolno, leniwie. Błądzę dłońmi po twoim kręgosłupie, talii, biodrach, udach. Wyplątujesz się spomiędzy moich nóg, zsuwasz na bok. Wiem, że teraz moja kolej, pałam chęcią zrewanżowania się tobie za wszystko, co mi dałaś, ale chyba zabieram się do tego zbyt żarliwie, bo mnie powstrzymujesz.

— Odpocznijmy.

Wtulam twarz w twoją szyję, spłoszona, przestraszona, że zachowałam się inaczej, niżbyś sobie życzyła. Głaszczesz mnie po głowie, aż w końcu ośmielam się ją podnieść i spojrzeć ci w oczy.

— To nie transakcja wymienna — mówisz. — Nie jesteś mi nic winna.

Nie znajduję lepszej odpowiedzi niż pocałunek, wiele pocałunków. Obsypuję nimi twoją twarz, szyję, płatki uszu. Znów patrzę, ślubując ci bezpieczną przeprawę, przysięgając, że niczego nie pragnę bardziej niż twojej rozkoszy. Pieczętuję przysięgę długim pocałunkiem w usta i rozgarniam dłońmi mgłę, koniuszkiem języka torując sobie drogę, by po raz pierwszy skosztować twojej skóry, słonej jak morze. Miękkie sutki tylko leciutko twardnieją pod moim dotykiem, niespieszno nam, niespieszno donikąd. Płynę dalej, z namaszczeniem badając mapę twego ciała, meandrując po zakamarkach, oddalając się, by wrócić, i wracając, by wypróbować inną drogę.

Wolność jest wolnością umysłu, wolnością ducha. Więzienie znika, staje się niemożliwe, gdy twoja skóra ugina się lekko pod moim językiem, a dłonie prowadzą mnie łagodnie, tak nieśmiało, że własna nieśmiałość przestaje mnie zawstydzać i zaczyna wzruszać. Dwie nieśmiałości neutralizują się wzajemnie, dwa lęki koją się. Chcę dać ci rozkosz, która będzie trwała na wieki w zaułkach ciała, rozkosz, która nie skończy się z ostatnim skurczem, lecz rozpłynie się i zamieszka w każdej komórce, byś mogła sięgać po nią w potrzebie, tak jak sięga się po rezerwy tłuszczu w czasie głodu.

Sztuczka z wsunięciem dłoni pod pośladki nie wystarcza; wciąż nie docieram tam, gdzie chcę dotrzeć, a w dodatku mam unieruchomione ręce, które rwą się do innych miejsc. Sięgam po nasze ciuchy, by zrobić z nich podkładkę, ale mój wzrok pada na stos uratowanych książek i nie mogę się powstrzymać. To one są sprawcą naszej miłości, jej świadkiem, niech więc i symbolicznie wezmą w niej udział. Biorę pierwszy tom z góry — to książka Ewy Białołęckiej, *Tkacz iluzji* — oceniam, że nie jest za gruby, układam na nim twój sweter, swoją tunikę (później będę się rozkoszować twoim zapachem na niej, trwającym w mojej wyobraźni znacznie dłużej niż to możliwe) i z wielką delikatnością wciągam cię na tę piramidę, zanosząc się cichym śmiechem. Chyba nigdy w życiu nie śmiałam się tak radośnie. Każdy milimetr, każda krzywizna twego ciała czekają na odkrycie. Świadomość, że mogę ci to dać, sprawia mi większą radość niż własna ekstaza. Uwolnione palce szukają twoich sutków, głaszczą talię. Wargi pieszczą najczulszą wypukłość, koniuszek języka zlizuje resztki wstydu.

Szczytujesz cicho i pięknie. Ta kameralna rozkosz i blask twoich oczu, w które spoglądam kilka chwil później, dają mi poczucie niewysłowionego szczęścia. Tulimy się, a potem leżymy pośród książek nieskończenie długo, nie chcąc wracać do koszmarnej rzeczywistości, a zarazem wiedząc, że już nigdy nic nie będzie takie straszne, jak przedtem.

*

Dwa wieczory później znowu jakieś poruszenie na korytarzu. Krzyki, tupot, stres, ból brzucha. Zachodzimy w głowę, co tym razem. Jakieś pół godziny później drzwi stukają, świszczą i pojawia się w nich Yuno w asyście Grety. Po Waponce tak tego nie widać, ale strażniczka jest cholernie zdenerwowana. Yuno wchodzi do środka, Greta pilnuje drzwi, jakbyśmy miały nie wiadomo dokąd zwiać.

— Heleno — mówi dyrektorka — potrzebujemy twojej pomocy.

Nieźle. Mój brzuch też chyba tak sądzi, bo boli bardziej. Yuno prosi mnie o wyjście na korytarz. Rzucam dziewczynom spłoszone spojrzenie i wychodzę za nią. Greta zamyka za nami drzwi. Coś się dzieje w celi numer dwa. Pełno przy niej straży, wychowawców, jest też kilkoro policjantów, którzy wciąż czuwają nad porządkiem w zakładzie, choć większość już odwołano. Ale widać słabo czuwali.

— To niebezpieczne i nie musisz się godzić — mówi Yuno, jakby chciała mnie dobić. Milczy chwilę, żeby dotarły do mnie jej słowa. — Dziewczyny z dwójki pojmały strażniczkę i zabrały jej pistolet. Grożą jej śmiercią. Żądają niemożliwego i nie chcą nam wierzyć. Może zgodzą się porozmawiać z tobą.

— Którą strażniczkę? — pytam.

— Katrin.

Przymykam oczy. O inną bym się nie bała, ale nienawiść do tej kobiety jest w zakładzie tak wielka, że Roksana i „klony" naprawdę gotowe się jej pozbyć.

— Czego żądają i w co nie chcą wierzyć?

— Żądają powrotu Gabrieli.

To logiczne. Żadna z nas nie mogła się pogodzić z tym, że przeniesiono ją za winy Roksany. A najbardziej sama Roksana.

— Dlaczego to niemożliwe?

Yuno przełyka ślinę. Ludzki gest.

— Nie ma żadnego drugiego bloku. Wychowanki same go wymyśliły, bo dzięki niemu mogą zrzucić na nas winę za to, że ktoś odchodzi. Gabrieli po prostu skończyła się kara. Kręcę głową. Ja też nie mogę w to uwierzyć. Nikt w zakładzie nie wie, ile ma trwać jego kara. Kiedy zasądzony czas mija, zabierają cię na wolność i tyle. Moim zdaniem to równie idiotyczne, jak ciemnia, ale z więźniarkami nikt nie dyskutuje. Tak to wymyślono i tak ma być.

— Skończyła jej się kara akurat wtedy, kiedy Roksana narozrabiała?

Patrzy na mnie.

— A czy inny byłby lepszy? Kiedy ktoś odchodzi i zostawia tu bliską osobę, ta osoba zawsze czuje się oszukana.

Wzruszam ramionami.

— Jak mogę wam pomóc?

— Roksana i jej przyjaciółki nie wpuszczają nikogo do celi. — Zwracam uwagę, że mówi „cela", a nie „pokój". — Gdy tylko ktoś próbuje przekroczyć próg, przystawiają mu pistolet do głowy. Przypuszczam, że nawet nie wiedzą, jak się nim posługiwać, ale z czasem zdołają to wykombinować. — Milknie.

— Myślisz, że mnie wpuszczą? — pytam cicho.

Życie morderczyni jest warte nieporównanie mniej niż życie strażniczki. Ale jeśli zastrzelą Katrin, będzie im już wszystko jedno, ile osób zginie.

— Zgodziły się. Roksana cię szanuje.

A to nowość.

— Chodźmy.

— Jesteś pewna? — Yuno patrzy mi w oczy.

— Chodźmy — powtarzam niecierpliwie.

Idziemy. Szpaler mundurowych rozstępuje się, by nas przepuścić. Nagle widzę Nadię. Stoi za plecami strażniczek i policjantów. Wiem, że na mnie patrzy, ale ja odwracam wzrok, bo nie chcę teraz myśleć o wszystkim, co mogę stracić. Drzwi celi są otwarte, ale nikt nie waży się przestąpić progu. Przez moment mam *déjà vu*, jakbym już kiedyś coś podobnego widziała. To się często zdarza ludziom po ciemni.

Katrin ma ręce skrępowane z tyłu czymś, co później okazuje się pasem materiału z rozerwanego prześcieradła. Cela wygląda zupełnie jak nasza; „moja" prycza jest pusta. To tam musiała spać Paula. Yuno i ja stajemy w progu.

— Przyprowadziłam Helenę.

Roksana porusza głową w geście oznaczającym przyzwolenie, a ja nagle czuję, że i mnie obezwładnia ta niemoc, która nie pozwala pozostałym zrobić kroku w głąb celi. W końcu jednak udaje mi się oderwać stopę od podłogi i postawić ją w środku. Siadam na najbliższym łóżku. Dopóki nie podnoszę głowy, podobieństwo wystroju celi daje mi złudzenie, że jestem u siebie.

— Zamknijcie nas — mówi Roksana.

Patrzę na drzwi. Na Yuno w drzwiach. Patrzę i czuję się jak ktoś, kogo zamykają żywcem w trumnie. Kiwam głową, a Waponka naciska guzik i po chwili metalowa płyta odgradza nas od świata.

— Yuno mówi, że nie ma drugiego bloku. Że Gabrieli skończyła się kara.

— Wierzysz w te brednie?! — woła Roksana, dźgając Katrin w skroń lufą pistoletu. Strażniczka nawet się nie krzywi. Patrzę na nią i zastanawiam się, co czuje, bo jej twarz jest równie nieprzenikniona i posępna jak zawsze.

— Nie wiem — odpowiadam szczerze. — To możliwe.

— Bzdury! — wścieka się Roksana, a „klony" ochoczo kiwają głowami. — Akurat wtedy skończyła jej się kara? W tym momencie? Kiedy te pindy zastanawiały się, jak się na mnie zemścić? Głupiemu to powiedz!

Patrzę na Katrin.

— Nie wiem, czy to się uda… — mówię z wahaniem.

— Pomyślałam, że jeśli wynegocjujemy wyjście za mury,

same będziemy mogły sprawdzić, czy drugi blok istnieje. Tylko my dwie i straż... albo ty i straż.

— I to. — Macha spluwą Roksana. — I ona. — Wskazuje na Katrin. — Nasze zabezpieczenie.

— Mam zapytać?

— Pytaj — mówi. — Mnie nikt nie słucha.

Wstaję, podchodzę do drzwi i pukam. Stuk, świst, Yuno.

— Jest propozycja — informuję ją i przekazuję naszą prośbę.

— Chwileczkę — mówi Yuno i oddala się, by porozmawiać z wychowawczyniami i z policją. Tym razem nie zamyka drzwi, tylko pozostawia w nich wapońskiego gliniarza. Po chwili wraca. — Możecie wyjść na dach. Stamtąd wszystko widać.

Patrzę na Roksanę, a ona kiwa głową.

— Tylko Helena, ja i to ścierwo. — Szturcha Katrin.

— W asyście policji — dodaje Yuno.

— Mogą nas odprowadzić, ale na dach wychodzimy tylko my. Jeśli się okaże, że kłamałaś, nie licz, że wrócimy stamtąd we trzy.

Zastanawiam się, w ile wrócimy i czy w ogóle.

Dwoje policjantów i dwie strażniczki eskortują nas do zamkniętych na kłódkę drzwi, znajdujących się za dyżurką i pomieszczeniem gospodarczym — drzwi, na które dotąd nie zwracałyśmy uwagi. Za nimi są metalowe schody zakończone kolejnymi drzwiami — niskimi, ale zasuwanymi na elektroniczny zamek, jak te w celach. Jedna ze strażniczek wchodzi po schodach i wciska guzik. Drzwi się rozsuwają, wpuszczając świeże powietrze i czarny prostokąt nocy. Policjanci stoją na dole, obserwując każdy ruch Roksany. Teraz, gdy w zakładzie została ich garstka, nauczyłyśmy się rozróżniać ich twarze. Znamy nawet imiona niektórych. Ten biały, który podoba się Laurze, to Marcel. Jest całkiem przystojny, ciemnowłosy, ale z jasną cerą i niebieskimi oczami. Waponka wygląda na bardzo młodą, jakby dopiero co skończyła szkołę, ale z nimi nigdy nic nie wiadomo. Nie chciałabym, żeby coś im się stało.

— Na dół — mówi do nich Roksana, przyciskając lufę do skroni Katrin. Robiła to już tyle razy, że niedługo wywierci jej tam dziurę. — Macie stać przed schodami i ani kroku w górę. My tu sobie pogadamy.

Wycofują się posłusznie. Widać takie dostali wytyczne. Stajemy na szczycie, niebo nad nami. Przed nami kawałek ogrodu, mur. Za nami dziedziniec, z lewej dojazd dla zaopatrzenia. Na prawo od budynku, za szpitalem, gdzie powinien być drugi blok, widzę puste zbocze...

Miasto ciągnie się podłużną wstęgą od portu po naszej lewej stronie. Najbliżej morza slumsy, biedne osiedla, dalej centrum, jeszcze dalej domy najbogatszych mieszkańców. Zatoka Arkadyjska jest sztucznie wykopanym rowem, w który wdziera się klinem Mały Bałtyk. Wszystko po to, by miasto miało połączenie z morzem, a jednocześnie było w miarę bezpieczne. Tu też zdarzają się zalania, lecz woda szybko się cofa, a wyżej położone dzielnice są bezpieczne. Elektrownie wiatrowe produkują dość prądu, by zapewnić stolicy godziwe funkcjonowanie. Jest tramwaj i samochody na prąd, bo benzyna już dawno się skończyła. Niektórzy twierdzą wprawdzie, że władza ukrywa jej spore zasoby, ale po co miałaby to robić, skoro z nich nie korzysta.

W pobliżu zatoki panuje mrok, ale centrum miasta jest dobrze oświetlone. Najwyżej wybijają się biurowce i wieże kościołów. Kiedy zaczęły się kataklizmy, świątynie się zapełniły. Ludzie szukali w religii oparcia, którego nie dawała im rzeczywistość. Kiedy Mały Bałtyk podzielił nasz kraj, a władze państwowe pozostały w Bestacie, jedynie Kościół próbował zapanować nad anarchią, tworząc zakon policyjny mający na celu ochronę wiernych. Oczywiście ten przywilej miał swoją cenę: trzeba było płacić Kościołowi haracz i rygorystycznie przestrzegać przykazań. Ponieważ nie od dziś wiadomo, że to ostatnie jest niewykonalne, od miejscowego proboszcza zależało, czy usunie zbłąkaną owieczkę ze swego stada, czy też — i w zamian za co — łaskawie pozwoli jej zostać. Prywata uprawiana przez wielu duchownych sprawiła, że gdy w końcu ukonstytuował się nowy rząd, ludzie masowo zaczęli odchodzić z Kościoła. Dostojnicy kościelni zdążyli jednak przekonać władze, że bez nich misja kierowania państwem się nie uda, i zająć kilka ważnych stanowisk, a zakon policyjny został wcielony do policji państwowej, lecz jego jednostki cieszyły się znaczną autonomią.

Dziś większość z kościołów stoi pusta, ale osobnicy w habitach wciąż trzęsą społeczeństwem. Dla nich wszyscy jesteśmy chrześcijanami. Zastanawiam się, jakim cudem tolerują Wapończyków z ich odmienną kulturą i wierzeniami. Musi istnieć jakiś ojciec Dietrich, który nie pozwala ich krzywdzić. Nic, a może prawie nic, nie jest całkiem czarne ani całkiem białe, choć leniwe umysły lubią tak sądzić.

Roksana patrzy na wszystko, co rozpościera się wokół, i oddycha ciężko. Potem podchodzi do skraju dachu i zatrzymuje się o jakiś metr od niego. Zupełnie przestała zwracać uwagę na Katrin, zostawiając ją przy otwartych drzwiach. Podchodzę i staję dwa metry za nią, bo bliżej nie mam odwagi.

— Zepchnij mnie — mówi.

— Wiesz, że nie mogę. Kiedyś stąd wyjdziesz. Odnajdziesz ją.

Parska drwiąco.

— Myślisz, że będzie chciała mieć coś wspólnego z jakąś kryminalistką?

— Sama nią była. Po odsiedzeniu wyroku wszystkie mamy czyste karty.

— Boże, jakaś ty naiwna. Aż mi cię żal.

Słyszymy jakiś tupot, stuknięcie i świst. To Katrin uciekła. Mimo skrępowanych rąk zdołała zasunąć za sobą drzwi, które podobnie jak te w celach, otwierają się i zamykają tylko od zewnątrz.

— No to sobie trochę posiedzimy — mamroczę. Powinnam się bać, ale jakoś podoba mi się to świeże powietrze, gwiazdy nad głową, światła miasta. Byle tylko Roksana nie zrobiła żadnego głupstwa.

— Mogłabym cię zastrzelić — mówi.

Przełykam ślinę.

— Mogłabyś. Mnie, siebie.

— Boisz się?

— Bardzo.

Odwraca się i patrzy na mnie.

— Jak bardzo? — I celuje do mnie ze spluwy.

Odwzajemniam jej spojrzenie. Czas rozciąga się w nieskończoność; strach jest obecny, ale jakby za zasłoną, podczas gdy myśli przesuwają się na jego tle niczym napisy końcowe w filmie. Myślę o Nadii, z którą nie zdążyłam się pożegnać. O Adamie, który jest dla mnie zagadką, choć byliśmy sobie bliscy. O swojej zbrodni, którą chciałam poznać, a nie będzie mi dane.

— Bardzo — powtarzam łagodnie.

Rzuca we mnie pistoletem, który z łoskotem ląduje u moich stóp. Nie schylam się po niego.

— Roksana — mówię cicho — to, co zrobiłaś Ani i Pauli, było bardzo złe.

Doskakuje do mnie, łapie za tunikę pod szyją, przyciska do zamkniętych drzwi.

— Bo jestem zła, rozumiesz?!

— Tak — przyznaję, gdy jej uścisk trochę słabnie. —Jesteś zła i bezsilna. Dlatego krzywdzisz innych. — Nie wiem, czy wyczytałam to w książce, czy sama wymyśliłam. Po prostu tak czuję.

Puszcza mnie.

— Nie wymądrzaj się.

I nagle chce mi się śmiać. Zerkam na nią i gęba uśmiecha mi się od ucha do ucha.

— Sorry. To nie z ciebie.

— A z kogo, kurwa?

— Pomyślałam sobie, że wszystkie jesteśmy dziećmi. Przychodzimy tu wyczyszczone ze wspomnień. Czasem tylko w nocy coś nam się przypomina. Jak mogą od nas oczekiwać rozsądku?

— Chciałam zabić tę pindę — mówi Roksana. — Myślałam, że to ona rozdzieliła mnie z Gabą. To by było do niej podobne.

W pierwszej chwili nie wiedziałam, kogo ma na myśli, ale już rozumiem.

— My też myślałyśmy, że zabranie nam Pauli to sprawka Katrin. Potem się okazało… — Macham ręką.

— Że co?

Zerkam na nią z zażenowaniem.

— Że Durum nie chciała mnie rozdzielać z Wiolą. Ubzdurała sobie, że jesteśmy razem.

Dźwięk imienia Durum chyba płoszy Roksanę, która nagle odwraca się ode mnie.

— Co z nią?

— Z Durum? Nie wiem. Podobno zabrali ją do czubków.

Parska śmiechem. Równie szybko poważnieje.

— Dlaczego wzięła to na siebie? — pyta bezradnie i czuję, że to dla niej najstraszniejsza tortura. Gorsza od wszystkiego, co mogłoby ją spotkać, gdyby udowodniono jej winę. Może właśnie dlatego Durum to zrobiła.

— Zawiodła siebie, więc było jej już obojętne, do ilu czynów się przyzna.

Roksana kiwa głową, wpatrzona w ciemność, za którą migoczą słabe światła miasta.

— Wcale nie myślałam, że mała kabluje — wypala.

— Tylko co?

Wzrusza ramionami.

— Wkurzało mnie, że Durum ją lubi.

Aha. Więc tę całą lawinę koszmarów spowodowała zazdrość jednej porywczej „Cyganki".

— Miała powody — mówię. Zerka na mnie. — W Waponii straciła córkę. Ania ją jej przypominała.

Więcej nie musi wiedzieć.

— Myślałam, że jest totalnie wyprana z uczuć — mamrocze Roksana po długiej chwili milczenia. — A ona była całkiem podobna do mnie. Też się w niej gotowało.

Namyślam się chwilę.

— Pewnie zaraz po nas przyjdą — mówię, schylając się po pistolet — więc mam prośbę: wysłuchaj mnie, póki tu stoimy bez nich wszystkich, pod gwiazdami, które nie wiadomo kiedy znów zobaczymy. Jeśli w ogóle. — Podnoszę głowę i myślę, że chciałabym wchłonąć całe niebo, żeby móc je sobie odkrawać po kawałeczku, gdy będę z powrotem w celi. — Masz w sobie mnóstwo nienawiści, ale sama już wiesz, że znęcanie się nad innymi nie przynosi ulgi. Spróbuj czegoś innego.

Wykrzywia twarz w karykaturalnym uśmiechu. Nawet w półmroku wyraźnie widzę szramę pozostawioną przez paznokcie Ani.

— Zniszczą mnie, gdy tylko okażę cień słabości.

Na metalowych schodkach prowadzących na dach słychać już stukot oficerek. Odsuwam się od drzwi.

— Masz rację. Będą chciały cię zniszczyć. Ale może w środku poczujesz się lepiej.

Drzwi otwierają się i na dach wpada wapońska policjantka z gotową do strzału bronią. Stoimy bez ruchu.

— Spokojnie.

Za nią wbiegają kolejni policjanci, strażniczki. Chwytają Roksanę, wykręcają jej ręce do tyłu. Znosi to bez jęku. Na wszelki wypadek unieruchamiają też mnie, odbierając przedtem spluwę. Wtedy widzę, że za nimi wbiegły na dach Yuno i Nadia.

— Puśćcie ją — mówi Yuno.

Strażniczki uwalniają mnie z uchwytu. Patrzę na Nadię i nic mnie nie obchodzi, że jest w mundurze. Padamy sobie w objęcia. Pieprzyć wszystkich. Jej ramiona, zapach nocy, gwiazdy i cykanie świerszczy. Dziękuję ci, Roksano, że mnie tu przyprowadziłaś. Choćbym miała jeszcze milion razy przejść przez ciemnię, okruch tego uczucia wciąż będzie ze mną. W końcu Nadia mnie puszcza. Trzeba iść. Roksana jest już na dole, prowadzona przez dwie strażniczki. Yuno czeka na nas.

*

Znów jestem w celi, ale czuję się już kimś innym. Nie było żadnych pochwał, żadnych wyjaśnień. Wszystkim wystarczy świadomość, że zostałam z Roksaną sam na sam i przeżyłam. Obie przeżyłyśmy. „Klony" zrzuciły wszystko na nią. Powiedziały, że to ona wymyśliła porwanie Katrin i zmusiła je, by wzięły w nim udział. Wszystko fajnie, tylko co tak naprawdę mogłaby zdziałać przeciwko nim dwóm? Przeciwko trzem, gdy jeszcze żyła Paula?

W nocy długo nie mogę zasnąć. Przed oczami defilują mi wszystkie wydarzenia minionego dnia — porwanie Katrin, wyjście na dach, widok miasta, szum morza, gwiazdy nad głową, Roksana, z której ciemność zdarła maskę, odkrywając twarz dziecka równie nieporadnego jak Ania, Nadia tuląca mnie w ramionach mimo munduru, mimo świadków.

Nim rozpocznie się poranna zbiórka, szukam wzrokiem Roksany i widzę, że wszystkie dziewczyny odsuwają się od niej jak od zadżumionej. Póki jej banda trzęsła zakładem, bały się jej. Teraz, gdy została sama, nikt się z nią nie liczy. Zastanawiam się, co ja zrobiłabym na jej miejscu. Wszelkie próby wyjaśnień uznano by za błaganie o litość. Milczenie — za bezczelność. Najprostszy byłby gniew, ten sam, który zawsze jej towarzyszył. Ona jednak milczy, wpatrzona w pustkę. W pewnej chwili odwraca się i nasze oczy na moment się spotykają. Ledwo dostrzegalnie kiwam głową. A więc posłuchała mnie i chce spróbować czegoś innego.

Yuno rozpoczyna apel. Nie będę tu przytaczać wszystkich pierdół, które wygłasza tytułem wstępu. Czekamy w napięciu, aż przejdzie do kary.

— Kilka tygodni temu, gdy zdewastowałaś szpitalną salę i uderzyłaś lekarkę, sama głosowałam za tym, by nie odsyłać cię do ciemni. — Patrzy Roksanie w oczy. — Dziś nie widzę innego wyjścia.

— Masz za swoje, pindo — szepcze za moimi plecami Sonia.

Przełykam ślinę, pełna strasznych przeczuć.

— Wiem, że jesteś wrażliwą dziewczyną — kontynuuje Yuno, co kilka osób kwituje pogardliwym parsknięciem — ale kłębi się w tobie zbyt wiele negatywnych emocji. Ciemnia nie daje gwarancji, że się ich pozbędziesz, lecz daje szansę.

Zalega całkowita cisza. Yuno pozwala nam milczeć.

— Co, już czcimy jej pamięć, czy jak? — mamrocze w końcu Laura.

Pamięć. Dobrze powiedziane.

Roksana nie protestuje. Mam wrażenie, że jest pogodzona z losem. Wie, co ją czeka, gdy pojawi się tu wyprana ze wspomnień, ale ma już dość tego nieznośnego bólu, który zmuszał ją do coraz potworniejszych czynów. Bólu, który był w niej na długo przed utratą Gabrieli, być może od zawsze, a potem tylko narastał i narastał. Nie wiem, czy ciemnia ją od niego wyzwoli, ale da jej szansę na odpokutowanie win.

Zanim ją wyprowadzą, przystaje na chwilę i patrzy na mnie. W jej oczach jest spokój, jakiego nigdy tam nie widziałam. Wiem, że jest świadoma wszystkiego, co może się stać. I że to akceptuje, bo posłuchała mojej rady. Z nikim innym się nie żegna.

*

Dwa dni później znajduję w bibliotece kolejny fragment *Eifelheimu*. A w tym fragmencie takie słowa:

— *Grzesznicy!* — *powiedział im.* — *Chcecie wiedzieć, dlacze-go zostali?*
Wskazał Krenka gestem.
— *Zostali, żeby umrzeć!*
Pozwolił, żeby słowa odbiły się echem od otaczających domów i młyna Klausa.
— *I żeby nieść nam pomoc! Kto z was nie widział, jak pocieszali chorych albo grzebali umarłych?* *

*

Kiedy Krenkowie naprawili swój pojazd i mogli odlecieć, niektórzy zdecydowali się pozostać w wiosce, by pomagać w walce z epidemią dżumy. Mimo to część mieszkańców nadal uważała ich za demony, wywołując gniew już nie tylko w Dietrichu, lecz i w ortodoksyjnym bracie Joachimie.

Po owocach ich poznacie.

Wiem już wszystko i przez chwilę nie chce mi się dalej bawić w klejenie tej książki. Potem jednak myślę, że to nie tylko dla mnie. Także dla Roksany i innych.

— Wiesz — mówię — gdy jej nienawidziłam, było mi łatwiej.

Opowiedziałam ci o wszystkim, co się wydarzyło na dachu. Tylko tobie. Nawet dziewczynom z celi nie chciałam

---

* Michael Flynn, *Eifelheim*, tłum. Tomasz Walenciak, Solaris, Stawiguda 2011, s. 562.

ujawniać prawdy o Roksanie. Wiem, że nie mogę jej pomagać. Że sama musi przejść przez piekło inicjacji, piekło „klonów". Ale nie zamierzam też jej szkodzić.

— Nie jesteś w tym dobra — stwierdzasz.

— W czym?

— W nienawidzeniu.

Parskam śmiechem.

— A w kochaniu? — pytam już poważnie.

Kręcisz głową.

— Lepsza — przyznajesz z ociąganiem.

Siadam obok ciebie na podłodze.

— Wiem, że gdyby się o nas dowiedzieli, wyleciałabyś stąd jak Katrin. Przepraszam. To moja wina. Tam, na dachu, myślałam jedynie o tym, czy jeszcze cię zobaczę. Tylko tyle. Wiem, że za murami masz życie, może męża. A ja nie mam pojęcia, kim jestem ani czy kiedykolwiek stąd wyjdę. Nie mogą się o nas dowiedzieć. Bądź ostrożna.

Bo Katrin wyleciała. Oficjalnie nikt nic nie mówi, ale podobno zwolnili ją za to, że uciekła i zostawiła nas same na dachu. Choć równie dobrze może chodzić o to, że dała się porwać i zabrać sobie broń. Gdyby Roksana miała inny pomysł na wykorzystanie jej spluwy, mogło być naprawdę źle.

— Daj spokój — mówisz i obejmujesz mnie jedną ręką.

— Nie musimy się niczego bać. To już nie jest ważne.

Nie pytam, co nie jest ważne, bo przytulasz się do mnie mocno i zaczynasz łkać w moich ramionach. Głaszczę cię po włosach w milczeniu, bo nie przychodzą mi do głowy żadne słowa. Coś się stało. Byłam zbyt zaprzątnięta sobą, by to zauważyć.

— Przepraszam — mówisz, odsuwając głowę i zerkając na mnie wilgotnymi oczami. Podaję ci chusteczkę.

— Płacz, jeśli ci to pomaga.

Dopiero teraz widzę, że znów jesteś blada i masz podkrążone oczy. Już kiedyś tak było, ale wtedy sądziłam, że nie doszłaś jeszcze do siebie po chorobie. Opierasz głowę na moim ramieniu. Teraz płaczesz cichutko, ale po chwili znów wstrząsa tobą krótki szloch. Chcę coś zrobić, uratować cię przed rozpaczą, lecz w głowie mam pustkę. Domyślam się, że przyczyna twojego płaczu leży za murami. Coś się tam wydarzyło. Coś związanego z tobą czy z nami wszystkimi? Nie zauważyłam, by reszta personelu zachowywała się inaczej. Może to przeoczyłam, tak samo jak przeoczyłam to, że z tobą coś się dzieje... Przez myśl przebiega mi wizja kolejnej powodzi, większej i poważniejszej od tej, która przyniosła nam Anię. Z dachu widać było tylko światła Arkadii i ruch fal na zatoce. Szły w bladym blasku księżycowego rogala jak karawana słoni, powolna, lecz nieubłagana.

— Nadiu... jeśli nie chcesz, nie musisz mi nic mówić. Powiedz tylko, czy coś złego dzieje się na świecie. Była jakaś powódź? Oprócz tej sprzed paru tygodni?

Odwracasz głowę, smarkasz, próbujesz wziąć się w garść.

— Nie — mówisz po chwili. — To nie to. Chociaż za dobrze nie jest. Statek kursuje coraz rzadziej. Nigdy nie wiadomo, kiedy przypłynie. Przywozi tylko najpotrzebniejsze rzeczy. Towary leżą w porcie, psują się. Rząd się boi, że Bestat zacznie sprowadzać żywność z Azji, a o nas zapomni.

Arkadia produkuje głównie artykuły pierwszej potrzeby. Tracąc dostęp do wytworów kultury, techniki, do eleganckich ubrań czy biżuterii, coraz bardziej upodabniamy się do mieszkańców mitycznej krainy, która użyczyła nam nazwy. Ten proces trwa od dawna, ale jakoś nikogo nie uszczęśliwia. Przypominam sobie o zepsutym odtwarzaczu płyt.

— Wygląda na to, że na razie kina nie będzie. — Patrzę na ciebie. — Ale nie dlatego płaczesz. Coś w domu? Wiem, nie mam prawa pytać. Nic nie wiem o twoim życiu, a tobie nie wolno mi o nim opowiadać.

Głaszczesz mnie po dłoni.

— Nie wolno — przyznajesz. — Ale coś ci opowiem. Dzisiejsze społeczeństwo nie przypomina tego z filmów. Wiesz, jak mało jest mężczyzn w Arkadii.

Hm... Szczerze mówiąc, nigdy się nad tym nie zastanawiałam. W przebłyskach z dawnego życia faceci byli. Dziewczyny snuły wprawdzie jakieś wizje o wyjeździe wszystkich do Bestatu, ale później okazało się to kompletną bzdurą.

— Wszystkich to może nie — mówisz, gdy dzielę się z tobą tą refleksją. — Faktem jest, że wielu wyjechało. Część jeszcze przed powodziami, część po. W Bestacie były fabryki, huty, a w Arkadii ciężko o pracę. Wielu chciało wrócić, ale statki przewoziły coraz mniej pasażerów, więc zostali.

Zastanawiam się, jaki związek ma wyjazd facetów z twoim smutkiem. Chyba że po prostu chcesz zmienić temat... Albo... To bolałoby znacznie bardziej...

— Większość tych, którzy zostali, mieszka na prowincji, bo tam potrzeba silnych rąk do pracy. Na wsi pełne rodziny nie są rzadkością. Ale tu, w mieście, mężczyźni stanowią może dwadzieścia procent. Jeśli myślisz, że dzięki temu mogą przebierać w kobietach jak w ulęgałkach, to jesteś w błędzie. Żyjąc wśród kobiet, stali się ulegli wobec nich. Rzadko bywają wierni, głównie dlatego, że nie potrafią odmówić.

— To ich nie usprawiedliwia — mówię, a ty machasz lekceważąco ręką.

— Nie szukam usprawiedliwień. Tłumaczę ci, że w tym mieście małżeństwo jest związkiem dość luźnym, a mężczyzna rzadko może dać kobiecie oparcie. Dlatego również za murami wiele kobiet wiąże się ze sobą.

Przełykam ślinę.

— Próbujesz mi powiedzieć, że masz dziewczynę, tak?

Patrzysz na mnie i nagle się uśmiechasz.

— Mam. — Całujesz mnie w usta, a ja boję się uwierzyć.

— Nie rób mnie w konia. Diabli wiedzą, kiedy stąd wyjdę. Zanim to nastąpi, pewnie zdąży nas zalać i zginiemy jak te dzieciaki z Choszczyny.

Nie pytasz, skąd wiem.

— Nie bój się. Nie mamy tak wiele czasu.

Cała moja cierpliwość w mgnieniu oka wyparowuje.

— Jeśli nie chcesz mi się spowiadać, to nie mów nic, do cholery! Dlaczego mi to robisz? Dlaczego rzucasz półsłówka? Jak mam to interpretować?

Spuszczasz głowę.

— Przepraszam. Jestem skołowana i gadam bzdury.

Nie chcę, żebyś znów się rozpłakała, więc przyklękam i przygarniam cię do piersi.

— Dobra. Poniosło mnie. Wiesz, zastanawiam się nad tymi facetami. Mają raj, harem lasek, mogliby rządzić całą Arkadią, a oni pozwalają się wykorzystywać?

Coś mamroczesz z ustami przy mojej tunice, więc zwalniam uścisk.

— Nie mają wzorców — mówisz. — Patrzą na nas i wiedzą, że są słabi. Myślę, że postrzegają siebie jeszcze gorzej, niż my ich postrzegamy. Niektórzy... — Wzdychasz. — Niektórzy wypływają na morze we własnoręcznie skleconych łodziach i płyną w stronę Bestatu, a potem słuch po nich ginie. Albo wchodzą do wody i płyną, aż zabraknie im sił. Albo po prostu idą, póki morze nie zamknie się nad nimi.

Więc jednak nie godzą się z rolą, jaką przyszło im odgrywać.

— Jak lemingi — zauważam. — I jak Virginia Woolf.

Długo milczysz, spoglądając gdzieś w dal.

— I jak Durum — mówisz wreszcie.

Trochę trwa, nim to do mnie dotrze. Siadam pod ścianą, podciągam kolana pod brodę.

— Przecież była w szpitalu. Wypuścili ją?

— Może wypuścili, może uciekła. Nie wiem. Yuno powiedziała, że żadna Waponka nie zniosłaby takiej hańby. A zwłaszcza Durum.

Powoli, bardzo powoli do mojego umysłu wsącza się smutek. Wkrótce będzie go tyle, że stłumi wszystkie inne uczucia. Wszystkie oprócz obawy o ciebie.

— Cokolwiek cię dręczy, chcę, żebyś wiedziała, że jesteś dla mnie najważniejsza. Wiola to świetna dziewczyna, ale plotki o moim związku z nią są przesadzone. — Trochę mi wstyd, bo choć poniekąd mówię prawdę, to zarazem kłamię. Przekonuję siebie, że tak jest lepiej, ale coś w środku zmusza mnie do wyznania ci wszystkiego. — No dobrze. Sypiałam z nią. — Widzę, że cię to zraniło, ale czujesz, że nie masz prawa mnie osądzać. Sama nie jestem tego taka pewna. — Życie w więzieniu nie jest przyjemne — tłumaczę się nieudolnie. — Obie potrzebowałyśmy ucieczki od tej pustki, szarzyzny codzienności. Ale ty… z tobą to coś zupełnie innego. Nie wiem, czy kiedykolwiek przeżyłam coś podobnego. Tam, na wolności, był ktoś. Chyba miał na imię Adam. Razem popełniliśmy zbrodnię, za którą tu jestem. Pamiętam, że był mi bliski, ale nie było w tej bliskości takiego szaleństwa.

— Gdzie teraz jest? — pytasz.

— W Bestacie. Tam jest więzienie dla facetów. Przynajmniej tak mi mówiono.

Kiwasz głową.

— Ty też jesteś dla mnie najważniejsza — mówisz. — Ale jeśli los rozdzieli nas na dłużej, możesz spać z Wiolą albo z kim tam zechcesz.

— Znowu zaczynasz? — Udaję wściekłą, choć tak naprawdę jestem przerażona. — O jakim rozdzieleniu teraz gadasz?

— Cii… — Kładziesz palec na ustach, a potem przyklękasz przy mnie i całujesz tak słodko, że nie mam innego wyjścia, jak odpowiedzieć tym samym.

Kiedy wreszcie lądujemy na podłodze, powoli wyzwalając się z ubrań, nie jesteśmy same: ciebie nie odstępuje rozpacz, mnie — strach. Długo zwlekamy ze spełnieniem, jakbyśmy się bały, że wraz z nim skończy się świat. Celebrujemy każdą pieszczotę, każdy centymetr skóry. Kiedy całujesz moje piersi, znów zaczynasz płakać. Leżymy przytulone, szepcząc jakieś głupoty i patrząc sobie w oczy tak intensywnie, że aż boli.

*

— Durum nie żyje — oznajmiam, gdy tylko zasunęły się za mną drzwi celi. Wolę mówić o tym, niż zastanawiać się, o co ci chodziło, gdy mówiłaś te wszystkie dziwne rzeczy. Śmierć Durum to trauma, którą mogę przeżywać wspólnie z Wiolą i Sonią. Z resztą muszę sobie poradzić sama, a na razie nie jestem na to gotowa.

Dziewczyny nieruchomieją, wbijając we mnie wzrok. Opowiadam im, co się stało.

— Nawet teraz nie umiem jej wybaczyć — mówi w końcu Sonia. — Chyba nigdy nie będę umiała. Ale czuję żal. Kolejna bezsensowna śmierć.

Siadam na łóżku Wioli, opieram łokcie na kolanach.

— Mną to wstrząsnęło — wyznaję. — Przeraża mnie łańcuch zdarzeń, który doprowadził do tych wszystkich tragedii — kontynuuję, zanim Sonia zdąży się oburzyć, że śmiem porównywać samobójstwo Durum z tym, co się stało w zakładzie. — Zaczęło się od tego, że ktoś cierpiał. Cierpiał i myślał, że jeśli inne osoby podzielą jego los, będzie mu lżej. Ale to nigdy nie działa. Myślicie, że dyktator jest szczęśliwy? Podbicie kolejnego kraju, zgładzenie kolejnego narodu są dla niego jak zjedzenie bułki z szynką. Pół godziny później znów czuje głód.

— Oj, tam — mówi Wiola. — Z każdym tak jest. Znasz takie szczęście, które by trwało dłużej niż pół godziny?

Uśmiecham się chytrze.

— Znam. I Sonia chyba też zna.

Sonia patrzy na mnie i się uśmiecha, a ja myślę, że to też jest szczęście: wywołać uśmiech na twarzy kogoś, kto ostatnio miał powody wyłącznie do płaczu.

— Ale nie chodzi tylko o miłość. Szczęście składa się z różnych elementów, które można przestawiać jak klocki. Zabraknie tego — bierzesz więcej czegoś innego. Każdy pewnie ma swoją definicję. Dla mnie najważniejsze to nie bać się prawdy o sobie. Jeśli ktoś próbuje grać przed sobą albo przed innymi, zawsze coś będzie go uwierało. Dobra, nie musicie mi mówić, że często gramy nieświadomie, że same siebie nie znamy, zwłaszcza po tym, jak przeciągnęli nas przez ciemnię. Ale jak coś nie pasi, to trzeba się temu przyjrzeć, a nie uciekać. Poznajesz siebie — dokładasz kolejne klocki. Formułujesz swoje pragnienia — więcej klocków. Realizujesz je — jeszcze więcej.

— Gadka-szmatka — mówi Wiola.

Śmieję się i szturcham ją w ramię.

— Ty jesteś klasycznym przykładem kogoś, kto nie zna siebie. Nie masz pojęcia o swoim wielkim talencie.

— Niby jakim?

— Swoją czułością mogłabyś obdzielić cały świat. Pielęgnuj to. Nie musisz z każdą sypiać. Czasem wystarczy po prostu być.

— Słucham?! Że niby ja z każdą sypiam? Naliczyłam dwie osoby.

— Dwie osoby w tym pokoju — podpowiada Sonia i mruga do mnie.

— Spoko, spoko. Nikt cię o nic nie oskarża. Zwłaszcza ja nie mam prawa. Myślałam tylko o tym, że obdzielasz wszystkie, przepraszam, dwie osoby, czymś, co może warto byłoby zachować dla kogoś wyjątkowego — bredzę.

— Wiem, wymądrzam się, a sama z tobą spałam. Sorry. Wi-

dać ostatnio wzniosłam się na wyższy poziom samoświado-
mości. Czego i tobie życzę.

— Ty… — Wiola szturcha mnie mocno, aż przewracam się na łóżko — …a tobie się czasem w głowie nie pomieszało od tych książek?

Przygważdża mnie do łóżka i patrzy mi w oczy.

— Co, źle ci było?

— Dobrze — mówię. — Jakbym jadła bułkę z szynką.

Zaczyna mnie łaskotać i omal nie lądujemy na podłodze. Muszę ją błagać, żeby przestała. Obie zanosimy się
śmiechem. Nawet Sonia ma ogniki w oczach. To jest o wiele lepsze niż spanie z Wiolą.

— Zaraz będą chodzić i sprawdzać, czy jesteśmy w wy-
rach — ostrzega Sonia — więc lepiej nie rozrabiajcie.

— Nie zamierzamy — odpowiadam i znowu wybu-
cham śmiechem. — Wiola jest twoja. Życzę wam długiego pożycia i gromadki dzieci. A ja ewakuuję się na górę.
— Wspinam się na swoją pryczę i zerkam na nie zza krawędzi. — Obserwujcie Roksanę — mówię.

*

Widać, że „klony" nieźle dają jej w kość. Na szczęście nie skasowali jej tak doszczętnie jak Ani, więc mimo
utraty części wspomnień jakoś sobie radzi, przynajmniej
pozornie. W pracy rozmawia tylko z wychowawczynią i strażniczkami, którym trzeba się odmeldować, gdy
chce się wyjść do kibla. Atmosfera wokół niej robi się coraz gęstsza, jakby dziewczyny upewniły się, że jest bezbronna, i szykowały do ataku. Nie będę im przeszkadzać.
Ona wie, że musi odbyć pokutę, nawet gdyby miało ją to
kosztować życie.

Ania już prawie wyzdrowiała, niedługo do nas wróci.
Odwiedzam ją w szpitalu i mówię, że sprzęt się rozwalił.
Nie będzie *Okruchów dnia*.

— W bibliotece jest książka, ale Marta mi ją podprowadziła.

— Podobno Roksanę ściemnili — mówi nagle Anka.

Wzdycham, po czym kiwam głową.

— Wciąż się jej boję — dodaje. — Nie wierzę, że to coś zmieniło.

— Jest bezradna — mówię. — „Klony" się od niej odwróciły. Nie chcę myśleć, co z nią robią w celi. — Po chwili reflektuję się, że nie powinnam jej przypominać o tym, co sama przeżyła, ale jest za późno.

— Życzę jej tego samego, co robiła ze mną — mówi twardo Ania.

Teraz, gdy nie jest już takim bezbronnym dzieckiem, nie mam odwagi jej dotknąć.

— To dlatego się cięłaś? — pytam nagle. To idiotyczne, ale nie mogę się powstrzymać.

Patrzy na mnie, jakby zdziwiona, że się ośmieliłam.

— Nie wiem — mówi.

— Zastanawiałam się, czy Durum coś ci nagadała.

Robi się markotna, a ja znów przeklinam swoją głupotę. Anka na pewno nie wie o śmierci Durum, ale wie, że ta już tu nie wróci.

— Uratowała mnie — mówi. — Powinni ją uniewinnić.

Milczę. Nie mam odwagi jej powiedzieć, że Durum wzięła wszystko na siebie. Także ją.

— Rozmawiała ze mną — ciągnie Ania. — Opowiadała o świecie, o wartościach. Mało rozumiałam. Ale trochę tak.

— Mówiłaś jej, co się dzieje w celi?

Parska śmiechem.

— Nawet bym nie wiedziała, jak to nazwać.

Mam nadzieję, że kiedyś nazwie. Nazwie i napiętnuje — dla dobra wszystkich dziewczyn, które to spotyka.

Do sali zagląda pielęgniarka i daje mi znak, że czas wychodzić. Patrzę na Anię i rozkładam ręce. Mus to mus.

— Idę do Yuno — szepczę. — Będę z nią gadać o zmianach w regulaminie.

— Jakich zmianach? — pyta z lekkim przestrachem.

Więc jej mówię. Mówię, że ciemnia to błąd. Że powinnyśmy pamiętać swoje czyny. Błędem jest też ukrywanie przed nami wyroków. Całe zło, które wydarzyło się w tym zakładzie, odkąd tu przyszłam, wzięło się z tego, że jednej dziewczynie skończył się wyrok. Oczywiście nie wiem, czy coś wskóram. To nie Yuno czy Durum, tylko rząd wymyślił zasady, na jakich funkcjonuje nasze więzienie. No, może Durum miała przy tym coś do gadania, ale jej już nie ma. Chcę jednak walczyć. Chcę, żebyśmy miały prawo wiedzieć, za co tu siedzimy i kiedy wyjdziemy. Żebyśmy miały prawo do przeszłości i przyszłości, a nie tylko do teraźniejszości.

— Chyba wierzysz w garbate aniołki — mówi Anka.

*

— O, w mordę jeża!

Przychodzimy na zbiórkę, a tu nowa dziewczyna. Początkowo jej nie zauważamy, bo stoi z innym oddziałem, z Moniką i Elą, jednak stopniowo wzrok wszystkich kieruje się ku niej. Jest niewysoka, ma niebieską tunikę i długie, proste czarne włosy. Nawet z tej odległości doskonale widać, że to Waponka. Pierwsza wapońska więźniarka w naszym zakładzie. Wkrótce dowiadujemy się, że ma na imię Saiko i trafiła tu za pobicie. Po historii z Durum nie jest nas już w stanie zdziwić to, że Wapończyk może popełnić przestępstwo. Zaskakujący jest jedynie fakt, że przysłali tę dziewczynę właśnie tutaj.

— Waponki zawsze posyłali do zakładu we Wracisławiu — mówi Wiola. — Miały tam przesrane. Nie mówię, że tu będzie lepiej, ale Yuno nie da jej zrobić krzywdy.

— Skoro jest tylko jedna, może nie chciało im się wozić jej tak daleko — próbuję zgadywać. — Musieliby ją transportować pociągiem, pod eskortą. Szkoda zachodu dla jednej dziewczyny.

Wiola wzrusza ramionami.

— Ciekawe, kogo pobiła i za co. Może chciała kogoś pomścić, jak Durum.

Może. A może żyła w Waponii zbyt krótko, by przyswoić sobie tamtejsze obyczaje. I tak się tego nie dowiemy, bo Saiko, jak wszystkie, musiała przejść przez ciemnię. Później, gdy mam okazję przyjrzeć jej się z bliska, dostrzegam zacięte, dumne spojrzenie. Obyczaje obyczajami, ale wapońskiej krwi nie da się oszukać.

*

— Jak to nie wróci?

Trzeci i przedostatni raz siedzę w gabinecie Yuno. Na ścianie ta sama Waponia. Żaden fragment nie został zaznaczony, jakby nic nie mogło zrekompensować utraty całości. Jakby mogło istnieć tylko wszystko lub nic. Przyszłam tu, bo chciałam porozmawiać o prawach więźniarek. Dowiedzieć się, dokąd trzeba słać pisma w sprawie ich zmiany. Przedtem jednak pytam o Nadię, której nie widziałam od kilku dni, od tamtego popołudnia w bibliotece. Yuno przygląda mi się z zadumą.

— Nadia długo do nas nie wróci.

Patrzę na nią i próbuję zrozumieć jej słowa. A im bardziej dociera do mnie ich sens, tym głębsza studnia otwiera się w moich trzewiach.

— Jak to nie wróci? Co się stało?

Yuno przełyka ślinę. Patrzy mi prosto w oczy, jak robią to wszystkie Waponki, choć widzę, że nie czuje się komfortowo.

— Czeka ją operacja.

Nagle wszystko staje się jasne: jej bladość, podkrążone oczy, dziwne zachowanie podczas naszego ostatniego spotkania. Zachłanność, z jaką wtulała się we mnie... Zaciskam pięści, wbijając paznokcie w skórę dłoni.

— Miałam nadzieję, że wiesz — dodaje Yuno. — Nas poinformowała w ostatniej chwili.

— Yuno... błagam, powiedz mi wszystko. Ona jest mi najdroższa na świecie. — Mam gdzieś tabu, nie zamierzam się bawić w jakieś idiotyczne tajemnice.

Więc mi mówi. Ukrywam twarz w dłoniach, oddycham ciężko. Czuję się, jakby moja głowa uległa wypadkowi, wskutek którego wszystko, co było w środku, roztrzaskało się na drobne kawałeczki i pomieszało.

— Heleno... to nie musi oznaczać wyroku.

Mów do mnie, Yuno. Mów tak, żebym uwierzyła.

— To potrwa. Operacja, terapia. Nie wiem, jak zaawansowana jest choroba. Ale wiem, że Nadia się nie podda.

Podnoszę na nią wzrok i ze ściśniętym gardłem pytam o konkrety. Yuno patrzy na mnie, żebym wiedziała, że nie kłamie.

— Nie chciała nam powiedzieć. Wiemy tylko, że mają ją operować w tym tygodniu.

Kręcę głową.

— Zawiadomi cię? Powiesz mi, co z nią?

Telefonia komórkowa to już historia. Niektóre budynki, zwłaszcza te publiczne, połączone są kablowymi sieciami telefonicznymi. Kiedyś taka linia prowadziła też do naszego więzienia, ale kilka tygodni przed moim przybyciem uległa zniszczeniu i do tej pory jej nie naprawiono. Pozostała korespondencja, którą przywozi samochód zaopatrzeniowy. Jak za króla Ćwieczka.

— Oczywiście. Wiem, że te wizyty w bibliotece były dla ciebie bardzo ważne i że przywiązałyście się do siebie. Miałaś rację wtedy, w świetlicy. Nie ma resocjalizacji bez kultury.

Nie przypominam sobie, żebym mówiła coś o resocjalizacji, ale niech jej będzie. Zastanawiam się, jak by zareagowała, gdyby wiedziała, jaką kulturę uprawiałam z tobą na zapleczu... Wyobraźnia podsuwa mi obrazy twojego ciała. Każdego skrawka skóry, który brałam w posiadanie w zaciszu biblioteki. Tak niedawno, prawie wczoraj. Pamiętam, jak myślałam o rozkoszy, która miała na zawsze zamieszkać w każdej komórce. A teraz się dowiaduję, że oprócz nas był tam ktoś jeszcze. Wróg, który próbował zawładnąć twoim ciałem i którego nie zdołałam powstrzymać.

Myślę o Dietrichu. Zamiast walczyć z Krenkami, oswajał ich, a potem próbował nawrócić. Czy można nawrócić zmutowane komórki? Powiedzieć im: „Przyjmijcie to ciało, a będziecie zbawione"? Wyobrażam sobie, jak przyjmują komunię rozkoszy i zostają naprawione. Ale skoro już cię biorą na stół, chyba na to za późno. Mimo wszystko wierzę w szczęśliwe zakończenie. Wierzę, bo nie pozostało mi nic innego.

— Yuno — mówię. — Tak naprawdę przyszłam tu w innej sprawie.

— Słucham cię.

— Wspomniałaś o resocjalizacji... Nie chcę podważać zasadności naszego regulaminu i wiem, że nie ty go ustalałaś. Chciałabym się dowiedzieć, do kogo trzeba napisać w sprawie zmian.

Patrzy na mnie, jakbym wygłosiła herezję.

— Jakich zmian?

Mówię jej o wszystkim. Wyłuszczam powody, dla których powinnyśmy znać swoją historię i swoje wyroki. Na przykładzie Roksany ilustruję, do czego może prowadzić brak tej wiedzy. Długo rozważa moje słowa.

— Nie wiem, czy jest na to szansa — przyznaje w końcu. — Rząd pokładał w tym projekcie duże nadzieje i przez długi czas wszystko doskonale funkcjonowało.

— Ale teraz się posypało. Roksana, Paula, Ania, Durum, znów Roksana. Wiem, że sama nic nie zdziałam.

Musiałabyś mnie poprzeć. Ty, reszta personelu. I dziewczyny.

— Myślisz, że podzielają twoje zdanie?

Do tej pory wydawało mi się to oczywiste. Teraz nie jestem tego pewna.

— Wiola mówi, że wcale nie chce siebie poznawać — przypominam sobie.

Yuno potakuje w zamyśleniu.

— Nie każda ma tyle odwagi co ty. Jeśli chcesz, urządzimy zebranie i przedyskutujemy twoją propozycję.

Nagle czuję, że nie mam siły zmieniać świata.

— Może za jakiś czas — mówię cicho. — Kiedy się wyjaśni, co z Nadią. Teraz nie potrafię myśleć, nie zdołam ich przekonać. Przepraszam, że zawracałam ci głowę. Kiedy tu przyszłam, byłam zdeterminowana, a teraz… — Ucisk w gardle każe mi zamilknąć. Mogę się bawić w aktywistkę, ale nie wtedy, kiedy ciebie kroją. — Przepraszam — szepczę i zasłaniam ręką drżące usta.

— Heleno…

Nie potrafię opanować drżenia. Łkam jak dziecko. Nie mogę znieść myśli, że mogłabym cię już nigdy nie zobaczyć, nie dotknąć. Powoli, bardzo powoli w mojej głowie dojrzewa pewna myśl.

*

— Na przepustkę? Oszalałaś? Teraz, gdy masz taką pozycję w zakładzie? Zobaczysz, w następnych wyborach zostaniesz przewodniczącą. A co najmniej oddziałową.

Wzruszam ramionami.

— I tak mnie nie puszczą. To tylko taki pomysł wzięty z kapelusza.

Wiola puka się w czoło.

— Wiesz co, jak cię jednak puszczą, to już tu nie wracaj.

— Dzięki, łaskawco.

— Nie chcę cię widzieć przeciągniętej przez ciemnię, rozumiesz?! Po tym wszystkim, co tu zrobiłaś, nie chcę cię widzieć zaczynającej od zera jak Roksana, a może jak Anka.

— Przecież to wszystko tu zostanie. Ja będę wyczyszczona, ale wy nie.

Nie powiedziałam im o tobie. Nie umiałam. Powiedziałam, że złożyłam podanie o przepustkę, bo chcę poznać swoją historię. To po części prawda, choć wcale nie jestem pewna, czy odnajdę kogoś, kto będzie mnie pamiętał. Spróbuję pójść tropem swoich poszatkowanych wspomnień. Najpierw jednak muszę się dowiedzieć, co z tobą.

Przepustki w naszym zakładzie są rzadkością także dlatego, że większość dziewczyn, które je dostały, nie wróciła z własnej woli. Przyprowadzała je policja, czasem po kilku dniach, czasem po tygodniach. A wtedy ostra ciemnia, dokładka do wyroku i zaczynanie od pozycji cwela. Są takie, które wychodzą i słuch po nich ginie. Pewnie wchodzą do morza albo zaszywają się gdzieś w Niderlandzie. Tylko tam gliny nie są w stanie ich znaleźć.

Jeszcze nie wiem, czy chcę wrócić, choć zarzekam się przed Yuno, że tak. Ale i tak nie mam pojęcia, czy mnie puści, bo zareagowała na prośbę chłodno.

— Narozrabiasz tam — powiedziała. — Dostaniesz wyższą karę. Nie chcę tego.

Musiałam jej obiecać, że nie zrobię niczego głupiego. Tłumaczyłam, że chcę odnaleźć ludzi, u których się ukrywałam. Dowiedzieć się choć trochę o swoim życiu i zbrodni. Tak, wiem, że pójdę z powrotem do ciemni i wszystko zapomnę. Ważne, żebym choć przez chwilę wiedziała.

— Nie wolno ci kontaktować się z Nadią — ostrzegała. — Nie szukaj jej. Jeśli ktoś się dowie, że pozwoliła sobie na taką poufałość z więźniarką, nigdy tu nie wróci.

„Więźniarką", nie „wychowanką". Brzmi poważnie. Powiedziałam, że się postaram, a ona na to, że poruszy sprawę przepustki na zebraniu rady.

— W poniedziałek się dowiem, co postanowili — mówię do Wioli, myśląc, że to i tak za późno, bo ty będziesz już po operacji. Trudno. Zawsze mogę wejść do morza i iść, aż fale zamkną się nade mną.

*

Yuno się zgodziła, żebym dalej kleiła książki. Pilnuje mnie Greta. Pierwszy raz jest straszny, bo ciągle myślę o tobie. Później się przyzwyczajam. Bardzo mi zależy, by dokończyć sklejanie *Eifelheimu*, nim stąd wyjdę. Oczywiście nie będzie kompletny, pewne fragmenty zaginęły na dobre, ale przynajmniej będzie miał początek, środek i koniec. Resztę trzeba sobie dośpiewać. Greta pyta, czy może mi pomóc. Pokazuję jej książkę.

— Szukaj kartek z taką czcionką. I charakterystycznych imion — Dietrich, Arnold, Hans, Gschert, Krenk. Dużo łaciny i niemieckiego.

Kiwa głową i zabiera się do roboty. Świat się kończy. Żeby strażniczka kleiła ze mną książki? Myślę sobie, że to dobry moment, i pytam ją o ciebie. Może powie mi coś więcej niż Yuno. Jednak kręci głową.

— Nic nie wiem. Tylko że jest chora i nieprędko wróci.

Więc Yuno nie kłamała. Naprawdę nie powiedziałaś im wszystkiego. Tylko tyle, ile było trzeba, by uzasadnić nieobecność. Spieszę się. Jeśli przyznają mi przepustkę, chcę wiedzieć, że ukończyłam najważniejsze zadanie. Chcę, żeby każda z dziewczyn mogła przeczytać tę książkę i uwierzyć, że każdego człowieka, a nawet kosmitę stać na szlachetność. Ale chyba najbardziej chcę tej książki dla siebie, by móc się w niej przejrzeć i odnaleźć po wyjściu z ciemni.

Co będę robić po opuszczeniu tych murów? Czy Yuno udzieli mi jakichś wskazówek, gdzie szukać wspomnień? O tobie nic nie powie, to pewne, ale nie spocznę, dopóki cię nie odnajdę. Będę ostrożna. Nie pozwolę się przyłapać. Nie pozwolę, by ukarali ciebie za moją niesubordynację. Nie muszę się nawet do ciebie zbliżać. Chcę tylko wiedzieć, że żyjesz, uwierzyć, że do mnie wrócisz.

W wyniku mojego pośpiechu i pomocy Grety po trzech długich popołudniach *Eifelheim* jest gotowy. To znaczy posiada większość stron, w tym pierwszą i ostatnią. Pewnie gdybym miała więcej czasu, odnalazłabym kolejne skrawki, przylepiła je tu i ówdzie. Ale może tak miało być. Może każdy sam musi sobie dopowiedzieć brakujące fragmenty, dopasować je do swojego życia.

Uświadamiam sobie, że przygotowuję się do przepustki, tak jakbym już ją dostała. Celebruję każdy dzień w pracy, każdą rozmowę z dziewczynami, jakby to wszystko za chwilę miało się skończyć. Co zrobię, jeśli się okaże, że nie wychodzę? Cóż... Może jednak zorganizuję to zebranie w sprawie zmiany regulaminu.

*

Pewnego ranka Roksana ma podbite oko i popękane wargi. Wciąż milczy. Kenjo popatruje na nią, a potem prosi mnie na stronę. Od czasu incydentu na dachu personel traktuje mnie jak brakujące ogniwo między wychowankami a kadrą. No dobrze, bez przesady, ale mam zdecydowane fory. Inaczej Yuno w życiu nie zgodziłaby się wpuścić mnie do biblioteki pod nieobecność Nadii. Wcześniej byłam po prostu więźniarką, która ma fajne pomysły i pozytywny wpływ na inne dziewczyny. Teraz jestem cudotwórczynią.

— Wiesz, co jej się stało? — pyta Kenjo.

Rozkładam ręce.

— Pokutuje.

— A po ludzku?

— To jest po ludzku. Nagrabiła sobie, więc teraz musi przejść przez czyściec. Inaczej nigdy jej nie zaakceptują. Wie, że nie może zapytać, czyja to robota. Porządna więźniarka nie kabluje. Zresztą i tak nie znam odpowiedzi.

— Nie powstrzymasz ich?

— Nie — mówię twardo.

Kenjo przez chwilę patrzy na mnie w milczeniu.

— Rozumiem.

— Nic nie rozumiesz. — Wiem, że upadłam na głowę, zwracając się tak do wychowawczyni, ale w tej chwili jest mi to nad wyraz obojętne. To i wiele innych rzeczy. — Ona wie, że musi odkupić swoje winy. Musi przyjąć na klatę całą tę nienawiść, całą agresję, bo tylko to może ją zbawić.

— A jeśli naprawdę coś jej się stanie?

Nie winię Kenjo, że nie ma odwagi powiedzieć głośno „jeśli zginie". Obie i tak doskonale wiemy, co ma na myśli.

— Pauli też się stało. I Durum. Roksana odpowiada za obie te śmierci. Pamiętasz film *Linia życia*? Leciał tu kiedyś.

W zasadzie nie jest to zbyt mądry film, ale dobrze ilustruje moją tezę. Czwórka studentów medycyny wprowadza się w stan śmierci klinicznej w poszukiwaniu wrażeń. Przeżywają sny, które zmieniają się w koszmary. Prześladują ich osoby z przeszłości, którym wyrządzili krzywdę. Koszmary nie kończą się wraz z wybudzeniem, lecz gnębią ich także na jawie, aż wreszcie studenci uznają, że jedynym sposobem na pozbycie się ich będzie zadośćuczynienie za krzywdy. Szukają więc swoich dawnych ofiar.

— Jeden z tych studentów był winny śmierci chłopaka — mówię, gdy już pokrótce opowiedziałam Kenjo fabułę. — Równie przypadkowej, jak dla Roksany śmierć Pauli, ale jednak przez niego zawinionej. Teraz role się odwracają i ten chłopak staje się jego oprawcą. Jak myślisz, student w końcu ginie czy nie?

— Jeśli to amerykański film, to pewnie nie — odpowiada Kenjo i nagle zaczynamy się śmiać.

— Nie żyjemy w amerykańskim filmie — ciągnę — ale zasada jest ta sama. Zadośćuczynienie. Na razie Roksana nie jest gotowa na nic więcej niż milczenie i przyjmowanie na siebie ciosów. Te ciosy ją wyzwalają. Są jak gumka wymazująca powoli zło, które uczyniła. Może kiedyś, jeśli przetrwa, będzie umiała zrobić coś dobrego.

— Lata spokoju — mówi Kenjo. — Lata wzorcowego funkcjonowania zakładu i nagle wszystko się wali.

— Może wcale nie był taki wzorcowy — odpowiadam, nie wiedząc, czy Yuno wspomniała jej o moich rewolucyjnych zapędach. — Zamiatałyście śmieci pod dywan i tyle. Wszystko było dobrze, póki ktoś go nie odsunął.

— Powiem o tej sprawie psychologom — decyduje Kenjo. — Powiem, że dziewczyny prześladują Roksanę, a ona się nie broni. Niech sami zdecydują, co z tym zrobić.

Krzywię się.

— Dobra, tylko delikatnie, żeby nie było, że nakablowałam. Niech nie zrobią nic głupiego.

*

Kiedy w końcu spotykamy się z psychologami, już wiem, że wychodzę, więc bardziej martwię się o Roksanę niż o siebie. Choć chyba powinno być odwrotnie, zważywszy że po powrocie zostanę ściemniona. Po akcji na dachu spotkanie zostało przesunięte i dopiero teraz mamy się spowiadać z tego, czego najbardziej się boimy. Tyle że przez to zajście i parę innych zdarzeń wszystkie nasze lęki zdążyły się przewartościować i przenicować. Kora chyba też o tym wie, bo nie naciska, żebyśmy jej czytały swoje wypociny. Tym razem nie siedzimy w stołówce, ale wciąż pracujemy osobno. Tinę i Lidię dołączyli do losowo wybranych grup, a Roksana siedzi sama z Emilią. Mam nadzieję, że Emilia pozwoli jej pomilczeć i nie będzie bredzić o wartościach.

Kora prosi, żebyśmy jej opowiedziały o tym, co naszym zdaniem było najważniejsze w ciągu ostatniego miesiąca.

— Śmierć Durum, porwanie Katrin i Heleny na dach — wylicza Wiola. — No i jeszcze zepsucie odtwarzacza filmów.

Psycholożka wygląda na zdziwioną, że wiemy o śmierci Durum.

— Helena ma swoje wtyki — wyjaśnia Wiola i mruga do niej.

Kora kiwa głową i uśmiecha się lekko.

— A dla ciebie, Heleno? Co było najważniejsze?

Natychmiast staję się strasznie nerwowa. Zaciskam pięści i nie mogę wydusić z siebie zdania.

— Daj jej spokój — mówi Sonia.

Chyba się domyśla, że z Nadią dzieje się coś poważnego i że ja o tym wiem. Wszystkie dziewczyny już zauważyły jej nieobecność. Niektóre myślą, że po prostu zmieniła pracę. To też byłoby poważne, ale mniej straszne. Nie, tak naprawdę jeszcze straszniejsze, bo wtedy nie mogłabym mieć nadziei na jej powrót. Wiem, że to egoistyczne. Powinnam pragnąć przede wszystkim jej wyzdrowienia. Ale ja pragnę jej, jej obecności i bliskości. Co mi po tym, że gdzieś istnieje, skoro nie mam od niej żadnych wieści. Równie dobrze mogłaby nie żyć.

— W porządku — udaje mi się powiedzieć. — Pozwól, że to naprawdę najważniejsze zachowam dla siebie. Nie jestem jeszcze gotowa, by o tym mówić. — Kora kiwa głową, że mam kontynuować. — Z innych ważnych rzeczy mogę wymienić te, o których wspomniała Wiola, a także odwiedziny u Ani i sklejenie *Eifelheimu*. To książka — wyjaśniam, widząc jej pytające spojrzenie. — Była podarta, a ja postanowiłam ją zebrać do kupy i posklejać. Greta trochę mi pomogła.

— Co to za książka?

Wzruszam ramionami.

— Taka tam. O kosmitach. Dają się ochrzcić, bo myślą, że dzięki temu wrócą do nieba. Znaczy w kosmos. Potem jest dżuma, a oni nie chorują. Naprawili statek i mogą już wylecieć na swoją planetę. A co jest dalej, nie powiem, bo może dziewczyny będą chciały przeczytać.

— Dlaczego akurat ta książka?

Wzruszam ramionami.

— Ciekawią mnie takie rzeczy. No, wiesz… moralność, dialog międzykulturowy. Takie pierdoły.

Dziewczyny patrzą na mnie, jakbym i ja spadła z kosmosu. Cóż, może i spadłam.

— Jesteś wierząca? — pyta Kora.

— Jaja sobie robisz? Po prostu lubię ludzi, którzy są w porządku. Takich, którzy zawsze dążą do prawdy i akceptują ją, nawet jeśli nie odpowiada ich oczekiwaniom. To nie ma nic wspólnego z wiarą.

Nie wolno mi mówić nikomu, że wychodzę. Z przepustką jest tak jak z końcem kary: pewnego dnia zabierają cię z celi i jesteś wolna. Tyle że w przypadku przepustki przynajmniej ty sama o tym wiesz, bo składałaś o nią podanie. Wioli i Soni jednak powiem. Nie pierwszy raz złamię regulamin. I miejmy nadzieję, że nie ostatni. Muszę im powiedzieć, bo kiedy — o ile w ogóle — wrócę, będę bezbronna. Jeśli mam siebie odnaleźć, wyłowić z niebytu i posklejać w coś, co choćby z grubsza przypomina obecną mnie, to tylko dzięki nim. Nie wiem, jakim cudem rada zakładu zgodziła się na moje wyjście. Może po prostu czuli, że są mi to winni, po tym, jak pozwoliłam zrobić z siebie zakładniczkę Roksany i uratowałam tyłek Katrin.

Kora pyta o zdarzenie na dachu.

— Roksana zobaczyła, że nie ma drugiego bloku — mówię. — Musiała uwierzyć, że Gabriela wyszła. To ją przybiło.

— Przecież sama może kiedyś wyjść.

— To dla niej abstrakcja. Poza tym nie wierzyła, że odnajdzie Gabrielę i że ta wciąż będzie chciała z nią być. Ale najgorsze było to, że nie miała już kogo winić. Do tej pory uważała, że personel celowo wyrządził jej krzywdę i że to daje jej prawo do pastwienia się nad innymi dziewczynami.

Wiola i Sonia słuchają z ponurymi minami, jakbym burzyła ich wszechświat. Nienawiść do Roksany była stałym elementem ich życia, a ja każę im zobaczyć w niej normalnego człowieka, w dodatku cierpiącego. Pewnie czułabym to samo, gdybym nie była z nią na tym dachu. Szanuję Korę za to, że nic nie mówi. Nie moralizuje, nie sypie banałami. Zamiast tego pyta, jak naszym zdaniem powinnyśmy się teraz zachowywać wobec Roksany.

— Ja tam nigdy jej nie zaufam — mówi w końcu Sonia. — W każdej chwili znowu może jej odbić. Czasem mnie kusi, żeby się zemścić, ale głupio bić kogoś, kto się nie broni.

Wiola wzrusza ramionami i przytakuje.

— Nijak — mówię. — Odczekać, aż wydarzy się tyle nowych rzeczy, że zapomnimy.

WOLNOŚĆ

No więc wychodzę. Jutro. Przyjdą po mnie po śniadaniu. Mam iść tak jak jestem, a cywilne ciuchy dostanę po drodze. Nie wiem, czy zobaczę się jeszcze z Yuno i czy poda jakiekolwiek informacje, które pomogą mi skontaktować się z kimś, kto mnie znał. Najpierw i tak zamierzam odnaleźć Nadię. Choć zupełnie nie wiem, jak się do tego zabrać. Nie znam nawet jej nazwiska. Jak mam jej szukać w półmilionowym mieście, w którym jest pewnie z dziesięć szpitali?

— Jutro wychodzę — mówię jak gdyby nigdy nic.

Dziewczyny gapią się na mnie.

— Jaja sobie robisz.

Kręcę głową.

— Jezu! — Wiola opiera czoło na dłoni i na moment nieruchomieje. — Wrócisz? — pyta w końcu.

Teraz ja muszę trochę pomilczeć.

— Nie wiem — przyznaję w końcu.

Powinnam wrócić. Jestem to winna Yuno. Poza tym jeśli tego nie zrobię, i tak mnie znajdą. Wystarczy jedna próba wylegitymowania. Nie masz papierów — jesteś nikim. Masz papiery więźnia — odstawią cię do więzienia. A ja dostaję tylko trzydniową przepustkę. Mimo to nie jestem pewna, czy tu wrócę. Nie mam pojęcia, co zastanę i czego się dowiem na zewnątrz. Poza tym, kto wie, czy będę miała dokąd wracać. W każdej chwili może się zdarzyć to, co zdarzyło się w ośrodku Ani. Co z tego, że morze oddało fragment Waponii, skoro w zamian zabrało fragment naszego kraju? Może za parę lat to Arkadyjczycy będą uchodźcami na azjatyckich wyspach.

— Wróć — mówi Wiola. — Bez ciebie to wszystko się posypie.

— Będę nowa — odpowiadam. — A sypie się i tak. Chrońcie książki, chrońcie *Eifelheim*. I siebie nawzajem. Nic lepszego nie mamy. — Dziewczyny wyraźnie posmutniały, więc próbuję je pocieszyć. — Pewnie wrócę jeszcze przed końcem przepustki. Nie odnajdę ani tej swojej wioski, ani… — urywam.

— A jeśli ją odnajdziesz, to co jej powiesz? — pyta Sonia.

Obawiam się, że nie chodzi jej o wioskę.

— Chcę tylko wiedzieć, że z nią wszystko w porządku.

— Co się właściwie stało?

Nie umiałam z nimi o tym rozmawiać, a teraz nie umiem milczeć.

— Ma raka. Kilka dni temu mieli ją operować. Wciąż nie odezwała się do Yuno.

Cisza, która zalega po moich słowach, jest tak nieznośna, że mam ochotę ze zdenerwowania wyłamywać sobie palce.

— Teraz już wiecie. Muszę iść. Nie wiem, czy ją znajdę. Nie wiem, jak szukać. Ale muszę spróbować.

Wiola mówi, żebym zrobiła rozpoznanie, które szpitale mają oddział onkologiczny. Wtedy będę mogła tam pojechać i zapytać o Nadię. Nawet jeśli nie znam nazwiska, może uda mi się wpaść na jej trop.

— Boję się — wyznaję.

Boję się, że nie odnajdę Nadii. Albo że stało się coś złego. Boję się, że nie dowiem się niczego o sobie albo że dowiem się rzeczy, których wolałabym nie wiedzieć. Boję się, że nie wrócę do zakładu. Boję się, że wrócę.

Zapada ostatnia noc, a ja wciąż się boję.

*

Przy śniadaniu szukam okazji do zobaczenia się z Roksaną. Miałam jej nie pomagać, ale teraz, kiedy wychodzę i nie wiem, czy wrócę, chcę powiedzieć coś, co dodałoby jej otuchy. Ona oczywiście nie pamięta zdarzenia na dachu, nie pamięta też mnie sprzed ciemni, a przynajmniej nie lepiej, niż ja pamiętam Adama i dawne życie. Czasem, gdy w pracy czy stołówce spotykają się nasze spojrzenia, wydaje mi się jednak, że mi ufa, że wie, iż jej kibicuję, choć nie mogę okazać tego otwarcie. Nie mogę, bo musi przejść przez czyściec. Ale gdybym miała nie wrócić, chcę jej zostawić coś, na czym będzie mogła się oprzeć.

— Roksana — mówię i odciągam ją na bok.

Podnosi na mnie wzrok. Nie wiem, co widać w jej oczach — nie jest to strach kogoś, kto nie potrafi nazwać świata wokół, ale i nie zacietrzewienie dawnej Roksany. Nie zagubienie, ale i nie buta, która kiedyś się tam gnieździła.

— Roksana — powtarzam — wiedz jedno: zrobiłaś dużo złego. Ale nie „klonom". One nie mają prawa cię krzywdzić. Robiły to razem z tobą, a potem się odwróciły. Pamiętaj o tym. Nie bij się z nimi, bo zrzucą wszystko na ciebie. Musisz znaleźć inny sposób postawienia się im.

— Dlaczego mi to mówisz? — pyta.

Macham lekceważąco ręką.

— Nieważne. Trzymaj się. — I odchodzę na swój koniec stołu.

Rozglądam się po sali i ogarnia mnie przeraźliwy smutek. Myślę o tym, że kiedy następnym razem tu zasiądę, będę widzieć mnóstwo nieznajomych twarzy w miejscu, gdzie teraz siedzą znajome, niektóre bliskie, a inne przynajmniej oswojone. Pewnie z otchłani pamięci raz po raz coś się wydobędzie — jakieś imię, epizod — ale bardziej w formie *déjà vu* niż namacalnego wspomnienia. Wszystko trzeba będzie oswajać od nowa — całą tę przestrzeń i nasze w niej bytowanie, dziewczyny, kadrę. Oby tylko Wiola z Sonią nie dały mi zginąć. Oby Yuno nie wpadła na pomysł przeniesienia mnie do innej celi. Oby nic się tu nie wydarzyło, gdy mnie nie będzie. Obym nie wróciła tak złamana, że będę błagać o maksymalne ściemnienie. Mój wzrok pada na Saiko, która wciąż ma swoją czupurną minę, ale pałaszuje śniadanie i nawet półgębkiem rozmawia z siedzącymi obok dziewczynami. Może nie będzie tak źle. Skoro raz zmartwychwstałam, zmartwychwstanę znowu.

Gdy wszystkie ustawiają się, by iść do pracy, Kenjo wywołuje mnie z szeregu. Dziewczyny patrzą na mnie, a ja nie mogę się z nimi pożegnać. Zostaję pod opieką Mich'ko, a one odchodzą. Wlokę się za strażniczką, porażona własną brawurą. Wyjść na zewnątrz, w światło dnia, słyszeć szum morza nieprzefiltrowany przez więzienne mury… Jeśli Yuno nie da mi żadnej podpórki, utonę w tłumie, w natłoku nieznajomych doznań. Na szczęście Mich'ko prowadzi mnie do gabinetu dyrektorskiego. Po raz ostatni zasiadam naprzeciwko Yuno. Ma dla mnie przygotowany jakiś plecaczek.

— Tu jest wszystko, co mogłam ci dać.

— Mogę zajrzeć?

Kiwa głową. W środku znajduję trochę ubrań — wydaje mi się, że rozpoznaję w nich swoje dawne ciuchy — mapę Arkadii z planem stolicy na odwrocie, drobną sumę pieniędzy, nierozpakowaną pelerynę przeciwdeszczową, notes z przyczepionym długopisem, przepustkę z moim nazwiskiem oraz datą i miejscem urodzenia. Gapię się na nią i klapki otwierają mi się w głowie. Znam to nazwisko. Nie mam wątpliwości, że jest moje. Nazwę miejscowości też sobie przypominam: Drugi Równik. Stamtąd pochodzę i tam zostałam schwytana, choć wydaje mi się, że część życia spędziłam gdzie indziej. Data urodzenia nic mi nie mówi, ale wierzę, że jest równie prawdziwa jak cała reszta.. Wygląda na to, że mam dwadzieścia trzy lata.

— Dziękuję — mówię.

— To standard. Tylko notes dołożyłam od siebie. Pomyślałam, że może ci się przydać.

— Dziękuję, Yuno — powtarzam. — Dziękuję za wszystko.

Jestem bliska łez, ale ze wszystkich sił staram się je powstrzymać. Jeszcze pomyśli, że żałuję swojej prośby. A pewnie niełatwo było przekonać radę do przyznania mi przepustki.

— Tylko wróć — odpowiada. — Wróć, bo będę musiała zgłosić na policję twoje zaginięcie. A to nie będzie dobre dla żadnej z nas.

— Postaram się — mówię cicho.

Patrzy na mnie urzędowym wzrokiem.

— Możesz już iść.

Mich'ko czeka przy drzwiach.

— Do widzenia — żegnam się z Yuno. Mam ochotę ją uściskać, ale jestem tylko więźniarką.

Strażniczka sięga do przyczepionego do pasa kółka z kluczami i otwiera żelazne drzwi, za którymi znajduje się długi korytarz. Być może ten sam, którym cztery miesiące wcześniej prowadzono mnie z ciemni przed oblicze Durum. Po bokach znajduje się para podobnych drzwi, a na końcu jeszcze jedne.

— Tu możesz się przebrać w zwykłe ubranie — mówi Mich'ko i otwiera mi jedne z bocznych drzwi. Wchodzę do małego pomieszczenia, grzebię w plecaku, wyjmuję dżinsy i sweter. Jest też cienka kurtka. Nie wiem, co zrobić z bordową tuniką, więc po prostu zostawiam ją na wieszaku.

Kiedy docieramy do ostatnich drzwi, serce wali mi jak młotem. Szczękają zamki, drzwi się otwierają i oślepia mnie światło. Myślę o tym, jakie zaufanie ma do mnie Yuno. Przecież mogłabym, jak Roksana, wyrwać strażniczce broń z kabury, zabrać jej klucze i wypuścić wszystkie dziewczyny. Tylko po co? I tak wyłapaliby nas jak króliki. Zresztą niektóre wcale nie chcą stąd wychodzić.

— Do zobaczenia — mówię do Mich'ko, a ona macha do mnie po europejsku. Musiała być nastolatką, gdy przywędrowała do Arkadii.

Drzwi się zamykają i zostaję na zewnątrz. Teraz, gdy wzrok przywykł do jasności, okazuje się, że światła nie ma znowu tak dużo. Niebo zakrywa biała zasłona niskich chmur. Może to i dobrze. Otwarta przestrzeń mogłaby mnie spłoszyć.

Do bramy prowadzi droga wijąca się wokół wzgórza. Tędy przyjeżdżają samochody z zaopatrzeniem. Schodzę wokół murów i co rusz zadzieram głowę w nadziei, że coś zobaczę. Widzę jedynie górną część budynku i dach, na którym stałam z Roksaną. Z kolei w dole miasto to się pojawia, to znika. Więzienie stoi na wzgórzu, z którego widać port i ziemię niczyją w jego pobliżu oraz centrum miasta, które stopniowo, im dalej od zatoki przechodzi w bogatsze rezydencje, by jeszcze dalej ustąpić pola gospodarstwom wiejskim dostarczającym do miasta plony.

Staję u stóp wzgórza, a droga prowadzi mnie do portu przez pełne hangarów i śmieci pobojowisko. Kiedy mijam pierwszych ludzi, jestem potwornie spięta, ale szybko się okazuje, że nie zwracają na mnie uwagi. Niektórzy są tak sterani życiem, że trudno określić, czy pod okrywającymi ich łachmanami znajduje się kobieta czy mężczyzna. To pewnie bezdomni koczujący w przybrzeżnym pasie. Część to robotnice i robotnicy z portu. Idę w stronę doków i już z daleka widzę stosy pudeł i skrzyń. Na pierwszym planie są kartony, na których przyklejałyśmy nalepki

„JABŁKA", „OGÓRKI" i tym podobne. Niektóre z nich portowcy wyrzucają właśnie do morza.

Staję w bezpiecznej odległości i przysłuchuję się ich rozmowom.

— Te jeszcze przejrzyjcie!

Grupa osób w kombinezonach rozbiera stertę kartonów, odczytując napisy na nalepkach.

— Dwudziesty pierwszy!

Karton zostaje wyciągnięty ze sterty i ląduje na rampie, z której zsuwa się do wody.

— Dwudziesty ósmy!

— Dwudziesty ósmy!

— Dwudziesty pierwszy!

Kolejny karton zjeżdża po rampie.

Robotnicy uwijają się jak w ukropie, sprawdzając daty i rodzaj towaru. Kartony, które nie zjechały po rampie, ustawiane są w rzędach, jeden na drugim. Około jednej trzeciej zjeżdża i rozpryskuje wodę w dole, po czym znika w odmętach.

Owoce naszej pracy i pracy rolników lądują w morzu, bo statek nie przypłynął na czas.

Odwracam się tyłem do portu i idę w stronę miasta. Za pustkowiem z hangarami zaczyna się osiedle wieżowców, ale nawet stąd widzę powybijane szyby w oknach i na klatkach schodowych. Tylko niektóre z okien są zabite deskami. Pewnie osiedle wyludniło się po zalaniach i wprowadzili się tam bezdomni albo pozostali ci, którzy nie mieli dokąd pójść. Przyglądam się uważnie, bo wiem, że muszę gdzieś spędzić najbliższą noc. Mam zbyt mało pieniędzy, by je trwonić na noclegownię. Dochodzę jednak do wniosku, że lepiej będzie przekimać gdzieś w centrum. Tu jest zbyt niebezpiecznie. Poza tym, kiedy już udam się w głąb lądu, nie zamierzam wracać w pobliże portu wcześniej niż za trzy dni.

Przechodzę przez osiedle z sercem w gardle, mijając dziwne postacie. W końcu wybawienie przynosi dźwięk tramwajowego dzwonka, który wydaje się pochodzić z całkiem innego świata. Idę za nim i rzeczywiście — stary gruchot właśnie odjeżdża z pętli. Biegnę, ale na próżno. Nie wiem, kiedy przyjedzie kolejny, więc wlokę się wzdłuż torów.

Okolica, choć zakazana, jest zarazem swojska, jakbym już kiedyś w takich slumsach przebywała. Pamiętam — albo tak mi się wydaje — że opuściłam swoją wieś, wyjechałam wraz z Adamem, by spróbować innego życia. Może zakotwiczyłam tu, a może w innym, mniejszym mieście, choć biorąc pod uwagę odległość Drugiego Równika od stolicy, którą już sobie sprawdziłam na mapie, prawdopodobnie było to właśnie tutaj. Ciekawe, że moje wspomnienia z tego okresu praktycznie nie istnieją, jakby w ciemni specjalnie postarano się o ich dokładne wymazanie.

Na kolejnym przystanku czekają dwie osoby. Wyglądają już bardziej normalnie, więc siadam na krawężniku, wyjmuję z tobołka mapę, rozkładam ją, znajduję linię tramwajową i szukam szpitali w jej pobliżu. Znajduję dwa.

Gdy tramwaj w końcu się pojawia, przejeżdżam nim kilka przystanków i wysiadam w miejscu, które wydaje mi się najbliższe pierwszego szpitala. To już właściwe miasto, z zamieszkanymi wieżowcami, z odrapanymi, ale wciąż tętniącymi życiem kamienicami i z obwieszonymi sznurami z praniem podwórkami. Asfalt połatany, co w dzisiejszych czasach zdarza się rzadko.

Tłoczno tu — jedni się dokądś spieszą, inni podpierają ściany, żując coś i spluwając na ulicę. Oczywiście tylko wtedy, gdy nie widzą ich policjanci, których — podobnie jak różnej maści ochroniarzy — kręci się tu sporo.

Znajduję szpital i wchodzę do holu. Za szybą siedzi wapońska portierka, a przed nią stoi tłumek petentów. Nad głową plan budynku — czytam nazwy wszystkich oddziałów po kolei, ale onkologii nie widzę. Staję w kolejce i czekam cierpliwie, aż wszyscy załatwią swoje sprawy.

Nie wiem, jak zapytać, żeby kobieta nie odesłała mnie z kwitkiem. W końcu zagajam najprościej jak można:

— Czy w tym szpitalu jest oddział onkologiczny?

Waponka podnosi głowę znad sterty papierów.

— Nie, tu nie.

— A czy… czy wie pani może, które szpitale mają takie oddziały?

Patrzy bez słowa. Przełykam ślinę i próbuję inaczej:

— Moja znajoma miała być operowana, ale nie wiem gdzie. Dzisiaj przyjechałam do miasta. Szukam jej. — Usprawiedliwiam się przed sobą, że niezupełnie skłamałam. Naprawdę przyjechałam do miasta… tramwajem.

— Jak operowana, to pewnie na Skałce albo na Pszenicznej. Ewentualnie w tym starym szpitalu na Poranku.

— Skałka, Pszeniczna, Poranek — powtarzam. — Bardzo pani dziękuję.

Kiwa głową i zaczyna rozmowę z kolejnym petentem.

Mam szczęście, że trafiłam na Waponkę. Kiedyś pewnie bym tak nie pomyślała. Teraz wiem, że kultura nie pozwala im na chamstwo.

Siadam na krześle w kącie i wyjmuję mapę, by znaleźć szpitale. Najbliżej jest Pszeniczna. Poranek leży bardziej na południe, chyba już w dzielnicy willowej. Skałka przeciwnie — blisko morza.

Szukam tej Pszenicznej. Łatwo nie jest. Co rusz się gubię i muszę zerkać na mapę. Ludzie popatrują na mnie dziwnie, jakbym urwała się z choinki. Większość nie ma przyjaznych twarzy. Tylko dziewczynki idące pod opieką sióstr zakonnych śmieją się wesoło. Moją uwagę przykuwa jedna z nich — energiczna, z jasnymi lokami i oczami tak błyszczącymi, że zerknięcie w nie pozwala na moment zapomnieć o wszelkich troskach. Trzyma za rękę ciemnowłosą koleżankę, chyba Waponkę.

Patrzę, dokąd idą. Duży żółtawy budynek otoczony murem wygląda na klasztor. Pewnie siostry prowadzą sierociniec lub szkołę. Ciekawe, na kogo wyrosną te dziewczynki, o ile w ogóle będzie im dane dorosnąć. Może przywdzieją habity i będą kontynuować dzieło sióstr, a może kogoś zabiją i trafią do zakładu na wzgórzu?

Po niemal godzinnej wędrówce dostrzegam szarobiały budynek z czerwonymi tabliczkami.

Wchodzę. Tym razem w recepcji siedzi blondyna.

— Dzień dobry. Moja znajoma prawdopodobnie była tu operowana na onkologii. Chciałabym się dowiedzieć, co z nią.

— Pani jest z rodziny?

Cholera.

— W pewnym sensie.

— Jak nie rodzina, to nic pani nie powiedzą.

— Mimo wszystko spróbuję. Gdzie ten oddział?

— Drugie piętro.

Na drugim szklane drzwi, zamknięte, trzeba zadzwonić i się wytłumaczyć. Pocę się jak mysz. Co ja im powiem? Przecież nawet nie znam jej nazwiska. Nie mam odwagi nacisnąć dzwonka. Czekam, aż ktoś będzie przechodził. W końcu idzie jakaś kobitka, sądząc po czepku — pielęgniarka.

— Przepraszam…

Zatrzymuje się i patrzy.

— Gdzie ja bym się mogła dowiedzieć…? — Robi mi się gorąco, głos drży. — Znajomą operowali… Nie wiem, czy tu… Ma na imię Nadia… trzydzieści parę lat…

Macha ręką.

— To z lekarzami pani musi. O, tam.

Wpuszcza mnie za drzwi, wskazuje niedomknięty pokój. Idę tam, nim się rozmyślę. Jest tylko jedna lekarka, starsza. Siedzi i przegląda na komputerze jakieś skany. Pukam i tarabanię się do środka.

— Dzi... dzień dobry, t... tu chyba operowano moją kuzynkę — jąkam się. — Ma na imię Nadia. Czy mogłabym się czegoś dowiedzieć o jej stanie?

Kobieta spuszcza okulary na połowę nosa i gapi się na mnie sponad nich.

— Jak nazwisko?

Cholera, cholera, cholera.

— No właśnie nie pamiętam. — I szybko dodaję: — Jestem po ciemni. — Sięgam do wewnętrznej kieszeni i wyjmuję przepustkę z więzienia. Raz kozie śmierć.

Lekarka patrzy na przepustkę, potem na mnie.

— Skoro pani dziś wyszła z zakładu, to skąd pani wie, że kuzynka tu leży? — pyta oschle.

— Powiedziano mi. Nie wiem dokładnie, czy to ten szpital. Miała być operowana w poniedziałek.

Wzrusza ramionami.

— Nie było żadnej Nadii. Proszę spróbować na Skałce.

— Jest pani pewna? Czy można to gdzieś sprawdzić? Jakie zabiegi odbyły się w poniedziałek?

Patrzy na mnie z irytacją.

— Dziewczyno, ja tu pracuję! Odejdź albo wezwę ochronę!

— Pieprz się, babo — mamroczę i odwracam się, udając, że chcę wyjść. I może nawet bym wyszła, gdyby na stoliku nie leżał nóż do papieru. Przypominam sobie, że jestem zabójczynią. Wreszcie w to wierzę. Widok ostrza uruchamia we mnie odruch, który każe mi złapać za nóż i w mgnieniu oka przyłożyć go do szyi lekarki.

— Nie próbuj pisnąć.

Oddycha ciężko. „Taka stara i żyje — myślę. — A moja Nadia…"

— Sprawdź, kogo operowano w poniedziałek albo później.

Powoli unosi ręce do klawiatury, minimalizuje skan. Spoglądam na ekran znad jej głowy. Otwiera jakiś dokument. Nie wiem, czy mnie nie oszukuje, ale są tam nazwiska, dane o chorobach, daty, godziny, kolejne nazwiska. Nigdzie nie widzę twojego imienia. Może to jednak nie ten szpital. Niepotrzebnie narozrabiałam.

— Na pewno jej nie było? Nadia, długie włosy…

Lekarka milczy. Wiem, że gdy tylko stąd wyjdę, wezwie przez telefon ochronę, a nie dostrzegam w pokoju nic, czym mogłabym ją związać i zatkać jej gębę. W końcu puszczam ją i z nożykiem w ręku gnam do wyjścia. Na parterze już słyszę tupot oficerek, pojawiają się mundury. Przebiegam przez hol i w ostatniej chwili wpycham nożyk do kieszeni, żeby nie ściągać na siebie uwagi przechodniów. Lawirując pomiędzy nimi, pędzę ulicą w dół, wpadam do jakiejś bramy, przebiegam przez podwórze, widzę klatkę schodową bez domofonu, bez krat.

Drewniane schody skrzypią, gdy biegnę na górę. Stara, zakurzona kamienica o specyficznym zapachu, który budzi we mnie niejasne wspomnienia. Muszę przeczekać, przecież nie będą na mnie czyhać w nieskończoność. Mam nadzieję, że lekarka nie zapamiętała nazwiska. Ledwie zerknęła na przepustkę.

Głupio ryzykowałam, ale co miałam robić? Przynajmniej wiem, że tam jej nie ma. Zostały mi dwa szpitale.

Siedzę na ostatnim półpiętrze. Z wychodzącego na podwórze okna sączy się słabe światło. Wystarczy, by przeanalizować mapę, obmyślić dalszą drogę. Wyjmuję długopis z notesu, chcąc nakreślić drogę do Poranka. Wtedy notes się otwiera i widzę, że wcale nie jest pusty. Yuno coś tam wpisała. Przysuwam kartkę do oczu, by móc odczytać małe, nakreślone wprawnym, choć nietypowym pismem Waponki litery.

Graniczna 521/5

Sprawdzam na mapie. Ulica Graniczna wyznacza zachodni kraniec miasta i ciągnie się od morza aż po dzielnice willowe. Ciężko będzie odnaleźć właściwy numer, ale muszę spróbować. Yuno nie zostawiłaby mi tego adresu, gdyby to nie było coś ważnego.

Najpierw jednak Poranek. Po jakimś kwadransie wychodzę z bramy, rozglądam się dyskretnie. Widzę kilka policjantek. Nie zwracają na mnie uwagi. W mieście są trzy linie tramwajowe: wschodnia, którą jechałam, zachodnia i południowa. Wciąż znajduję się najbliżej wschodniej, ale nawet gdybym się do niej cofnęła, czekałaby mnie przesiadka na południową. Idę więc pieszo. Szybko zaczynam żałować tej decyzji, bo po godzinie marszu nie jestem nawet w połowie drogi.

Trafiam na ulicę pełną barów i restauracji. Aromaty przypominają mi, że od śniadania nic nie jadłam, więc wpadam do najbliższego fast foodu, kupuję placki ziemniaczane i wodę. Szkoda mi forsy i czasu na coś bardziej wyszukanego. Sypię na placki trochę cukru i idę dalej, pogryzając. Przypominam sobie, że ilekroć jem w marszu, boli mnie żołądek. Trudno. Poboli i przestanie.

Nagle widzę przed sobą zbiegowisko. Okazuje się, że gliny legitymują przechodniów. Znów ogarnia mnie strach. Jeśli lekarka podała im moje nazwisko, jestem w dupie.

Policjant patrzy na przepustkę, którą wręczyłam mu drżącą dłonią. Podnosi na mnie wzrok. Wtedy go poznaję. To Marcel, jeden z tych, którzy pilnowali nas w więzieniu. To on razem z młodą Waponką eskortował mnie, gdy szłam na dach z Roksaną i Katrin.

— Dzień dobry — mówi. Ma miły, niski głos. — Pamiętam panią.

Przełykam ślinę i kiwam głową. Marcel jeszcze raz patrzy na przepustkę.

— Nagroda za lojalność? — pyta. — Takie przepustki to chyba rzadkość.

— Raczej za nielojalność — odpowiadam, a on się uśmiecha.

— Nikt nie miał pani za złe współpracy z personelem. Gdyby coś się stało, wszystkie byście na tym ucierpiały.

— A pan myśli, że dlaczego to zrobiłam? — pytam zniecierpliwiona, bo chcę jak najszybciej oddalić się od tego miejsca, od tych mundurów. — Żeby się podlizać Yuno?

Przygląda mi się badawczo. Zastanawiam się, ile może mieć lat. Pewnie coś koło trzydziestki. Oddaje mi przepustkę.

— Ma pani jakieś lokum? — pyta nagle.

— Mam — odpowiadam. Chyba trochę zbyt szybko, bo znów mi się przygląda.

— Bo jakby co… — Grzebie w kieszeni i wyjmuje wizytówkę.

Gliniarz z wizytówką. Fajnie.

— Jakby miała pani jakieś problemy, proszę się zgłosić. Miasto nie jest bezpieczne. Nie chciałbym, żeby coś się pani stało. — Ciekawe. To samo myślałam o nim, gdy stał u stóp schodów prowadzących na dach więzienia. — Zwłaszcza podczas mojej służby — dodaje półżartem.

Zerkam na wizytówkę.

— O rany — mówi Marcel — pani też? — Unoszę brwi. — Przywykłem już do tego, że śmieją się z mojego nazwiska. Proszę się nie przejmować.

Najwyraźniej uśmiechnęłam się mimowolnie.

— Muszę wracać do pracy — dodaje policjant już bardziej służbowym tonem. — W razie jakichkolwiek problemów proszę się zgłosić do dowolnego funkcjonariusza i poprosić o kontakt ze mną. Powodzenia!

Starszy sierżant Marcel Koniecpolski przez sekundę patrzy mi w oczy, po czym oddala się, by dalej legitymować przechodniów.

*

Na Poranek docieram — o ironio! — dopiero pod wieczór. Szpital faktycznie jest stary. Tym razem portiernia nie jest oblegana. Trudno się dziwić, bo nikogo w niej nie ma. Szpital w ogóle wygląda na uśpiony, co budzi we mnie pewne obawy. Naciskam dzwonek i wtedy pojawia się łysy facet.

— Słucham? — burczy.

Pytam o onkologię, a on macha ręką, jakbym wygłosiła herezję.

— Pani! Już dwa miesiące temu przeniesiona na Skałkę.

Chyba mam niewyraźną minę, bo facet czuje się w obowiązku coś dodać.

— Wszystko przenosimy. Część tu, część tam. Ten budynek ma być zamknięty do końca roku. A stary portier na bruk.

— To operacje teraz na Skałce?

— No, raki tam. A o co dokładnie chodzi?

Powtarzam bajkę o kuzynce. Mówię, że przyjechałam ze wsi.

— Aaa, no to pewnie będzie tam albo na Pszenicznej.

Na wszelki wypadek nie mówię, że na Pszenicznej już byłam, tylko dziękuję grzecznie i wychodzę. Z jednej strony czuję ulgę, że nie dowiedziałam się czegoś strasznego; że wyrok znów został odroczony. Z drugiej — przerażenie ściska mnie za gardło, bo wiem, że zostało mi tylko jedno miejsce. Jedyne, w którym mogę dowiedzieć się prawdy.

Zajrzę pod adres podany przez Yuno, a jeśli nie znajdę nic, co by dotyczyło Nadii, pojadę na Skałkę. Idę ku Granicznej, mijając po drodze zachodnią linię tramwajową. Nie biegnie równo z tamtą ulicą, ale na dłuższym odcinku nie są od siebie aż tak oddalone, by dojście od jednej do drugiej miało zająć więcej niż dwadzieścia minut. Całe miasto zresztą można przejść wszerz w jakieś trzy kwadranse, podczas gdy droga z południowych krańców do morza zajęłaby trzy razy tyle.

W końcu tam docieram. Graniczna to dość szeroka ulica, przy której znajduje się ostatni kwartał domów przed lasem oddzielającym miasto od dawnego lotniska. Idę na północ. Zaniedbane, lecz wciąż noszące ślady dawnego piękna wille z czasem ustępują miejsca kamienicom — równie stylowym i równie zaniedbanym, choć w porównaniu z tym, co zastałam nad morzem, dzielnica wydaje się całkiem przyzwoita. Mijający mnie ludzie popatrują nieufnie, lecz nie wyglądają na groźnych — jedynie na zmęczonych i pozbawionych nadziei.

Zapada zmierzch. Gdzieniegdzie na krawężnikach, barierkach lub nielicznych ławkach rozsiadły się grupki młodzieży. Palą, popijają coś. Staram się patrzeć prosto przed siebie, by ich nie prowokować, ale w pewnym momencie moją uwagę przykuwa dziewczyna siedząca na krawężniku z dwoma chłopakami. Przez sekundę czuję się wyrwana z tego miejsca, wrzucona z powrotem do celi.

— Czego?

Uświadamiam sobie, że gapię się na nią.

— Sorry. Przypominasz mi kogoś.

Jest bardzo podobna do Ani. Tylko włosy ma obcięte na jeża, jakby to ona była więźniarką. Do tego kolczyk w jednym uchu i glany.

— Niby kogo?

— Może masz siostrę? Ania, piętnaście lat…

Dziewczyna uśmiecha się krzywo i popija z butelki półprzezroczysty płyn. Podaje mi flaszkę. Biorę ją i ostrożnie pociągam łyczek. Nie mam pojęcia, co to takiego, ale jest mocne i wstrętne.

— Moja siostra nie żyje. Miała na imię Ada.

— Przykro mi. — Oddaję butelkę. — Helena. — Wyciągam rękę.

— Pati.

— Kosma — przedstawia mi się szczupły blondyn z długimi włosami, który obejmuje ją ramieniem. — A to Mechu. — Wskazuje drugiego, ciemnowłosego, który najwyraźniej zapadł w letarg.

Nagle na ulicy rozlegają się ostrzegawcze krzyki. Kilkoro małolatów przebiega obok i wpada w boczną uliczkę.

— Ochrona! — Kosma i Pati zrywają się z krawężnika. — Mechu, wstawaj! — Kosma szarpie kumpla za ramię, próbuje go podnieść, ale ten jest tak pijany, że nie reaguje.

Tymczasem zbliża się do nas para w niebieskich koszulach z naszywkami „OCHRONA OSIEDLA PRZYLESIE". Za pas mają zatknięte policyjne pałki. Kosma i Pati rozpaczliwie usiłują podnieść Mecha, a ja nie mogę się zdecydować, czy wiać, czy zostać.

— Dokumenty!

Facet jest barczysty i źle mu z oczu patrzy, kobieta też dobrze zbudowana, z twarzą buldoga. Drżącą ręką sięgam do kieszeni i wyjmuję portfel, a z niego przepustkę.

— A, w pierdlu siedzimy. — Facet uśmiecha się od ucha do ucha, jakby to było coś wesołego. Potem poważnieje i patrzy na mnie groźnie. — Zjeżdżaj stąd. To porządna dzielnica.

Wyciągam rękę po przepustkę. Ochroniarz spogląda mi kpiąco w oczy i robi gest, jakby chciał ją podrzeć, ale w końcu oddaje mi ją.

— Wstawać i pokazywać papiery! — wrzeszczy kobieta do pozostałej trójki.

Pati i Kosma puszczają Mecha i prostują się. Kosma wyjmuje z tylnej kieszeni spodni jakiś dokument. Gestem głowy daje dziewczynie znak, żeby uciekała. Nigdy się nie dowiem, czy zamierzała to zrobić, bo ochroniarz uderza chłopaka pałką w głowę. Ten chwieje się i przewraca, rozgniatając tyłkiem butelkę. Papier wypada mu z rąk.

— Zostawcie go!!! — wrzeszczy dziewczyna.

Odruchowo odgradzam ją od tamtych dwojga, zasłaniając własnym ciałem. Chyba dlatego, że tak bardzo przypomina mi Anię.

— To moja siostra — mówię szybko. — Mieszka w tym domu. — Wskazuję kamienicę, przed którą stoimy. Przy okazji zauważam, że z ulicy zniknęli wszyscy przechodnie. — Bez obaw, nie będę tu spać. Mam lokum gdzie indziej. — Patrzę ochroniarce w oczy. Moja zdolność perswazji chyba działa, bo kobieta po chwili odwraca się bez słowa i podchodzi do Mecha, który zbudził się i wodzi wokół pijackim spojrzeniem.

— Wstawaj! — Kopie go.

Mechu nawet nie próbuje się ruszyć, więc ochroniarze szarpnięciem podnoszą go z krawężnika.

— Spierdalać do chaty — mówi ochroniarz. — A tego ochlapusa już my otrzeźwimy.

Kosma zdołał się podnieść i stoi oparty o mur. Spodnie ma rozdarte i broczy krwią. Po chodniku walają się odłamki szkła, a w powietrzu czuć woń mocnego alkoholu. Ochroniarze wloką Mecha po ulicy jak worek ziemniaków.

— Chuje! — wrzeszczy Pati, gdy są już dość daleko. — Jak on nie wróci, to nie żyjecie!

Podnoszę dokument, który pokazywał im Kosma, i podaję mu.

— Co to za jedni?

— Gangsterzy pierdoleni — mówi Pati. — Rządzą tą dzielnicą. Jak tu nie mieszkasz, to won. Jak im się nie spodobasz, to znikasz.

— Pozwalacie na to?

Kosma wzrusza ramionami.

— Menele z lotniska robili naloty na dzielnicę. Napadali, okradali, parę razy kogoś zabili. Wtedy zgłosiła się ta banda i powiedziała, że będzie nas bronić. A ludzie się zgodzili.

— Jesteś ranny — mówię. — Macie tu jakiegoś lekarza?

— Pati mnie opatrzy. — Mruga do niej. — A tak w ogóle to dzięki za pomoc. Mój stary też siedzi w zakładzie.

— W Bestacie? — pytam.

Kręci głową.

— Tu, na Głuszkowie. Do Bestatu już dawno nie wożą.

— Mogę wam jakoś pomóc? Spróbujemy się dowiedzieć, co zrobili z Mechem?

— Daj spokój — mówi Pati. — Jeszcze nam wpierdolą. Nic mu nie będzie. Spałują go i wróci.

Ale nie słyszę w jej głosie pewności.

— Odprowadzić was? Kosma, dasz radę iść?

Chłopak kiwa głową. Na policzku ma czerwoną pręgę.

— Masz gdzie spać? — pyta nagle Pati.

Mogłabym u nich przenocować, ale jestem zbyt niecierpliwa. Jeśli wszystko inne zawiedzie, wrócę i spróbuję ich odszukać.

— Tak. Na razie.

Patrzę, jak wchodzą do pobliskiej kamienicy. Kosma kuleje, niższa o głowę Pati obejmuje go w pasie.

Odchodzę na północ. Ulica na nowo zapełnia się ludźmi, którzy zniknęli na widok ochroniarzy. Mijam coraz mniej białych, coraz więcej Wapończyków. Znam ich już dostatecznie, by zauważać, że mimo pozornie kamiennych twarzy zerkają na mnie z zaciekawieniem. Gdy docieram na miejsce, jest już ciemno. To dobrze utrzymana kamienica. Na bramie jest domofon. Dzwonię pod piątkę, ale nic się nie dzieje. Dzwonka nie słychać, a na domofonie nie pali się żadne światełko. Może prąd nie dochodzi? Napieram na furtkę, a ona otwiera się bez oporu. Przechodzę przez podwórze i otwieram główne drzwi. Na parterze są dwa mieszkania. Wchodzę po schodach i dwa piętra wyżej staję przed piątką.

Na drzwiach widnieje tabliczka z wapońskimi znakami. Dzwonię. Znów bezskutecznie. Naciskam klamkę — zamknięte. W końcu zaglądam pod wycieraczkę, bo nagle mi się przypomina, że na wsi czasem zostawiano tam klucz. Nie do wiary! Jest! Płaski, malutki, doskonale pasujący do jedynego zamkniętego zamka. Dziw bierze, że nawet w mieście ludzie pozwalają sobie na takie ryzyko. Może to dlatego, że Wapończycy nie kradną.

Wchodzę do środka. Mieszkanko jest małe, składa się z jednego pokoju, niewielkiego nawet w porównaniu z więziennymi celami, równie małej kuchni i łazienki. Wszystko ładnie zrobione — na podłodze płytki, na ścianach tapety, łazienka wykafelkowana. Jednak od razu widać, że nikt tu nie mieszka. Łóżko zasłane kapą, bez pościeli. Meble puste, choć niezbyt zakurzone, jakby ktoś co parę dni przychodził i sprzątał. Mam nadzieję, że nie przyjdzie akurat teraz.

Pod ścianą stoją jakieś kufry. Próbuję unieść wieko jednego z nich, ale okazuje się zamknięty. Oprócz nich, łóżka i pustego segmentu jest tu tylko biurko z krzesłem oraz wygodny fotel. Wyobrażam sobie, że mieszkaniec tego pokoju często na nim siadywał i oddawał się rozmyślaniom. Ja też to robię, rozsiadając się wygodnie i przypominając sobie mgliście, że już kiedyś w życiu siadywałam w fotelach.

Odkąd znalazłam się za murami, przypomina mi się więcej z dawnego życia, choć nie mogę być pewna, czy to rzeczywiste wspomnienia, czy projekcje. Wszystko jedno zresztą. Gdy już się dowiem, co z Nadią, pojadę do Drugiego Równika i spróbuję odnaleźć ludzi, którzy mnie pamiętają.

Rzeczywiste wspomnienia czy projekcje… Będąc w zakładzie, w ogóle nie potrafiłam sobie zwizualizować miasta.

Z dachu zobaczyłam je jako lekko pofalowany pas światła, raz silniejszego, raz słabszego. Szerszy pośrodku, węższy na krańcach. Odpowiadało to pewnej ogólnej wiedzy, którą miałam o stolicy. Gdy jednak zamykałam oczy, nie widziałam ulic, budynków, ludzi. Od chwili zejścia do miasta już kilkakrotnie nawiedziło mnie uczucie, że kiedyś tu byłam, szłam tą ulicą, widziałam to osiedle...

Planowałam jechać na Skałkę i wrócić tu na noc, ale ogarnia mnie takie znużenie, że usadowiona w fotelu, z podkurczonymi nogami, tylko na chwilę przymykam oczy, a gdy je otwieram, zegar na ścianie wskazuje prawie północ. Wstaję i idę do łazienki, a potem kręcę się nerwowo po mieszkaniu, nie wiedząc, co robić. Nie ma sensu jechać w nocy na Skałkę, nie wpuszczą mnie; zresztą o tej porze tramwaj pewnie nie kursuje albo kursuje raz na ruski rok. Z drugiej strony, nie mogę znieść myśli, że będę musiała czekać jeszcze tyle godzin.

Zaglądam do kuchni. W szafkach nie ma nic do jedzenia, ale na blacie stoi czajnik na prąd. Gotuję wodę. W mieszkaniu nie jest zbyt ciepło, a poza tym nie wiadomo, czy kranówka jest zdatna do picia.

Czy to mieszkanie należało do kogoś z rodziny Yuno? Kogoś, kto wyprowadził się tak niedawno, że nie zabrał jeszcze mebli? A może wcale się nie wyprowadził, tylko... Nagle w jednym przeszywającym mózg błysku pojmuję wszystko. Ten sam sterylny wystrój, podobne meble, ta sama atmosfera chłodnej surowości.

Boże! Ona wpuściła mnie do mieszkania Durum! Ciarki chodzą mi po plecach. A więc tu żyła. Tu wracała każdego dnia po pracy, tu spędzała samotne wieczory, samotne noce. Kto wie, może nawet przyszła tu, gdy uciekła ze szpitala. Zanim wyruszyła w morze, by połączyć się z córką.

Teraz już zupełnie nie mogę znaleźć sobie miejsca. Wyjmuję mapę i dokładnie wyznaczam trasę do Skałki. Większość mogę przejechać tramwajem. Znów czuję głód, więc kładę się i rozpaczliwie próbuję zasnąć, by dotrwać do świtu. Jestem przerażona wielkodusznością Yuno. Gdyby ktoś się dowiedział, że wpuściła więźniarkę do mieszkania swojej poprzedniczki, musiałaby się pożegnać z funkcją. Oczywiście robiłabym wszystko, by ją ochronić. Zarzekałabym się, że się włamałam, ale jak wytłumaczyć, skąd wzięłam adres? Dlaczego aż tak mi zaufała? Czy nie prościej byłoby podać adres Nadii? Tak, wiem, że to nielegalne, ale z tych dwóch nielegalnych rzeczy ta wydawała mi się mniej niebezpieczna. Tyle że... klucz do mieszkania Nadii zapewne nie leżał pod wycieraczką. Poza tym nie wiadomo, czy mieszka sama.

Wpuszczając mnie do mieszkania Durum, Yuno chciała dać mi dach nad głową, ochronić przed zagrożeniami płynącymi ze spędzania nocy na ulicach Arkadii. To jeszcze dobitniej niż wszystkie dotychczasowe gesty pokazuje, że nie jestem dla niej zwykłą więźniarką.

Ani dla niej, ani dla innych. Nie byłam nią także dla Durum.

Nie mam sposobu, by spełnić ich oczekiwania. Jeśli wrócę do zakładu, Yuno będzie musiała mnie przeciągnąć przez ciemnię, a wtedy wszystko zacznie się od nowa. Jeśli nie wrócę, narobię jej nieprzyjemności, zresztą i tak pewnie w końcu mnie tam przywloką. Chyba że nie dam się schwytać żywcem. A nawet gdybym miała wrócić i jakimś cudem, wbrew wszelkim przepisom zachować pamięć albo gdybym w ogóle nie wyszła na tę przepustkę, i tak jestem tylko zwykłą dziewczyną, która może i ma więcej empatii niż inne, ale doprowadzona do rozpaczy, potrafi zabić.

Czego właściwie się po mnie spodziewają? Mam zbawić świat poprzez zbawienie naszego zakładu, rozpocząć aksamitną rewolucję, która wyleje się za więzienne mury? Bez przesady. Chodzi im tylko o to, by uratować wzorcową placówkę. Pokazać, że resocjalizacja na ich warunkach jest możliwa. Dlatego Yuno obdarzyła mnie takim zaufaniem. Tymczasem ja już kilka godzin po wyjściu groziłam śmiercią bezbronnej lekarce.

Kilkakrotnie zapadam w płytki sen, z którego budzi mnie lęk. Nie wiem, czy boję się o Nadię, o siebie czy o to, że wszystkich zawiodę. Czuję się jak zamknięta w bańce mydlanej, z której nie potrafię się wydostać, a zarazem wiem, że jeśli pozostanę tu trochę dłużej, zabraknie mi tlenu.

Wreszcie zaczyna świtać. Zwlekam się z łóżka, idę do łazienki, próbuję się doprowadzić do stanu używalności. Wkładam buty, biorę plecak. Jeszcze raz obchodzę mieszkanie, patrzę, czy nie narobiłam bałaganu. Przystaję w drzwiach, by symbolicznie pożegnać się z Durum. Być może wrócę tu na kolejną noc, ale wolałabym być już w drodze do mojej wioski.

Zastanawiam się, co zrobić z kluczem. W końcu zostawiam go pod wycieraczką. To wapońska dzielnica.

*

Na Skałkę docieram około południa. Nad wejściem do dużego budynku z szarej płyty widnieje szyld: „SZPITAL SŁUŻB MUNDUROWYCH". Cholera. Gdybym to wiedziała, zaczęłabym tutaj. Szukam onkologii. Znowu odbijam się od szklanych drzwi i znowu czekam, aż ktoś mnie wpuści. Tym razem trafiam na wapońską lekarkę. Biorę głęboki oddech i pytam o Nadię. Jestem już doświadczona, więc od razu serwuję ściemę z kuzynką i legitymuję się przepustką, która tłumaczy zapomnienie nazwiska. W wewnętrznej kieszeni kurtki wciąż mam nóż do papieru, ale obiecuję sobie, że go nie użyję.

— Pani jest jej wychowanką? — pyta Waponka, a mnie na moment staje serce. Przez chwilę nie mogę wykrztusić słowa. Nadia tu jest; ta kobieta wie, że pracuje w więzieniu. Wie, że nie mam prawa jej odwiedzać ani pytać o nią. A jednak zadane wprost pytanie daje mi nadzieję, że czegoś się dowiem. Potrafię jedynie kiwnąć głową. Lekarka zaprasza mnie do dyżurki.

— Nie jest pani z rodziny — mówi, ale nie słyszę w jej głosie oskarżenia — więc nie mogę powiedzieć nic ponad to, że operowano ją wczoraj i czeka ją długa terapia.

— Ale wyzdrowieje?

Rozkłada ręce.

— W przypadku tej choroby możliwy jest każdy scenariusz.

Informacje docierają do mnie w dziwny sposób: najpierw płyną powoli przez mgłę, a potem wpadają na siebie, wywołując w jednej sekundzie euforię i strach. Nadia żyje. Jest dobrze. Ale może być źle. Stoję tak i stoję, aż w końcu lekarka wzdycha i mówi:.

— Nowotwór zajął trzy węzły chłonne. To zwiększa ryzyko nawrotu. Będzie musiała przejść chemioterapię, być może także hormonoterapię.

Nic z tego nie rozumiem i z każdym kolejnym trudnym słowem boję się bardziej.

— To standardowe procedury — dodaje Waponka. — Chodzi o to, żeby ograniczyć do minimum ryzyko nawrotu choroby. Na szczęście przy tak niewielkiej liczbie zajętych węzłów istnieje duża szansa na całkowite wyleczenie. Terapia nie jest jednak przyjemna i trochę trwa.

— Ile?

— Kilka miesięcy. Hormonoterapia to dłuższy proces, ale polega jedynie na braniu leków.

— To znaczy, że będzie mogła wrócić do pracy?

Cholera. Waponka jest już wyraźnie zniecierpliwiona.

— Nie wiem. Służba więzienna ma swoje procedury.

Kiwam głową.

— Czemu nie w poniedziałek? — pytam.

Lekarka unosi brwi.

— Mieli ją operować w poniedziałek… tak słyszałam.

— Widać coś się przesunęło. Ludzie myślą, że skoro to rządowy szpital, musi funkcjonować jak w zegarku. A nas dotykają te same bolączki, co wszystkich. Awarie sprzętu, brak części, problem z zaopatrzeniem, zbyt mało rąk do pracy.

Więc to jakiś drobiazg wszystko zmienił. Dlatego nie przesłała Yuno żadnej wieści. Kiedy szukałam jej wczoraj po innych szpitalach, ją tu kroili.

Zaczynam coś mówić i muszę odchrząknąć, bo głos uwiązł mi w gardle.

— Czy ona tu teraz jest?

Lekarka wpatruje się we mnie surowo.

— Myślę, że już wystarczy tych informacji.

Znów myślę o nożu do papieru, ale szybko się opanowuję. Nadia żyje. Nie wolno mi robić głupot. Ponieważ jednak stoję tam i nie wyglądam na kogoś, kto w najbliższym czasie zamierza wyjść, lekarka dodaje:

— Pewnie śpi. Musi teraz dużo odpoczywać. Jest przy niej mąż.

Boli, ale trzymam ten ból na dystans. Wyć będę później. Powtarzam sobie jak mantrę to, co mówiła o mężczyznach. Że są ulegli. Zdradzają. Kobiety nie mają w nich oparcia.

— Do widzenia — mówię i wychodzę na korytarz. Już mam zamknąć za sobą szklane drzwi, gdy coś każe mi wrócić. — Przepraszam, że panią okłamałam.

Uśmiecha się po wapońsku, kurtuazyjnie.

— Przychodzi tu wielu zdesperowanych ludzi.

Kiwam głową i wychodzę. Siadam na korytarzu, za szklanymi drzwiami. Zaczekam tu na niego, choćbym miała tu sterczeć do wieczora. Nie mogę wyjść, nie zobaczywszy go.

Czekam długo, nie mogąc oderwać wzroku od oszklonych drzwi, które własnoręcznie zatrzasnęłam, odcinając sobie drogę do ciebie. Byłaś na wyciągnięcie ręki. Dzieliło nas kilka, może kilkanaście metrów; lekarka nie zdążyłaby mi przeszkodzić, gdybym pobiegła, zaglądając do sal, szukając cię. Tylko po co? Może zdążyłabym rzucić na ciebie okiem. Pewnie i tak śpisz. A jeśli nie, to tym gorzej. Zdenerwowałabyś się. Przecież nie wiesz, że wyszłam na przepustkę. A ja nie zdążyłabym ci nic wyjaśnić, bo Waponka już dzwoniłaby po ochronę.

Postąpiłam dobrze, choć tak potwornie mnie to boli. Nie mogę znieść myśli, że on siedzi przy tobie, dotyka cię...

W końcu z jednej z sal wychodzi jakiś facet i zmierza do szklanych drzwi. Pewnie idzie się odlać albo coś zjeść. Zaraz wróci i znowu będzie przy niej siedział. Wiem, że nie mogę zmarnować okazji.

Wygląda jak szarak z ulicy. Z twarzy podobny do nikogo, łysiejący na skroniach, niby nie gruby, ale też nie chudy. Spod swetra wystaje mu kołnierzyk koszuli, z jednej strony sterczący w górę. Idzie zamyślony, świata nie widzi.

— Przepraszam. — Obraca się, więc muszę kontynuować. — Pan jest mężem Nadii?

Gapi się na mnie jak cielę na malowane wrota.

— Jak ona się czuje? — Idę za ciosem. — Proszę odpowiedzieć i znikam.

— Pani jest jej kochanką? — pyta nagle.

Uśmiecham się krzywo. Nie, nie jestem kochanką, panie Jak-Panu-Tam. Jestem jej ukochaną, a to różnica.

— Podopieczną. Wyszłam właśnie z zakładu. — Tym razem lepiej udawać, że skończyła mi się kara. — Chciałam się dowiedzieć, co z nią. Byłam już w trzech szpitalach i w końcu udało mi się ją znaleźć.

— Nie chciałem, żeby tam pracowała — mówi facet.

— Ale mnie zwolnili, a tamta propozycja była najkorzystniejsza finansowo.

— Nadia kocha książki — odpowiadam. — A praca z przestępczyniami nie jest taka zła, jeśli nie trafi się na kogoś mocno stukniętego.

— Wiem, co się tam stało. To w każdej chwili może się powtórzyć. Ta cholerna Waponka...

Znów nóż otwiera mi się w kieszeni.

— Cholerna Waponka nie żyje — mówię oschle.

Facet chyba się reflektuje, bo przez chwilę milczy, a potem zmienia ton.

— Idę po kawę. Chcę jak najszybciej do niej wrócić. Możemy porozmawiać po drodze?

Schodzimy do bufetu, kupujemy kawę w plastikowych kubkach i siadamy. Powtarzam pytanie o stan zdrowia Nadii.

— Dziewczyno, nie będę z tobą gadał o naszych intymnych sprawach! Zoperowali ją, wycięli to cholerstwo. Czy to ci nie wystarcza?

Po raz kolejny chcę go zabić. Siedzi sobie przy niej cały dzień, a mnie nie wolno nawet rzucić na nią okiem. Zazdrość robi, co może, by odebrać mi rozum. Zaciskam pięści, do bólu wbijam paznokcie w skórę. Moje milczenie odnosi skutek. Facet chyba żałuje, że na mnie naskoczył.

— Jak się to wszystko zagoi, będzie miała protezę. Ale lekarze mówią, że po paru latach można zrekonstruować pierś.

Dziwne, ale zupełnie mnie to nie rusza. Mam przed oczami twoje nagie ciało, pamiętam, jak upajałam się każdym jego skrawkiem, smakowałam każdy centymetr skóry. Ale ciała się zmieniają. Straciłaś pierś? Co z tego? Chcę znów zobaczyć cię nagą i wiem, że będziesz dla mnie jeszcze piękniejsza. Tyle że to może już nigdy nie nastąpić.

— Zrobię wszystko, żeby nie wróciła do tej parszywej roboty — mówi facet. — To ją wykańcza. Ten stres. Dopiero teraz zrozumiałem, jak mi na niej zależy.

— A jeśli będzie chciała wrócić?

Facet ze złości omal nie wylewa kawy.

— To niech sobie idzie, do cholery! Zawsze była uparta. Ale mam nadzieję, że ta choroba wreszcie ją otrzeźwi.

Nie potrafię o nim myśleć jako o twoim mężu. O kimś, kto znał cię, sypiał z tobą na długo przede mną.

— Ważne, żeby ją pan wspierał — mówię i mimo nienawiści do niego jestem szczera. Skoro ja nie mogę przy niej być, niech chociaż on jej towarzyszy.

— W czym? W powrocie do pracy?

— Do zdrowia. Podobno w takich chorobach bardzo ważne jest nastawienie psychiczne.

— Już ty się nie bój. Zrobię, co będzie trzeba. A teraz muszę iść. — Wstaje, wyrzuca kubek do kosza i odchodzi, nie oglądając się na mnie.

Siedzę jeszcze przez chwilę, sącząc kawę, jakbym dzięki temu miała uzyskać odroczenie. Ale odroczenia nie będzie. Za chwilę zmiażdży mnie huragan emocji. Wybiegam, próbując przed nim uciec. Biegnę ulicą na północ, akurat jedzie tramwaj, więc wpadam do niego i wyjeżdżam z cywilizowanej części miasta. W środku jest coraz mniej ludzi. Niektórzy popatrują na mnie — może mam na twarzy wypisane szaleństwo, a może po prostu chcą mnie zabić lub okraść. Kij im w oko. Dojeżdżam do pętli i biegnę przez zrujnowane osiedle w stronę morza.

Pudła, pudła, pudła. Na moich oczach samochód dowozi nowe. Robotnicy portowi ustawiają je w stosy, by później przebierać i wyrzucać, póki statek nie przypłynie. Biegnę na zachód, zostawiając za sobą port. Dalej jest zabezpieczona barierą skarpa, o którą kilkanaście metrów niżej rozbijają się powolne jak rtęć fale. Niczym majestatyczny zegar, którego nie da się ani przyspieszyć, ani zatrzymać. Nie wiadomo, kiedy po ciebie sięgnie, ale gdy już to zrobi, nie masz nic do powiedzenia.

Znajduję schody prowadzące na małą plażę i zbiegam po nich, omal nie spadając i nie skręcając sobie karku. Karawana fal liże mi stopy. Stoję jak w transie, wpatrzona w ich powolny pochód. Zazdrość wypala mi wnętrzności. Krzyczę na siebie, że powinnam być szczęśliwa, bo Nadia żyje. Ale nie potrafię. Nie mogę znieść myśli, że on uzurpuje sobie prawo do niej. Chcę jej dotykać, chcę całować bliznę. Myśl o tym sprawia mi fizyczny ból, przygryzam wargi do krwi, by go znieść. Stoję tam i stoję, smagana wiatrem, aż dłonie kostnieją mi z zimna. Karawana fal szepcze do mnie, chce mnie unieść ze sobą. Słyszę głos Durum i wiem, że przygarnie mnie po drugiej stronie.

Nie wiem, ile czasu spędzam na tej plaży, zawieszona pomiędzy życiem a śmiercią. Nie chcę zbawiać świata, nie chcę zbawiać nawet siebie. Chcę wyć. To jedyne ukojenie, jakie mi pozostało. Jestem zła, zła do szpiku kości. Nie udźwignę ani grama dobra. Zdrapuję z siebie łuski empatii, by stanąć nago naprzeciw fal. Tylko tak mogę przetrwać. Tylko bez tego balastu, odarta z cudzych wyobrażeń na swój temat, doczekam kresu potwornej nocy.

Nadludzkim wysiłkiem odwracam się od morza i wchodzę po schodach. Każdy krok jest walką, z każdym czuję się starsza, bardziej pomarszczona. Jeśli dotrę na górę, to chyba jako staruszka. Myślę o bruzdach na twarzy Durum, o historii, w którą się układały. Chciałabym jeszcze raz ją zobaczyć i odczytać jak cenny pergamin, na którym spisano epopeję z umarłego świata.

Na tle nieba odcinają się kształty piętrzących się w porcie pudeł. Nagle przychodzi mi do głowy, że cały świat składa się z takich pudeł, włożonych jedno w drugie. Nasze więzienie — mniejsze pudło, Arkadia — większe, morze — kolejne. Trzy pudła, trzy wtajemniczenia. I za każdym razem dowiadujesz się, że zrobiłaś tylko niewielki krok naprzód.

Mam ochotę biec do ciemni, wymazać się totalnie, żeby nie została we mnie ani krzta tej dziwnej właściwości, która każe ludziom mnie lubić, wierzyć we mnie. Chcę zatracić wszelką pamięć o Nadii, o tym, co do niej czułam, ale sił starcza mi jedynie na to, by się dowlec do portu, ukryć za znajomymi kartonami z nadrukiem „JABŁKA" i zapaść w niespokojny sen, przez który defiluje procesja najstraszliwiej radosnych wspomnień. Nadia. Nadia przytulająca mnie na dachu. Nadia w naszej celi, przycupnięta na łóżku Wioli. Nadia płacząca w bibliotece, wtulona we mnie jak dziecko. Nadia naga i piękna, bezbronna i tylko moja. Nadia, Nadia, Nadia. Wszystko jest Nadią.

Potem chyba zasypiam naprawdę, a kiedy się budzę, jest głęboka, lodowata noc. Przytulam się do kartonów, ale to nic nie daje. W pobliżu pewnie kręcą się ochroniarze, lecz mimo to ryzykuję — ściągam ze sterty dwa kartony i odgradzam się nimi od wiejącego od morza wiatru. Po chwili ryzykuję jeszcze bardziej — zdzieram taśmę zamykającą jeden z kartonów i wyjmuję jabłko. Wiem, że jeśli mnie złapią, od razu odstawią z powrotem do zakładu z nowym oskarżeniem, nawet jeśli za parę godzin ten karton miałby wylądować w morzu. W tej chwili jednak mam to gdzieś. Od rana nic nie jadłam.

Dwa jabłka później znów układam się na ziemi, by spróbować dotrwać do świtu. Jestem tak zziębnięta, że mam ochotę wstać i iść dokądkolwiek, a jednocześnie tchórzę przed wystawieniem się na działanie wiatru, któremu kartony uniemożliwiają dostęp. Za to od ziemi ciągnie potworny ziąb. W końcu nie wytrzymuję i wychylam się ze swego legowiska. Ktoś kręci się w oddali. Może mnie nie zauważy, a może zastrzeli. Przemykam za kartonami, wpakowawszy uprzednio do plecaka kilka jabłek. Dalej stoją drewniane skrzynie, a za nimi rozciąga się wielki kawał zagraconej przestrzeni, na którym tylko gdzieniegdzie wznoszą się jakieś budy. Biegnę. W zasadzie to nie chcę zostać zastrzelona, bo mam jeszcze coś do zrobienia na tym świecie. Muszę dotrzeć do swojej wsi, dowiedzieć się czegoś o sobie. Nikt za mną nie krzyczy, więc może się uda.

Zatrzymuję się za jakąś budą, by złapać oddech. Potem biegnę dalej, na zrujnowane osiedle. Wpadam do jednej z bram i natychmiast z niej wybiegam, ale zgromadzone w środku towarzystwo już się mną zainteresowało. Nie mam pojęcia, jak te zaćpane wraki chcą mnie dogonić, póki nie zaczynają gwizdać, a z innej bramy nie odpowiada im taki sam sygnał.

Rzucam plecak. Może się nim zadowolą. Przepustkę i portfel mam w kieszeni, a resztę niech diabli wezmą. Ważne, żeby mnie nie dopadli. Żal mi mapy. Nie wiem, jak bez niej wydostanę się z miasta. Mam też nadzieję, że notes od Yuno nie trafi w niepowołane ręce. Wbiegam w prześwit. Niektórzy pędzą za mną, ale odpuszczają, widząc, że reszta została w tyle. Wiem, że w kolejnych bramach może siedzieć jeszcze mnóstwo żuli, więc przemykam cicho wzdłuż bloków, próbując się zorientować, którędy mogę dotrzeć do tramwaju. Osiedla są zwodnicze, bo każdy budynek stoi tam pod innym kątem, więc zgubienie się to kwestia czasu. I to bardzo krótkiego.

W jednym z prześwitów muszę odpocząć, złapać oddech. Potem idę przed siebie zdecydowanym krokiem, jakbym doskonale znała te miejsca. Ktoś nadchodzi z przeciwka; serce mi wali, jakby zaraz miało wyskoczyć z piersi, ale nie mogę się cofnąć. To dwie dziewczyny. Mogą mieć po dwanaście, trzynaście lat. Zerkają na mnie, równie przestraszone jak ja.

*

Gdy w końcu znajduję tory, ledwo świta. Przypuszczam, że do przyjazdu pierwszego tramwaju pozostało jeszcze mnóstwo czasu, więc tak jak poprzedniego dnia idę wzdłuż torów. Mam nadzieję, że w stronę miasta, a nie z powrotem do portu. Chcę się oddalić od slumsów, które zapewne są pełne takich ćpunów, a może i gorszego elementu. To była młodzież, prawie dzieci. Bezdomni z konieczności czy z wyboru? Każde z nich ma inną historię, inną motywację. To osiedle jest strefą buforową między lądem a morzem, między życiem a śmiercią. Tu żyje się na krawędzi. Wiem, że te dzieciaki mogły mnie zabić, ale w jakiś sposób są mi bliskie. Co mogłam robić po przyjeździe do miasta? Gdzie mieszkałam? Czy miałam z czego żyć? Dlaczego moje wspomnienia z tego okresu są tak dokładnie wymazane?

Może dowiem się tego we wsi. A może nie.

Dwa przystanki dalej stoją jakieś kobiety. Wyglądają na robotnice jadące do pracy. Staję i czekam z nimi. Kręcą się i coraz bardziej niecierpliwie przytupują; pewnie tramwaj powinien już dawno nadjechać, a wciąż go nie ma. Wreszcie z porannej mgły wyłania się klekocząca maszyna, niestety, jedzie w złym kierunku. Musi jeszcze dotrzeć na pętlę i zawrócić, ale i tak wśród oczekujących wyczuwa się ulgę. Dziesięć minut później tramwaj wjeżdża na przystanek.

Kasuję bilet, znajduję wolne miejsce i dopiero wtedy mogę sobie pozwolić na odrobinę refleksji nad tym, co się wydarzyło w ciągu ostatnich godzin. Straciłam plecak. Nie mam mapy, która ułatwiała mi poruszanie się po mieście i miała pomóc w dotarciu do rodzinnej wsi. Nie mam notesu, ale to nieważne, bo adres domu Durum znam na pamięć. Nie mam ciuchów na przebranie. To też nieważne. Na wsi coś mi pożyczą, a jeśli tam nie dotrę, to już i tak wszystko mi jedno.

Nie mam szans załapać się na pociąg. Bilety są bardzo drogie, bo kolej służy gównie do przewozu towarów, a jazda nią to luksus dla prominentów. Na elektryczną taksówkę tym bardziej mnie nie stać. Z wcześniejszego studiowania mapy pamiętam, że gdzieś w południowej części centrum moja linia tramwajowa przecina się z tą zmierzającą na zachód. Po dłuższej jeździe istotnie dojeżdżamy do miejsca, w którym oba tory na moment się łączą, by po chwili rozdzielić się ponownie. Wysiadam wraz z wieloma innymi.

W kolejnym tramwaju kasuję bilet. Nikt ich nie sprawdza, ale skąd mam wiedzieć, czy któryś z pasażerów nie jest tajniakiem? Zostaje mi jeden. Może przyda się w drodze powrotnej. Może zachowam go sobie na pamiątkę. A może zużyję, by dojechać do morza, do przetaczających się niczym rtęć fal.

Bez mapy ciężko mi zdecydować, gdzie wysiąść. Nie chcę jechać na samą pętlę, więc podnoszę się na przystanku, na którym wysiada sporo osób. Dobrze, że dzień jest pogodny — jeśli nie dostanę nowej mapy, mogę wyznaczać kierunki za pomocą słońca. Na wszelki wypadek wchodzę jednak do kiosku i pytam o mapę Arkadii. Dziewczyna w pierwszej chwili myśli, że chodzi mi o miasto. Tłumaczę jej, że potrzebuję mapy całego kraju, a przynajmniej jego północno-zachodniej części.

— Plan miasta też się przyda — dodaję.

Sprzedawczyni grzebie pod ladą. Może być w moim wieku albo trochę młodsza. Włosy tlenione, ale uroda jakby... chłopska.

— Jedzie pani na wieś? — pyta, potwierdzając moje przypuszczenia.

Właściwie co mi szkodzi się przyznać. Wprawdzie jeszcze nie wiem, czy jadę, bo może idę, ale tego nie mam zamiaru jej mówić.

— Tak. W odwiedziny do domu.

Namyśla się chwilę.

— Mówiła pani, że północny zachód... Daleko? Bo ja też mam na wsi rodzinę i... dawno tam nie byłam, może... może zawiozłaby im pani coś ode mnie?

Kręcę głową.

— Dziewczyno — mówię. — Ja tam jadę na pożyczonym rowerze. Nie wiem, ile to potrwa. Gdzie ta twoja wieś? Szukamy Pstrokaczy na mapie, którą wyjęła spod lady. Leżą jakieś dwadzieścia kilometrów od stolicy, niemal na trasie do Drugiego Równika. Trzeba odbić od głównej drogi o jakieś pięć kilometrów.

— Słuchaj, mogę im zawieźć list — oznajmiam. Nic więcej. Zresztą i tak nie gwarantuję, że dam radę ani że doręczę go osobiście. Zależy mi na czasie, bo jutro muszę wrócić do miasta. Nie mam pojęcia, jak to zrobię. Mogę się zatrzymać na tym skrzyżowaniu. — Pokazuję na mapie miejsce, w którym droga na Pstrokacze odchodzi od głównej. — Zrobię sobie odpoczynek, poczekam, aż ktoś będzie jechał w tamtym kierunku, i dam mu list.

— No dobra — zgadza się dziewczyna. — Jeśli to będzie ktoś od nas, to na pewno przekaże. — Wzdycha. — Kwitnę tu siedem dni w tygodniu. A nawet jak czasem mam wolne, to jest zbyt wiele do zrobienia, żeby odwiedzić rodzinę. Ale martwię się o nich. Może też wpadną na jakiś pomysł, żeby mi dostarczyć list. Przynajmniej będą mieli nowy adres. — Wyrywa kartkę z zeszytu i zaczyna szybko bazgrać.

Niecierpliwię się. Chciałabym być już w drodze. Wiem jednak, że warto mieć w mieście kogoś znajomego. Kończy. Nie ma koperty, więc tylko skleja brzegi taśmą i pisze na zewnętrznej stronie nazwisko, nazwę wsi, numer domu.

— Jestem Helena. — Podaję jej rękę.

— Olga.

Chowam kartkę wraz z mapą do wewnętrznej kieszeni kurtki. Chcę zapłacić, ale Olga nie przyjmuje pieniędzy. Wiem, że będzie musiała je wyłożyć z własnej kieszeni.

— Jeśli mi się uda, wpadnę i powiem ci, jak mi poszło — mówię, choć wiem, że przyjdę do niej jedynie wtedy, je-

śli zdecyduję się nie wracać i będę potrzebowała pomocy.
— Lecę. Na razie.

Zapamiętuję nazwę ulicy i położenie kiosku, na wypadek gdyby ta poznana przypadkiem dziewczyna miała mi się kiedyś przydać. Oprócz mieszkania Durum jest moją jedyną kotwicą w tym mieście.

Głód wygrywa z pośpiechem. Jeśli mam dziś przebyć sześćdziesiąt kilometrów, a może więcej, muszę mieć siłę. Wpadam do baru mlecznego na kanapki i kawę i przez chwilę żyję tylko tą chwilą. Ciepło, smacznie, brzuch powoli się zapełnia. Może nasze więzienie naprawdę jest wzorcową placówką, bo nigdy nie cierpimy tam głodu, choć trudno powiedzieć, że karmią nas frykasami. Tu trzeba walczyć o każdy kęs. Jem te bułki wyłącznie dzięki pieniądzom, które przysługują wychowance wychodzącej na przepustkę. Inaczej musiałabym kraść albo znaleźć pracę jak Olga, a o to niełatwo. Przy żulach, którzy gonili mnie na osiedlu, Roksana wydaje się aniołkiem. Potem jednak przypominam sobie o Pauli i nie jestem już tego taka pewna. Zerkam na mapę. Jest nieco gorsza od tej, którą straciłam, ale i tak jestem szczęśliwa, że ją mam.

W końcu wychodzę. Rozglądam się w poszukiwaniu okazji do przestępstwa, które muszę popełnić. Muszę, bo to moja jedyna szansa. Nawet gdybym była w stanie pokonać pieszo tych sześćdziesiąt kilometrów, prawdopodobnie ktoś by mnie po drodze wylegitymował i stwierdził, że skończyła mi się przepustka.

Muszę ukraść rower.

Wiele osób się nimi porusza, ale pilnują ich jak oka w głowie, bo to nieodzowny środek transportu w miejsca, do których nie dojeżdża żadna z trzech linii tramwajowych. Trudno znaleźć taki, który nie byłby przypięty, o ile tylko nie stoi przy nim właściciel. W dodatku potrzebuję czasu, by zwiać, zanim ten się zorientuje. W końcu udaje mi się przyuważyć gościa, który zajeżdża pod jeden ze sklepów, zostawia rower przed drzwiami i wchodzi. Muszę działać szybko, bo wiem, że zaraz wyjdzie — pewnie wskoczył tylko po coś na śniadanie. Gdy widzę przez szybę, że jest do mnie odwrócony plecami, wsiadam na rower, naciskam na pedały i chwiejnie, bo nie mam pojęcia, kiedy ostatni raz jeździłam, oddalam się w kierunku najbliższej przecznicy, w której znikam. Dobrze, że z każdą chwilą umiejętność kierowania powraca, bo facet pewnie już mnie goni. Kluczę między uliczkami, mijając pieszych i innych rowerzystów, póki nie poczuję się pewnie. Oczywiście kompletnie zatraciłam się w tych uliczkach i nie mam zielonego pojęcia, jak wyjechać z miasta. Całe szczęście, że dostałam tę nową mapę. Pakuję się wraz z rowerem pod jakąś wiatę, wyjmuję mapę z kieszeni i szukam ulicy, na której jestem. Zboczyłam trochę na południe, ale to nic. Uczę się na pamięć trasy do rogatek i choć jeszcze ze dwa razy muszę przystanąć i spojrzeć na plan, już mi łatwiej, bo wyjechałam poza ścisły obręb miasta, gdzie jest mniej ludzi, a więcej ogrodów, pól i lasów.

Wydostaję się na drogę międzymiastową i wzdłuż torów kolejowych jadę przez zamożne wsie. To stąd pochodzi większość produktów rolnych spożywanych w Arkadii i eksportowanych do Bestatu. Tutejsi mieszkańcy żyją w godziwych warunkach, bo choć, jak wszyscy, muszą oddawać państwu haracz, odbijają to sobie na sprzedaży nadwyżek. Wiem, że im dalej od stolicy, tym będzie gorzej. Za torami ciągną się farmy wiatraków, które zaopatrują Arkadię w prąd. Gdyby nie one, bylibyśmy w głębokiej dupie. Na szczęście po tym, jak zmniejszyła się powierzchnia lądów, wiatry w naszym regionie świata przybrały na sile. To właśnie budowa farm była jednym z powodów przyjęcia przez Arkadię sporej liczby wapońskich uchodźców. Dopiero później nastąpił moment przesytu, w którym coraz większej liczbie rdzennych mieszkańców kraju zaczęła przeszkadzać ich kultura, wygląd i to, że zabierają nam miejsce na kurczącym się lądzie. Nowy rząd wziął Wapończyków pod ochronę, zarazem oficjalnie uznając ich za niższą kastę.

Wiem to wszystko, a o swoim życiu wciąż tak niewiele. Po wyjeździe z miasta z mojej podświadomości zaczęły się wyłaniać jakieś obrazy, ale nieskładne, poszatkowane. Widzę twarze. Rodzina, która nam pomagała. Jakiś chłopak. Adam? Jakaś kobieta. Matka? Widzę też wnętrze domu. Siedzimy przy skromnym śniadaniu, tamta rodzina i nas dwoje. Jest biednie, ale mam wrażenie, że życzliwości, jaką obdarzyli nas tamci ludzie, nie zaznam już nigdy w późniejszym życiu. W domu są dzieci. Na wsi rodzi się ich więcej niż w mieście.

Droga pozostawia wiele do życzenia. Im dalej od miasta, tym mniej w niej łat, a więcej dziur. Na szczęście jest pobocze, którym spokojnie da się jechać. Z rzadka mijają mnie wozy konne, rowerzyści, piesi, kilka aut. Dwa razy jedzie pociąg. Nim jeszcze dojechałam do drogi na Pstrokacze, jestem zmuszona zrobić przerwę, bo nienawykłe do jazdy nogi odmawiają mi posłuszeństwa. Jeśli wrócę do zakładu, muszę poruszyć kwestię aktywności sportowej. Chyba że specjalnie utrzymują nas w wątłej kondycji? Przypominam sobie, że żadnej kwestii nie poruszę, bo ciemnia wymaże mi pamięć o wszystkim, co myślę teraz.

W końcu widzę drogowskaz „Pstrokacze" i zatrzymuję się przy nim. Czekam za zakrętem na kogoś, kto będzie mógł zabrać list dla rodziców Olgi. Furmanką jedzie Waponka w średnim wieku. Przez chwilę się waham, myśląc o jej rodakach, którzy mnie wydali. Pamięć surowej życzliwości Yuno jest jednak świeższa i wyraźniejsza. Macham. Kobieta zatrzymuje konia.

— Jedzie pani może do Pstrokaczy? — pytam.

Kiwa głową. Wóz pełen przykrytego derką towaru. Pewnie wraca z siedziby gminy.

— Nie, nie trzeba mnie podwozić. Mam list do pewnej rodziny. — Wyjmuję go zza pazuchy i odczytuję nazwisko rodziców Olgi. — Zna ich pani? List jest od córki.

— Oczywiście. Może pani podjedzie? To niedaleko. Na pewno chcieliby posłuchać, jak się jej powodzi.

Rozkładam ręce.

— Słabo się znamy. Olga pracuje... — Reflektuję się w porę i nie kontynuuję. Nie wiem przecież, co im tam napisała. — Wszystko u niej w porządku. Jak będzie mogła, to na pewno przyjedzie. Ja się trochę spieszę, mam jeszcze do pokonania kawał drogi. Przekaże go pani? — Wyciągam do niej list, a ona schyla się i wyjmuje go z mojej ręki.

Żegnamy się. Patrzę, jak Waponka macha lejcami i koń rusza. Potem odjeżdżam.

Odjeżdżam, ale myślami wciąż jestem na tym skrzyżowaniu. Zastanawiam się, czy nie powinnam jednak odwiedzić rodziców Olgi. Mogłabym im powiedzieć, że jestem jej koleżanką. Ten list był dla mnie przepustką do normalnego świata, a ja wydałam go jakiejś Waponce, która diabli wiedzą co z nim zrobi. Co będzie, jeśli nie odnajdę w Drugim Równiku nikogo, kto chciałby ze mną gadać? Nawet nie będę miała gdzie przenocować.

Zapamiętałam nazwisko z listu. Zawsze mogę wrócić. Choć oczywiście nie wcześniej niż jutro.

*

Jedzie się coraz ciężej. Kilometry wydłużają się w nieskończoność. Z rzadka rozmieszczonych tabliczek dowiaduję się, że brakuje mi jeszcze dwudziestu, szesnastu, czternastu, trzynastu kilometrów. Gardło mam suche jak pieprz, więc kiedy widzę strumyk, zatrzymuję się, zostawiam rower na poboczu i na sztywnych jak u drewnianej kukły nogach schodzę nad wodę. Pod powierzchnią przemykają maleńkie rybki. Zastanawiam się, czy one w ogóle wiedzą, co się dzieje na świecie. Czy mają świadomość zachodzących zmian?

Woda jest lodowata, więc mimo pragnienia piję powoli, nabierając po trochu na dłoń i unosząc do ust. Teraz, gdy nie jestem w ruchu, robi mi się chłodno i przypominam sobie noc spędzoną wśród kartonów. Noc, która wydaje się tak odległa, jakby minęły od niej wieki, lecz nie staje się przez to mniej bolesna.

Trzeba jechać. Kiedy się przemieszczam, miasto blaknie. Tyle że nie mam nawet siły wsiąść na rower. Stoję na drżących nogach, czekając, aż ktoś będzie przejeżdżał.

Parę minut później furmanką jedzie jakiś chłopak. Może mieć ze dwadzieścia lat. Płowowłosy, trochę piegowaty, o sympatycznej twarzy.

— Podwieziesz do Drugiego Równika? Rower mi nawalił.

— Jasne. — Pociąga za lejce, zatrzymując konia, i zsiada, żeby pomóc mi wpakować rower na pusty wóz.

— Wracasz z miasta? — pytam.

— A coś ty. Z gminy. Odstawiłem towar i jadę z powrotem. — Popatruje na mnie z zaciekawieniem. — A ty?

Pewnie po ciuchach poznał, że jestem ze stolicy. Oni tu wszyscy inaczej się noszą.

— Odwiedzam stare kąty. Pochodzę stąd, ale nikt z mojej rodziny już tu nie mieszka.

Włazi z powrotem na wóz, macha lejcami. Koń rusza powoli.

— Co robisz w mieście?

— Pracuję — kłamię. — W kiosku — dodaję, myśląc o Oldze.

Chłopak zerka na mnie z zazdrością.

— Też bym chciał się stąd wyrwać, ale starzy nie puszczają. Mówią, że ktoś musi zostać na gospodarstwie, bo inaczej wszystko się posypie.

Kręcę głową.

— Nie ma się do czego wyrywać. Będziesz tyrał za grosze, ledwo na żarcie wystarczy. Jak dobrze pójdzie, raz w miesiącu dostaniesz dwa dni wolnego i będziesz mógł zapieprzać sześćdziesiąt kilometrów na pożyczonym rowerze. O ile w ogóle znajdziesz pracę.

— Hm. — Zastanawia się. — Może i tak, ale zawsze miasto to miasto. Zobaczysz tam rzeczy, których nie zobaczysz tutaj. No wiesz. Tu można uświerknąć z nudów.

— Wiem — kłamię znowu, bo niby skąd miałabym to pamiętać? Z jednej strony myślę, że więziennej nudy nic nie przebije; z drugiej — rozumiem chłopaka, bo choć sielski krajobraz rozpościerający się wokół mnie uspokaja, chyba nie chciałabym pozostać tu na zawsze. Kiedy już wyjedziesz na dłużej z rodzinnych stron, stajesz się włóczęgą, który nigdzie nie czuje się u siebie. Marzysz o powrocie, a kiedy marzenie się spełnia, odkrywasz, że tu też próżno szukać domu.

— Jak masz na imię? — pyta chłopak.

— Olga — kłamię po raz trzeci. Na wszelki wypadek.

— Fajnie — odpowiada i znów zerka. — Ja jestem Kamil.

Milkniemy. Rozglądam się. W oddali wzgórza porośnięte lasem, bliżej pola, sady i chałupy. Niektóre w dobrym stanie, inne w rozsypce. Pewnie ich właściciele wyjechali albo wkrótce wyjadą. Przeniosą się do miasta, a jak się nie powiedzie, to do Niderlandu. Albo... do morza.

— Słuchaj — mówi z wahaniem chłopak — dałabyś mi swój adres albo coś? No, wiesz, jakbym się jednak wyrwał do miasta, dobrze by było kogoś tam znać.

A niech go szlag.

— Nie mam adresu. Pomieszkuję to tu, to tam. Wiesz, jak to jest. — Potem przypominam sobie o mieszkaniu Durum. — Mogę ci podać adres pewnego miejsca, w którym nikt nie mieszka. Nocowałam tam kiedyś. Klucz jest pod wycieraczką, to znaczy był. Tylko najpierw zadzwoń i upewnij się, że nikogo nie ma. Udawaj domokrążcę czy coś. Nie wiem, jak długo ta meta będzie aktualna, ale to jedyne miejsce, jakie przychodzi mi do głowy — mówię. — Unikaj opuszczonych osiedli nad morzem, są niebezpieczne.

Kamil przytakuje i odczepia zatknięty za kieszeń koszuli długopis. Dyktuję mu adres, a on zapisuje go sobie na dłoni.

— Dzięki.

Zastanawiam się, co będzie, jeśli faktycznie przyjedzie, a Yuno nakryje go w mieszkaniu. Pewnie się przestraszy i wezwie policję.

— Tylko siedź jak mysz pod miotłą — dodaję — bo to wapońska dzielnica. Mieszkaniem opiekuje się jedna babka. Też Waponka. Wygląda surowo, ale ma dobre serce. Jeśli cię nakryje, powiedz jej prawdę. Może nie wezwie glin.

Myślę o notesie z adresem, który wpadł w ręce ćpunów, ale na szczęście oni rzadko zapuszczają się w lepsze dzielnice.

Wjeżdżamy do Drugiego Równika.

— Gdzie cię wysadzić? — pyta Kamil.

Rozglądam się, ale niczego nie poznaję.

— Wiesz, gdzie mieszka sołtys? Nikogo tu już nie mam. Może on mi powie, gdzie znaleźć nocleg.

— Jestem z sąsiedniej wsi — mówi. — Ale chyba gdzieś przy głównej drodze.

Jedziemy jeszcze kawałek i na jednym z domów widzimy czerwoną tabliczkę. Chłopak zatrzymuje konia i pomaga mi wytaszczyć rower.

— To na razie. A może przenocujesz u nas? — pyta po chwili. — To tylko parę kilometrów stąd. Starzy się ucieszą, że przyjechał ktoś z miasta. Mnie puścić nie chcą, ale wieści zawsze chętnie słuchają.

— Dzięki — odpowiadam. — Innym razem.

— Jak sobie chcesz. — Stawia rower na chodniku.

— Na razie.

Wsiada na wóz i odjeżdża powoli, oglądając się jeszcze ze trzy razy i machając do mnie przyjaźnie. Dzwonię do drzwi. Otwiera mi starsza kobieta.

— Dzień dobry. Może mnie pani zna, jestem Helena… — Podaję nazwisko, które widnieje na przepustce. — Mam dziurę w głowie, ale wiem, że urodziłam się w tej wsi i… i chyba tu mnie aresztowali.

Kobieta kiwa głową, ale nie wpuszcza mnie do środka.

— Uciekłaś?

Wyjmuję przepustkę.

— Kończy się jutro o dziesiątej. Nie zdążysz wrócić rowerem.

Wzruszam ramionami.

— To się spóźnię. Najwyżej dołożą mi kary. Pewnie i tak nigdy stamtąd nie wyjdę.

Mimo nieufności kobiety wyczuwam tę samą sympatię, którą żywi do mnie większość ludzi. Jestem pewna, że znała mnie wcześniej, bo ta sympatia nie rodzi się od razu.

— Pamiętam, że była taka rodzina — nalegam. — Pomagaliśmy im w pracach, a oni pozwalali nam u siebie mieszkać… Chciałabym ich odnaleźć.

— Mieli przez ciebie nieprzyjemności — mówi kobieta.

— Jak nie będą chcieli gadać, to trudno. Ale spróbuję.

Nagle ogarnia mnie potworne znużenie. Jestem całkiem sama, wykończona, z dala od wszystkiego, co znam, a ta baba próbuje mi powiedzieć, że nikt mnie tu nie chce. Przygryzam wargę. Chcę być z powrotem w zakładzie, z Wiolą, z Sonią. Z Yuno. Może kiedyś, choć nie śmiem o tym marzyć, także z Nadią.

— To dom numer dwanaście — mówi w końcu pani sołtys.

— Dzięki! — rzucam i prowadzę rower, bo nie mam siły na nim jechać.

Oby tylko mnie przyjęli. Oby pozwolili mi u siebie przenocować. Jestem tak wycieńczona, że wcale nie mam już ochoty słuchać o sobie. Tylko położyć się i spać, a rano wsiąść na rower i wrócić do swoich.

Koło domu kręcą się pies i dzieciak. Przystaję.

— Rodzice w domu?

— Mama! Mama! — rozdziera się dzieciak. Po chwili z domu wychodzi kobieta, a ja ją poznaję.

— Helena?

Pamiętam jej twarz. Pamiętam, jak siedzieliśmy przy stole, ona z mężem, dwójka dzieciaków, Adam i ja. Siedzieliśmy tak każdego ranka, a potem szliśmy do pracy w polu, w sadzie. Tłumaczę jej, że wykasowano mi pamięć. Że przyjechałam tu, żeby dowiedzieć się czegoś o sobie, ale teraz jest mi wszystko jedno i chcę tylko spać.

— Robert! — woła kobieta w głąb domu. — Robert! Helena przyjechała.

Wychodzi facet. Jego też znam. Po chwil wahania przygarnia mnie braterskim gestem. Jako ostatnia pojawia się nastoletnia dziewczyna. Ją trudno mi poznać; pewnie cztery miesiące temu wyglądała jeszcze całkiem inaczej. Wchodzimy do domu. Wnętrze powoli wyłania się z mroków pamięci, wszystkie wspomnienia wskakują na swoje miejsce. Stół stoi tam, gdzie zawsze.

— Na pewno jesteś głodna — mówi kobieta. — A może chcesz się najpierw umyć? Ja w tym czasie przygotuję kolację.

— Dobrze.

Dają mi ręcznik. Woda jest bieżąca, letnia. Obmywam się i robi mi się lepiej na ciele, choć na duszy wciąż podle. Przez chwilę rozważam wyjście w ręczniku, ale chyba nie wypada ze względu na faceta, więc ubieram się z powrotem w brudne ciuchy. Potem poproszę kobietę, żeby mi coś pożyczyła. Z przepraszającą miną siadam przy stole, mamrocząc coś o tym, że skradziono mi plecak.

— Zaraz ci dam jakieś ubranie — mówi kobieta. — Najpierw zjedzmy.

Są ziemniaki, warzywa i kurczak, a do nich kwaśne mleko. Przez chwilę pałaszuję zawzięcie, potem nagle stwierdzam, że mam dość.

— Przepraszam. Nic wam nie powiedziałam. Jestem na przepustce, do jutra. Miałam tyle pytań, ale ta podróż strasznie mnie zmęczyła.

Kobieta bierze mnie pod rękę, prowadzi do małego pokoiku, właściwie skrytki. Pełno tam gratów, które trzeba uprzątnąć, by dojść do łóżka. Grzebie w kufrze i wyciąga gruby koc.

— Noce są zimne. Zaczekaj chwilę, przyniosę ci piżamę i pościel.

Kładę się i nie wiem, czy zasnąć, czy umrzeć, ale nim zdążę zrobić jedno lub drugie, kobieta wraca z rzeczami.

— Zostawię cię — mówi.

— Wrócisz? — pytam jak dziecko, które chce, żeby matka opowiedziała mu bajkę na dobranoc. Myślę, że może być w wieku Nadii, lecz wygląda starzej. To pewnie przez tę harówkę w gospodarstwie. Kiwa głową.

— Za chwilę.

Przebieram się w świeżutką piżamę, ubieram poduszkę w powłoczkę i wsuwam się pod koc. Mam mętlik w głowie. Jestem szczęśliwa, że mnie tu przyjęli, że za chwilę zasnę. I nieszczęśliwa, bo tak bardzo samotna w tym obcym świecie, który kiedyś należał do mnie.

Kobieta wraca, siada na brzegu łóżka.

— Nie pamiętam twojego imienia — mówię i nagle zaczynam płakać.

A ona po prostu siedzi.

— Anna — słyszę w końcu.

Anna i Robert. No tak.

— Przepraszam — wykrztuszam przez łzy. — Ostatnio miałam za dużo wrażeń. — Patrzę na nią błagalnie. Nie chcę, żeby sobie poszła. — Więzienie wcale nie jest złe — mówię, gdy już trochę dochodzę do siebie. — Czasem dzieją się w nim straszne rzeczy, ale w mieście jest gorzej. Przynajmniej wtedy, gdy nie ma się domu ani nikogo bliskiego.

Anna przytakuje.

— W zakładzie nie podobały mi się dwie rzeczy — ciągnę. — Chciałam nawet walczyć o ich zmianę, ale teraz nie jestem już taka pewna, czy słusznie. Pierwsza rzecz to ciemnia. Taki pokój, przez który przechodzisz zaraz po przyjęciu do zakładu. Robią ci tam jakieś pranie mózgu. To wapońska technika. Nie rozumiem jej dokładnie, ale skutek jest taki, że tracisz większość wspomnień. Z grubsza zachowujesz wiedzę nabytą w szkole, pamiętasz świat, orientujesz się w historii, ale nie znasz swojego nazwiska ani swoich losów. Nie wiesz nawet, za co siedzisz. Czasem ciemnia zadziała na kogoś zbyt mocno i pozbawia go także uniwersalnych wspomnień. Taką osobę nazywają w więzieniu megacwelem. — Anna krzywi się na dźwięk tego słowa. — Mnie to nie spotkało. Ale z własnego życia pamiętam jedynie coś jakby obrazy ze snu: jest ze mną Adam, choć nie widzę jego twarzy, uciekamy, bo kogoś zabiliśmy i ściga nas policja. Uciekamy do was, bo już kiedyś u was pracowaliśmy i dobrze nas traktowaliście. Przyjmujecie nas znowu pod swój dach. Po jakimś czasie przestajemy się ukrywać i zaczynamy wychodzić na zewnątrz, pomagać wam w pracy. Mieszkańcy wsi niby nie chcą nic wiedzieć, ale zachowują się, jakby nie wierzyli, że kogoś zabiliśmy, chociaż my wiemy, że tak było. Potem jacyś Wapończycy donoszą do gminy i wszystko się kończy.

Anna długo milczy.

— Po co odbierają wam pamięć? — pyta wreszcie.

— Żebyśmy przestały być zbrodniarkami i narodziły się na nowo. Nazywają to czyszczeniem. Buntowałam się przeciwko temu. Częściowo nadal się buntuję, bo wiem, że jutro, po powrocie z przepustki znów mi to zrobią i będę musiała na nowo budować swój świat za kratami, poznawać układy, które już znałam, zawierać sojusze, które już raz zawarłam. Poza tym nie wierzę w resocjalizację kogoś, kto nie pamięta swojej zbrodni. Możesz próbować ulepić nowego człowieka, ale pewne instynkty wciąż w nim tkwią, a im mniej pamięta, tym bardziej jest wobec nich bezradny.

Anna w zamyśleniu podpiera ręką brodę.

— Dlaczego powiedziałaś, że buntujesz się tylko częściowo?

— Bo są rzeczy, o których chcę zapomnieć. Jest coś, co sprawia mi taki ból, że gdybym tylko miała odwagę, zabiłabym się.

— Szkoda, że nie masz więcej czasu — mówi Anna. — Zagoniłabym cię do roboty, toby ci te głupie myśli wywietrzały z głowy.

Szczerzę się do niej i od razu robi mi się lżej na sercu.

— Szkoda — przyznaję. — Popracowałabym w polu, zamiast robić pudła, które potem gniją w porcie. — Za późno gryzę się w język, ale na szczęście Anna nie zwraca uwagi na moje słowa.

— Mamaaa! — dobiega z korytarza. Kobieta natychmiast się podnosi.

— Zaraz wracam.

Smutno mi, bo nie jest moją matką ani nawet siostrą. Jestem niemal pewna, że moja matka nie żyje, ale chcę się czegoś o niej dowiedzieć. Postanawiam, że zapytam o to, gdy tylko Anna wróci. Niestety, ona pierwsza zadaje pytanie:

— Jaka była ta druga rzecz, przeciwko której się buntowałaś?

Muszę się wysilić, żeby sobie przypomnieć, bo moje myśli pobiegły już innym torem.

— Nie znamy wyroków. Nie wiemy, kiedy i czy w ogóle opuścimy więzienie. Pewnego dnia po prostu po nas przychodzą i wyrzucają na wolność. Nie mamy okazji się pożegnać, a jeśli ktoś czeka na nas za murami więzienia, nie przyjedzie po nas, bo też nie wie, że kończymy odsiadkę. Ja jestem tylko na przepustce, ale musiałam popełnić kilka przestępstw, żeby tu dotrzeć. Z dziewczynami, które wychodzą, może być podobnie. Jeśli zostaną złapane, nie zdążą nawet wrócić do rodziny. Nie pamiętam wprawdzie, żeby któraś zameldowała się w zakładzie ponownie, ale przecież jestem tam dopiero kilka miesięcy. Zresztą za recydywę mogą trafić do gorszej placówki, do Wracisławia.

— I przeciwko temu też się już nie buntujesz?

Wzruszam ramionami.

— Przez te trzy dni uświadomiłam sobie, w jakim stopniu zakład stał się moim domem. Gdybym wiedziała, że wyjdę jutro, za miesiąc czy za dwa lata, albo kiedy odejdzie przyjaciółka z celi... zamiast żyć z dnia na dzień i poważnie traktować więzienną rzeczywistość, planowałabym przyszłość, przygotowywała się do życia na wolności. A przecież nie wiadomo, kiedy może przyjść fala i zmyć nas wszystkich. Trzeba się cieszyć każdym dniem, brać od życia to, co nam oferuje. I właśnie dlatego — kontynuuję, nim Anna zdąży coś powiedzieć — chciałabym się dowiedzieć czegoś o swojej przeszłości, choć jutro i tak mi to zabiorą. Chcę choć przez kilka godzin nacieszyć się wiedzą o tym, kim jestem, skąd się wzięłam, co zrobiłam. No dobrze — reflektuję się — to ostatnie pewnie mnie zbytnio nie ucieszy, ale skoro to tylko na parę godzin, to wytrzymam.

Anna kładzie mi rękę na ramieniu. Niby drobny gest, a serce zaraz zaczyna mi walić jak młotem i znów pojawia się tęsknota za matką.

— Już późno — mówi przepraszająco. — Muszę położyć Maćka spać. Ty też jesteś zmęczona, a to, o co pytasz, to długa historia. Odłóżmy ją do rana. Wiem, że przez to będziesz miała jeszcze mniej czasu, ale i tak musisz się przespać. Przecież widzę, że oczy ci się kleją.

I jak tu okazać rozczarowanie komuś, kto jest dla mnie taki dobry? Muszę się z tym pogodzić, zaczekać do rana. Choć wiem, że będzie ciężko.

— Jasne. Przepraszam za kłopot. Dzięki, że przy mnie posiedziałaś.

Rozkłada ręce, jakby chciała powiedzieć: „Jeśli nie ja, to kto?".

— Dobranoc. Gdybyś czegoś potrzebowała, to zawołaj.

— Dzięki, dam sobie radę. Dobranoc.

Mimo mętliku w głowie zasypiam szybko. Ale gdy się budzę, jest jeszcze ciemno. I wtedy dopadają mnie demony.

MATKA

Przez moją głowę niczym rtęciowe fale przetacza się wszystko, co najstraszniejsze. Widzę siebie grożącą lekarce nożem do papieru, gotową po raz kolejny popełnić zbrodnię, choć Yuno obdarzyła mnie niewyobrażalnym zaufaniem. Widzę Durum stojącą nad ciałem córki, Durum zarzynającą Paulę. Siebie w mieszkaniu Durum — przedsionku śmierci, ostatnim przystanku dla tych, które nie mają już czego szukać na tym świecie. Ale ja miałam misję. Musiałam zostać. Moją misją byłaś ty, Nadiu. Dopóki cię szukałam, dopóki pragnęłam się dowiedzieć, co z tobą, trzymałam pustkę na dystans. Później rozpełzła się po mnie tak szybko, że nie było czego ratować. Od chwili spotkania z twoim mężem stałam się trupem. Ty zdrowiałaś, a mnie toczył robak. Tym robakiem była mordercza zazdrość. Bolesna świadomość, że mogę cię już nigdy nie zobaczyć. Co mi z tego, że żyjesz gdzieś za murem? To tak jakbyś żyła w mitycznym niebie, kiedy ja jestem skazana na wieczny czyściec.

Nagle przychodzi mi do głowy, że nie powinnam wracać. Skradnę komuś papiery i spróbuję przeżyć w mieście. Noce będę spędzać w domu Durum. Niech mi przypomina, kim jestem. Nie, to bez sensu, przecież Yuno mnie tam znajdzie. Odszukam Pati i Kosmę, o ile Ochrona Osiedla Przylesie przedtem nie skopie mi dupy, albo wprowadzę się do jakiegoś pustostanu. W dzień mogę kraść, jeśli nie uda mi się znaleźć żadnej pracy. Może mnie nie rozpoznają. Znajdę twój dom i będę się tam zakradać, by cię zobaczyć. Nie, nie pokażę ci się. To byłoby zbyt ryzykowne. Dość wycierpiałaś. Mnie wystarczy nadzieja, że jeszcze kiedyś cię ujrzę.

Jest jednak coś, co wciąż mnie dręczy... Odniosłam wrażenie, że Anna celowo odwleka rozmowę o mojej zbrodni, jakby nie była pewna, co mi powiedzieć. Może chciała się zastanowić, omówić to z Robertem. Czy mogę wierzyć, że wyjawi mi całą prawdę? A jeśli tak, to czy zdołam ją unieść? Czy nie popędzę natychmiast do ciemni, błogosławiąc Wapończyków za jej wynalezienie?

Myśli kłębią się i kłębią, ale w końcu, gdy niebo za oknem z czarnego przechodzi w granatowe, jakimś cudem zasypiam na nowo. Kiedy się budzę, jest jasno i ktoś puka do drzwi.

— Wstawaj — mówi Anna. — Minęła siódma. Robert już dawno w polu. Pomożesz mi przygotować śniadanie, a przy okazji pogadamy.

Ziewam szeroko i podnoszę się na łóżku. Nogi mam tak sztywne, że nie wiem, czy zdołam wsiąść na rower, a co dopiero przejechać sześćdziesiąt kilometrów.

— Przyniosłam ci ubranie. — Anna wskazuje stosik rzeczy na krześle. A więc była tu, gdy spałam.

Zostawia mnie, a ja ubieram się w ciuchy, w jakich nikt w mieście nie wyszedłby na ulicę. Zgrzebne portki, lniana koszula. Moi gospodarze i ich dzieci noszą takie same. O dziwo, stwierdzam, że jest mi w nich bardzo wygodnie. Trochę gorzej z płóciennymi mokasynami, które są za ciasne, ale jakoś się w nie wbijam. Bez pytania pożyczam szampon; woda po myciu włosów jest czarna. Płuczę je i płuczę.

Pewnie przywiozłam ze sobą pół kilo piachu z wczorajszej drogi. Dobrze, że mają hydrofor.

Odświeżona wchodzę do kuchni i pytam Annę, co robić. Wskazuje szafkę.

— Wyjmij naczynia i sztućce. Kanapki mam już prawie gotowe. Potem możesz wstawić wodę i nasypać kawy do dzbanka.

Robię, co każe.

— Wspomniałaś wczoraj, że choć popełniłaś zbrodnię, ludzie nie traktowali cię jak zbrodniarki. To z powodu twojej matki. — Zamieniam się w słuch, a serce zaczyna mi bić mocniej. — Była nauczycielką w miejscowej szkole. Później została sołtysem, ale nie porzuciła pracy z dziećmi. Była najbardziej ujmującą osobą, jaką znałam. Miała wielkie serce. Dzieci garnęły się do niej. Ale nie tylko one. Nie spotkałam nikogo, kto by jej nie lubił. — Anna przerywa na chwilę, a ja myślę, że chyba wiem, skąd się wzięło to powszechne zaufanie do mnie. To dziedzictwo matki. Być może jedyne, jakie przypadło mi w udziale. — Kiedy czternaście... — Zastanawia się. — Tak, czternaście lat temu niespodziewanie nadciągnęła wielka woda, cała wieś uciekała na okoliczne wzgórza. Twoja mama, podobnie jak większość dzieci i nauczycieli, była wtedy w szkole. Kierowała ewakuacją i robiła wszystko, by uratować każde dziecko. Prawie jej się udało, gdy przyszła druga fala i...

Przełykam ślinę. Pod powiekami przemykają mi nieskładne obrazy panicznej ucieczki po zboczu. Nie mam już sił, co chwila upadam, a woda pnie się w ślad za mną. Jakiś chłopak w okularach (Adam?) podaje mi rękę i wciąga na wzgórze.

— Dzięki twojej mamie i garstce innych nauczycieli zginęło tylko kilkoro dzieci — mówi Anna. — Ale ona nie zdołała się uratować. Do końca została z tymi, którym nie starczyło sił na ucieczkę.

— Znaleźliście jej ciało? — pytam, jakbym się łudziła, że matka jednak żyje.

Anna kiwa głową.

— Tak. Jej i innych. Pochowano ich razem… Myśleliśmy, że chciałaby tego.

Muszę chwilę pomilczeć.

— Teraz rozumiem — mówię wreszcie. — Rozumiem, dlaczego nie chcieliście mnie wydać. Ci Wapończycy… bo to byli Wapończycy, prawda? Oni tu przyjechali już po powodzi. Nie znali mojej mamy. Chcieli być praworządnymi obywatelami i dlatego nas wydali.

— Już ich tu nie ma — zastrzega Anna, ale ja macham ręką.

— Oni mają wiele dobrych cech. Po prostu inaczej myślą. Wiesz — dodaję po chwili — tam, w więzieniu, większość osób mnie lubi. Nigdy nie rozumiałam, czym sobie na to zasłużyłam. Teraz myślę, że odbija się we mnie dobroć matki. To trochę niesprawiedliwe, bo ja wcale nie jestem taka dobra. To znaczy próbuję, ale… No cóż, odtąd chyba muszę próbować jeszcze bardziej.

— Gmina opiekowała się sierotami, póki nie osiągnęły pełnoletności — kontynuuje Anna. — Później musiały żyć na własną rękę. Przygarnęliśmy ciebie i Adama, bo… — Urywa na moment. — Chciałabym powiedzieć, że zrobiliśmy to z dobroci, ale i tak się domyślisz, że to nieprawda. Po pierwsze, zagoniliśmy was do pracy w gospodarstwie. Po drugie, mieliśmy dług wdzięczności. Podczas tamtej powodzi w szkole była moja siostra. Jest niepełnosprawna. Gdyby nie twoja mama, nigdy by się stamtąd nie wydostała. Adam stracił oboje rodziców. Byli naszymi sąsiadami. Oni także zrobili dla nas w życiu wiele dobrego.

— Gdzie teraz jest twoja siostra? — pytam.

— Wyszła za mąż. Mieszka w sąsiedniej wsi i pracuje w szkole.

Zerkam na nią.

— Chyba wiem dlaczego.

Do kuchni wpada Maciek i porywa kanapkę. Anna usiłuje go przegonić.

— Zawołaj tatę i Marysię. Zaraz jemy.

Robert i nastolatka wracają z pola, zdejmują kalosze w przedpokoju. Dziewczyna patrzy na mnie jakoś nieufnie, ale nie mogę jej winić. Pani sołtys wspomniała, że rodzina miała z naszego powodu nieprzyjemności.

— Co było potem? — pytam. Spieszy mi się, bo wiem, że zaraz zasiądziemy do śniadania, a przy dzieciach Anna nie będzie mogła swobodnie rozmawiać. Ona jednak wydaje się zwlekać, jakby to, co ma powiedzieć, nie mogło jej przejść przez gardło.

— Wyjechaliście do miasta. Chcieliście pracować, studiować. Potem nie mieliśmy od was wieści, aż po dwóch czy trzech latach przeczytaliśmy w gazecie, że jesteś poszukiwana za zabójstwo.

— Jestem? Czy jesteśmy? — pytam, kurczowo trzymając się nadziei, że się przesłyszałam, ale gdzieś w trzewiach narasta już potworne zrozumienie. Trochę potrwa, nim dotrze do mózgu.

— My też nie mogliśmy w to uwierzyć. Tym bardziej gdy po kilku tygodniach tułaczki pojawiłaś się we wsi i wyznałaś nam wszystko, błagając, żebyśmy cię wydali.

Patrzę na nią, a ona odwraca wzrok.

— Nic nie pamiętasz... Boję się, że mi nie uwierzysz.

Ale ja już wierzę. Już wiem. Każde jej słowo otwiera we mnie kolejne drzwi; w miarę opowieści ta historia staje mi przed oczami, jakbym nigdy nie była w ciemni. Chociaż nie, inaczej: staje mi przed oczami, jakbym ją oglądała we śnie, wiedząc, że kiedy się przebudzę, znów zostaną z niej tylko strzępy jak rwące się nitki babiego lata. Nie zapomnę jej słów, ale zapomnę obrazy. Nie wiem, czy zapomnę ból.

W stolicy nam się nie wiodło. Chwytaliśmy się drobnych prac na czarno, ale to nie wystarczało na życie. Po krótkim okresie mieszkania w wynajętej kawalerce przenieśliśmy się do pustostanu na osiedlu podobnym do tego, na którym goniły mnie te dzieciaki. Na myśl o nich czuję ukłucie w piersiach. Wokół wszyscy ćpali, kradli, handlowali. Do pewnego momentu trzymaliśmy się od tego z dala. Potem Adam pękł. Zaczął dilować. Sprzedawał prochy dzieciakom z lepszych dzielnic. Znów było go stać na kawalerkę w centrum. Wydawało mi się, że nie mam innego wyjścia, jak tylko przenieść się tam wraz z nim. W slumsach by mnie zjedli. Poza tym byliśmy razem od dziecka i oprócz siebie nie mieliśmy nikogo.

Tamtego dnia przyszły do niego dwie małolaty. Mogły mieć po dwanaście lat. Zawsze, gdy przychodził klient, wywalał mnie do kuchni. Małolaty nie miały kasy. Powiedziały, że się z nim prześpią za towar. Nie powinno mnie to ruszyć, bo pewnie spały już z niejednym dilerem. Adam też się nie ograniczał, a mnie to nawet cieszyło, bo sypianie z nim już dawno przestało być przyjemne. Wolałam, jak przyprowadza sobie kogoś, a mnie daje spokój. Ale tego wieczoru coś mnie wzięło. Może dlatego, że byłam naćpana. A może dlatego, że nie byłam. Chwyciłam nóż do krojenia chleba i poszłam z nim do pokoju. Nie zamierzałam nikogo zabijać. Zobaczyłam oczy jednej z tych dziewczyn. Oczy dziecka. Takiego, jakim byłam ja, gdy uciekałam przed powodzią na wzgórze.

— Wynoście się stąd.

Wystraszyły się. Popatrywały to na Adama, to na nóż w mojej ręce.

— Odbiło ci? Zapomniałaś, kto cię utrzymuje?

— Utrzymywał.

Doskoczył do mnie, próbował wyrwać nóż, ale dostał kopniaka w czułe miejsce i skulił się z bólu.

— Wynocha! — warknęłam do dziewczyn. Były tak spragnione działki, że jeszcze chwila i rzuciłyby się na pomoc Adamowi. Dopiero gdy pogroziłam im nożem, pospiesznie zebrały ciuchy i wycofały się z mieszkania. Pewnie pobiegły do innego dilera. A może nie. Może strach przemówił im do tych zakutych łbów.

Zostaliśmy sami. Wtedy już wiedziałam, że jedno z nas musi zginąć. Przez głowę przemykały mi wizje z przeszłości. Wizja Adama wciągającego mnie na wzgórze. Oczy matki. Oczy dziewczynki, która była o krok od oddania ciała za działkę towaru. Adam i ja przy grobach naszych rodziców… Tamtego Adama już nie było. Być może nie było także tamtej mnie, ale wciąż zachowywałam cień godności. Wciąż pamiętałam matkę. Mogłam po prostu odwrócić się i wybiec. Tak byłoby lepiej. Mogłam, gdyby nie krzyk, który narastał w moim gardle. Krzyk bólu i wstydu, rozpaczliwej, dojmującej tęsknoty za utraconym życiem. Za Adamem, za sobą. Za matką, która odeszła, żebyśmy my mogli dorosnąć.

Nie pamiętam, a Anna nie wie, jak to się stało. Jakaś szamotanina, chaos. Nóż w piersi Adama. W całym tym szale potrafiłam myśleć tylko o jednym: nie uderzać w brzuch. Nie zadać mu cierpienia, którego nie zniosę. Patrzył na mnie zdumionym wzrokiem, chwytając dłońmi za rękojeść, ale nie miał dość siły, by wyrwać ostrze. Długo trwało, nim osunął się na ziemię. Plama krwi wokół trzonka noża rosła. To ta sama krew, która będzie nawiedzać mnie w snach.

Spokojnie, metodycznie, jak to często robią ludzie w szoku, doprowadziłam się do porządku, zabrałam do plecaka najpotrzebniejsze rzeczy i wyszłam, nie sprawdzając, czy Adam wciąż żyje.

Pierwsze dni to tułaczka po mrocznych częściach miasta. Anna tego nie wie, ale ja widzę w oślepiających błyskach, co robiłam, co ze mną robiono. Może dziedzictwo matki, które tyle razy uratowało mi tyłek, a może prymitywny instynkt samozachowawczy dały mi w końcu siłę, by uciec z miasta, do Anny i Roberta, do Drugiego Równika, nim jeszcze znaleziono ciało i rozlepiono ogłoszenia. Choć wciąż nie pojmuję, jakim cudem mnie przyjęli, wiedząc o wszystkim. Bo kiedy tu dotarłam, już wiedzieli, a ja niczego się nie wypierałam.

— Dlaczego postanowiliście mnie ukryć? — pytam.

Anna rozkłada ręce.

— Może dlatego, że tak cierpiałaś. Chciałaś, żebyśmy cię wydali. Wiedzieliśmy, że ty i Adam byliście dla siebie niemal wszystkim, odkąd straciliście rodziny. Nie mieliśmy wątpliwości, że mówisz prawdę, ale nie potrafiliśmy traktować cię jak morderczyni. To, co zabiłaś, było częścią ciebie. Nie mieliśmy serca cię wydać. W końcu naradziliśmy się z księdzem i postanowiliśmy jeszcze raz przyjąć cię pod swój dach. Resztę wiesz. — Milczę, więc ona dodaje: — Ta twoja ciemnia zabiła pamięć zabójstwa i pewnie dlatego zdawało ci się, że byłaś tu z Adamem, że to była wasza wspólna zbrodnia. Nie wiem, czy dobrze zrobiłam, opowiadając ci o tym. Teraz będzie ci trudniej.

— Nie. Nie martw się, ciemnia znów mnie wyczyści — mówię, patrząc jej w oczy. — Chciałam wiedzieć. — Naprawdę tak myślę, choć bardzo cierpię. Tak bardzo, że nie wyobrażam sobie pokonywania sześćdziesięciokilometrowej drogi, która dzieli mnie od ciemni. Chcę ją mieć tu, teraz.

Zanosimy jedzenie na stół. Świeży chleb, pomidorki, wędlina. Kawa pachnie tak cudnie, że mam ochotę rozpłynąć się z zachwytu. A raczej miałabym, gdybym nie umierała.

Teraz pamiętam. Dla przybyszów z zewnątrz, bez koneksji, miasto było koszmarem. Przez pierwsze miesiące karmiliśmy się nadzieją, więc głód nie był tak dojmujący. Przez pierwsze miesiące mieliśmy siebie. Później sięgnęliśmy dna, by pozornie odbić się od niego, gdy Adam zaczął handlować towarem. Ale wtedy wszystko już toczył robak narkotyku, zobojętnienia, bezwzględności. Dziękuję, mamo. Dziękuję, że dałaś mi siłę, by się stamtąd wyrwać. Teraz rozumiem, dlaczego czyści się nam pamięć. Rozumiem, choć wciąż nie jestem pewna, czy to dobre wyjście. Przypominam sobie psychologów, których przysłano nam do więzienia. Mówili, że złe doświadczenia powinno się przepracować, zamiast od nich uciekać. Po cholerę Yuno ich sprowadziła, skoro cała idea zakładu przeczy ich naukom? Jak mam przepracowywać zbrodnię Durum, nie pamiętając własnej? Jak sądzić Roksanę i „klony", nie oceniając siebie? Jesteśmy jak dzieci błąkające się we mgle, usiłujące dociec, kim są, skąd się wzięły, dokąd idą. Czy można tworzyć przyszłość, nie mając przeszłości? Ale właściwie jaką przyszłość? Może ta ciemnia to zwykłe znieczulenie mające nas przygotować na nadejście kolejnych fal, które ostatecznie zabiją wszelkie życie na Ziemi? Wtedy moja zbrodnia okaże się śmiesznie mała, więc po co mam ją rozpamiętywać, zamiast korzystać z tego, że wciąż żyję?

Doskonale wiem, że to nieudolne próby oszukiwania samej siebie. Że zbrodnia zawsze jest zbrodnią, nawet w obliczu kresu wszystkiego. Może nawet w szczególności wtedy, gdy nie ściga cię już prawo, a wyłącznie twoje własne sumienie.

— Mówiłaś, że byłam poszukiwana — zagaduję Annę.

— Nawet tu wieść o tym dotarła przede mną. Jak to możliwe, że teraz, w mieście, nie rozpoznał mnie nikt oprócz jednego policjanta, który pamiętał mnie z więzienia?

Niesiemy talerze, kubki.

— Pewnie w mieście jest wiele takich zdarzeń — mówi Anna. — Po kilku miesiącach nikt o nich nie pamięta, bo przysłaniają je nowe zabójstwa, nowi podejrzani. Poza tym, kiedy do nas dotarłaś, wyglądałaś całkiem inaczej. Byłaś chuda jak szczapa, obszarpana, miałaś długie włosy.

— Długie włosy? — dziwię się, myśląc o moich kłakach sterczących jak włosie od szczotki.

— Tak. Nie były takie gęste jak teraz. I bardziej matowe.

Jasne. Głodowałam, ćpałam, pewnie miałam anemię, więc i włosy ucierpiały. Może jednak powinnam bardziej lubić swoją obecną fryzurę.

Siadamy w piątkę do śniadania i pałaszujemy te wszystkie smakołyki. W zakładzie karmili nas całkiem dobrze, ale po dwóch dniach spędzonych w mieście i trzecim w podróży jestem tak wygłodniała, że zjadłabym konia z kopytami. Poza tym tu wszystko pachnie świeżością, otwartą przestrzenią, przydomowym ogrodem.

Potem Anna wyprawia dzieci do szkoły, a my jeszcze przez chwilę rozmawiamy. Chcę wiedzieć, jak żyje się tu, we wsi, czy jest im ciężko, jaką część plonów muszą oddawać gminie.

— Kiedyś dużo brali, ale i dawali co nieco — mówi Robert. Wczoraj byłam zbyt zmęczona, by mu się przyjrzeć. Teraz widzę, że mimo siermiężnego stroju jest przystojny i wygląda na inteligentnego. Ciemne włosy założył za uszy, a orzechowe oczy patrzą bystro spod gęstych brwi. — Teraz biorą tyle samo, a nie dają w zamian prawie nic.

Zastanawiam się, czy powinnam im mówić o wyrzucanych do morza kartonach i o tym, że statek z Bestatu nie przypływa. W końcu wybieram milczenie.

— Pomóc wam w pracy czy się wynosić? — pytam zamiast tego. Do końca przepustki została mi godzina. Lepiej być już w drodze, kiedy czas minie.

— Pomóż mi posprzątać — mówi jednak Anna.

Znosimy naczynia ze stołu. Robert wkłada kalosze i wychodzi.

— Powiesz mi, gdzie szukać grobu matki? — pytam.

— Jasne — mówi Anna. — Chcesz, żebym z tobą poszła?

Kręcę głową.

— Chyba nie. Przepraszam. Wolę porozmawiać z nią sama.

*

Wyruszam parę minut przed dziesiątą, przebrana z powrotem w swoje stare ciuchy mimo protestów Anny. Nie chcę jej ranić, dlatego nie mówię, jak zareagowaliby na jej płócienną odzież ludzie z miasta. Anna żegna mnie siostrzanym uściskiem. Wysupłuję resztę swoich pieniędzy, wciskam jej w dłoń, choć się wzbrania. Mnie już się nie przydadzą. Jest piękny wiosenny dzień; początkowo nogi poruszają się opornie, ale po kilkudziesięciu metrach pedałuje mi się już lepiej. Macham do pracującego w polu Roberta, a on mi odmachuje. Jadę główną drogą na południowy zachód, bo tam właśnie, na skraju wsi znajduje się cmentarz. Po lewej mijam jedno z okolicznych wzgórz — być może to, na które nie zdążyła uciec moja mama. Wkrótce potem docieram do cmentarza. Przechodzę przez bramę, prowadząc rower. Anna powiedziała, że znajdę grób w drugiej alejce. To zbiorowa mogiła, ale każdy ma na niej swoją tablicę i zawsze leżą tam kwiaty. Dostrzegam ją od razu. Podchodzę bliżej i na samym środku długiego grobu widzę nazwisko mojej matki.

— Mamo — rozmawiam z nią na głos. — Dzięki, że przekazałaś mi to coś, co każe ludziom mnie lubić. To cholernie ułatwia życie, nawet jeśli sama je sobie komplikuję, jak tylko się da. Nie wiem, kim był mój ojciec, ale pewnie niezłym wariatem, sądząc po tym, co się we mnie kłębi. Przepraszam, że jestem taka stuknięta. Muszę teraz wrócić do paki. Chciałam się zabić, ale skoro mogą mi wykasować pamięć, może jakoś wytrzymam. Chciałam się zabić, bo kogoś kocham, wiesz? Ty pewnie zadowoliłabyś się myślą, że ten ktoś żyje i jest szczęśliwy, a ja… Mnie zżera zazdrość. Cierpię, bo nie mogę jej dotknąć, spojrzeć na nią. Ten cymbał czuje się jej panem, a ja jestem tylko więźniarką. Ale dam sobie radę, bo jestem twoją córką. Po coś przeżyłam tę powódź. Mogą mnie ściemnić, ale twoje dziedzictwo zawsze we mnie pozostanie. Dzięki ci za to… Dobra — kontynuuję z ociąganiem — teraz to trudniejsze. Zabiłam Adama. Pewnie już wiesz. Siedzisz tam z jego rodzicami, a może i z nim. Chociaż byłoby trochę niesprawiedliwe, gdyby tam z wami był. Pod koniec życia stał się złym człowiekiem. Narkotyki wyżarły mu mózg. Czy mówię tak, żeby się usprawiedliwić? Nie wiem. On by przeleciał te dwie małolaty. Może i tak się puszczały, a może nie. Może zabiłam go, bo mnie wkurzył, bo byłam naćpana. Ale pamiętałam, by nie uderzać w brzuch. Nie chciałam, żeby cierpiał bardziej niż to konieczne. Jeśli tam z wami jest, wyleczony, kiedyś się spotkamy i spróbujemy sobie wybaczyć. Ale nigdy już z nim nie będę. To była taka szkolna miłość, która nie przetrwała próby czasu. Teraz kocham inaczej. Tak żarliwie, że aż boli. Nie wiem, dokąd mnie to zaprowadzi… Chciałam pozostać na wolności i ukrywać się tylko po to, by być blisko niej. Chciałam, dopóki nie poznałam prawdy o swojej zbrodni. Jak mogłabym żyć, nie zapominając o niej nawet na moment, nie mając nikogo, z kim mogłabym rozmawiać o niej, o czymkolwiek? Nie stać mnie na psychologa. Jedyne, na co mnie stać, to ciemnia.

Mama miała na imię Aniela. Kiedy o tym myślę, nagle zachciewa mi się śmiać i wszystko staje się znośne: to, że wrócę do zakładu i będę musiała zaczynać od nowa, to, że straciłam Nadię, a wkrótce obok tych najstraszniejszych mogę stracić także i te najpiękniejsze wspomnienia z nią związane, to, że Durum zabiła Paulę, a potem siebie, to, że zaatakowałam lekarkę nożem do papieru. Nawet choroba Nadii staje się znośna, bo w tym momencie czuję niezachwianą pewność, że koszmar nie powróci.

Może wszystko się ułoży. Yuno znów mi zaufa, a Wiola i Paula pomogą złożyć w całość fragmenty siebie. Może odnajdę w zakładzie dom, który już raz tam miałam. Może powalczę o rzeczy, które przed przepustką zdawały mi się ważne. Może nawet znowu zakocham się w tobie. Jeśli wrócisz.

Obok płyty nagrobnej matki widnieje nazwisko i imiona dwojga ludzi. To rodzice Adama. Przez chwilę przypominam sobie nawet ich twarze. Myślę o księdzu, który doradził Annie i Robertowi, by dali mi schronienie. Może to jeden ze współczesnych ojców Dietrichów. Ktoś, dla kogo służba Bogu to nie wypełnianie poleceń Kościoła, tylko umiłowanie bliźniego niezależnie od jego odmienności. Myślę o tym, jak powiedziałam Yuno, że nie warto narażać zdrowia wychowanek, by ratować jedną zbłąkaną owieczkę. Nadal tak uważam. Ale teraz wiem, że mnie dano szansę, choć skoro raz zabiłam, równie dobrze mogłabym to zrobić znowu.

— Do zobaczenia, mamo. Tu albo tam, jak los zadecyduje. Mogłabym ci obiecać cokolwiek, bo i tak nie będę o tym pamiętać. I właśnie dlatego wolę nie obiecywać. Baw się dobrze po tamtej stronie.

Przez chwilę patrzę w milczeniu na grób. Leżą na nim świeże kwiaty, a ja nie przyniosłam nawet stokrotek z łąki. Rozglądam się wokół i widzę kwitnące drzewko. Zrywam maleńką gałązkę, kładę na płycie pod tabliczką z nazwiskiem mamy. Naszym nazwiskiem. Wybacz, mamo. Nic więcej nie mam.

Już mam odejść, kiedy ogarnia mnie rozpacz tak potworna, że prawie zginam się wpół. Przykucam, a potem siadam na płycie obok ciebie i wyrywa się ze mnie ten szloch, którego zabrakło, gdy stałam nad morzem i rtęciowe fale lizały mi buty. Przy Annie płakałam jak dziecko; teraz jak zbrodniarka zesłana na bezludną wyspę, na której już zawsze, przezawsze pozostanie sama.

Aniela, myślę, bo tylko to może mnie uratować przed potwornym ciężarem, który nie pozwala wstać. Mamo, aniele mój, daj mi siłę, żebym przejechała tych sześćdziesiąt kilometrów i nie umarła z bólu.

W końcu łzy przestają płynąć, z czym czuję się jeszcze podlej, bo w środku wciąż szlocham. Nie wiem, jakim cudem udaje mi się wstać. Smarkam, chwytam rower za kierownicę i odchodzę żółwim krokiem, nie oglądając się za siebie. Każda z nóg zdaje się ważyć tonę, jakby były zrobione z ołowiu.

*

Zamykam za sobą bramę i wracam na drogę. Jeśli pojadę w lewo, dojadę do miasta, o ile wcześniej nie trafi mnie szlag. W prawo jest Niderland, ziemia niczyja, a za nią ocean. Pedałuję szybko, by stopić ołów w nogach.

Ciekawe, czy Adam w ogóle ma gdzieś grób. To byłoby całkiem w stylu naszych władz: ścigać kogoś za zbrodnię, a zabitego wrzucić do rowu.

Kilka godzin, kilkadziesiąt kilometrów. Nie wiem, co mnie napędza, ale wydaje się, że mogłabym tak jechać w nieskończoność. Wycisza mnie ta jazda, wypycha złe myśli i zastępuje je banałami o urokach arkadyjskich pejzaży. Nie wierzę, że świat się kończy. Morze zwróci wszystko, co zabrało; to tylko kwestia czasu. Musimy wytrwać.

Kiedy na horyzoncie pojawiają się sylwetki wieżowców stolicy, żałuję, że to już koniec podróży. Planuję ominąć miasto i zjechać z drogi dopiero na jego wschodnim krańcu, ale nagle nachodzi mnie pragnienie zobaczenia jeszcze raz morza i portu, przejścia przez slumsy, w których być może mieszkałam. Boję się, że ktoś rozpozna rower, więc zostawiam go na zachodnich obrzeżach miasta i idę dalej pieszo. Został mi jeden bilet tramwajowy. Przejdę na skos przez południową dzielnicę i wsiądę we wschodnią linię, by nie przejeżdżać w pobliżu szpitala na Skałce.

W tramwaju staram się patrzeć w podłogę albo przez okno, by nie zwrócić niczyjej uwagi. Wysiadam na znajomej już pętli i idę przez zrujnowane osiedle, rozglądając się dyskretnie, unikając bezpośredniej bliskości bram i wszelkich kręcących się tu i ówdzie postaci. Staram się ominąć blok, w którym poprzednio natknęłam się na ćpunów, choć dobrze wiem, że mogą siedzieć wszędzie. Przez to kluczenie znowu się gubię i od tej pory myślę tylko o tym, by się wydostać.

Wychodzę zza załomu jednego z budynków i wpadam prosto na gliny. Jest ich pełno, wyciągają dzieciaki z bram, biją pałkami. Robię w tył zwrot, ale jest za późno. Wiem, że wyglądam jak mieszkanka tych slumsów — potargana, zakurzona, śmierdząca potem po wielogodzinnej jeździe. Ale nawet gdybym wyglądała jak z żurnala, wzięliby mnie pewnie za dilerkę, bo nikt normalny tu nie przychodzi. Gliny, na które wpadłam, to grupa czterech czy pięciu kobiet. Dostaję pałką i nim zdążę zrozumieć, co się dzieje, kulę się pod ścianą, zasłaniając rękami głowę.

— Jestem na przepustce z więzienia!!! — wrzeszczę.

Podnoszą mnie brutalnie, obracają. Teraz widzę, że są we cztery, ale tylko trzy stoją przy mnie z wykrzywionymi perwersyjną radością twarzami, jakby same były naćpane. Czwarta spogląda na nas z odległości kilku metrów. To Waponka. Patrzę jej w oczy.

— Wyciągaj papiery, tylko powoli! — komenderuje.

Sięgam pod kurtkę, wyjmuję z portfela przepustkę i podaję jej ostrożnie. Bierze, ogląda, podaje dalej. Bez ostrzeżenia chwyta mnie za włosy i przyciąga do siebie. Portfel wypada mi z rąk. Dopiero wtedy przypominam sobie o wizytówce Marcela, ale jest za późno.

— Komu ty kity wciskasz, myślisz, że czytać nie umiem? — Policjantka puszcza mnie i popycha na ścianę. Chyba dostaję pałką w łeb, a może po prostu się przewracam i uderzam głową o beton, bo nagle robi się ciemno. Jeszcze przez chwilę słyszę jakieś dźwięki, a potem film całkiem mi się urywa.

*

Budzę się na pryczy i przez krótką chwilę mam nadzieję, że jestem z powrotem w zakładzie. Ból głowy szybko mi o wszystkim przypomina; zresztą gdybym była w zakładzie, nic bym nie pamiętała. A ja pamiętam cholernie, cholernie dużo. Leżę na tej pryczy, nie otwierając oczu, bo nie chcę wiedzieć, gdzie jestem i co ze mną zrobią. To dziwne, ale z chaosu ostrych jak odłamki szkła wspomnień ratuje mnie Nadia. Ta sama Nadia, której utrata zdawała mi się cierpieniem ponad miarę, teraz jest ostoją normalności w świecie, w którym wszystko inne stanęło na głowie: Adam stał się bezwzględnym dilerem wykorzystującym dwunastoletnie dziewczynki, ja zabójczynią chłopaka, którego kochałam, policja złą, brutalną siłą. Co z tego, że Nadia ma męża. Co z tego, że mogę jej nigdy nie zobaczyć. Ważne, że jest na świecie.

A kiedy wrócę, jeśli wrócę, do naszego domu na wzgórzu, wejdę do biblioteki, wciągnę w płuca zapach książek i kurzu, a potem znajdę *Eifelheim*, który niczym popękane lustro ujawni mi moje poranione oblicze — odzyskam ciebie i siebie. Może nie będę pamiętać twarzy ani imienia, może będziesz dla mnie tylko nieuchwytną emanacją unoszącą się nad tym miejscem, ale wiem, że będziesz żyć we mnie. A ja będę pielęgnowała twoją obecność, pieściła każdy wyrwany z niebytu szczegół, składała cię w całość, by nocami wszeptywać ci do ucha swoją wielką miłość.

Słyszę jakieś kroki i dopiero wtedy otwieram oczy. Jestem w celi z zakratowanymi drzwiami, za którymi znajduje się pokój z biurkiem. Przy biurku siedzi facet i pisze coś na komputerze, a kroki, które usłyszałam, należą do kobiety w mundurze, która bierze z biurka jakiś wydruk i czyta.

— Nie — mówi. — Chyba oszalałeś, nie możemy tego napisać. Nic przy niej nie znaleziono. Nie możemy sugerować, że funkcjonariuszki pobiły ją tylko dlatego, że była w niewłaściwym miejscu o niewłaściwej porze. Tak się nie robi.

— Nie stawiła się do zakładu? — sugeruje facet.

Kobieta prycha.

— To nie jest wystarczający powód. Mamy prawo ją doprowadzić siłą, ale spójrz, jak ona wygląda. — Szybko zamykam oczy, żeby się nie zorientowali, że słucham. — Chętnie uwierzyłabym w te kity, które mi wciskały dziewczyny, jak to uratowały ją z rąk meneli, ale Kim'ko powiedziała prawdę i sprawa się rypła. Poza tym spójrz na to. — Wyjmuje coś z kieszeni i pokazuje mu. — Było w jej portfelu.

— Wizytówka policjanta? — dziwi się facet. — Ki diabeł?

— Nie wiem, ale lepiej zachować ostrożność. Cholera wie, co oni tam mieli za konszachty.

— W takim razie napiszmy: „W wyniku pobicia przez nieznanych sprawców osadzona wymagała pomocy medycznej, co uniemożliwiło jej powrót do zakładu o wyznaczonej godzinie" — mówi facet. — W ten sposób uratujemy dziewczynie tyłek, a naszymi funkcjonariuszkami sami się zajmiemy.

Z CIEMNOŚCI

Światło razi mnie w oczy, przez głowę przemykają chaotyczne obrazy, postacie. Uciekam, bo kogoś zabiłam, choć nie pamiętam kogo. Ludzie są mi nadspodziewanie życzliwi, znajoma rodzina ze wsi wyciąga pomocną dłoń, dopiero ci Wapończycy zawiadamiają policję, co przyjmuję z pewną ulgą. Wspomnienia mieszają się z teraźniejszością, w której dwie strażniczki prowadzą mnie korytarzem wypełnionym po jednej stronie metalowymi drzwiami otwieranymi za pomocą kodu. W każdych drzwiach jest podłużny wizjer. Przez położony niżej hol przechodzi grupa dziewcząt w asyście wapońskich strażniczek. Niektóre zadzierają głowy i gapią się na mnie. Wszystkie mają na sobie takie same flanelowe tuniki za kolana, jedne barwy ciemnoniebieskiej, inne bordowe. Moja jest bordowa. Tyle że ja nie mam na głowie ochronnego czepka. Krótkie niesforne włosy sterczą mi na wszystkie strony, choć są świeżo umyte.

Prosto z ciemni zabrali mnie do kąpieli i wyszorowali, a dopiero potem postawili przed obliczem surowej Waponki w mundurze.

— Wiesz, dlaczego tu jesteś?

— Chyba… chyba kogoś zabiłam.

Reszta jest ciemnością. Ale gdzieś w głębi tej ciemności, na samym jej dnie, majaczy obraz z kalejdoskopu, dziesiątki ostrych szkiełek mogących dotkliwie poranić, lecz mających w sobie nieodparty urok. Chcę spojrzeć w ten kalejdoskop.

SPIS TREŚCI

Printed in EU